JE VIS OÙ JE M'ATTACHE

Yves Navarre est né en 1940 en Gascogne. Très jeune, il écrit des romans, des pièces de théâtre, des poèmes. Il fait ce qu'il appelle « son apprentissage ».
En 1971, il publie enfin son « n-ième » roman : *Lady Black*, puis en 1972 *Evolène* et en 1973 *Les Loukoums*. C'est ce roman qui le fera connaître du grand public. Depuis, il a publié, entre autres, *Le Cœur qui cogne, Killer, Niagarak, Le Petit Galopin de nos corps, Portrait de Julien devant la fenêtre, Le Temps voulu, Le Jardin d'acclimatation* (Prix Goncourt 1980), et, plus récemment, *Louise, Fête des mères, Une vie de chat* (Prix 30 millions d'amis), *Romans, un roman, Hôtel Styx.*
Auteur de théâtre, ses pièces — *Il pleut, si on tuait papa-maman*; *Histoire d'amour*; *Freaks Society*; *La Guerre des piscines*; *Les Dernières Clientes* et *Le Butoir* — composent une œuvre tout aussi originale que ses romans.

Paru dans Le Livre de Poche :

LES LOUKOUMS.
LE PETIT GALOPIN DE NOS CORPS.
LE CŒUR QUI COGNE.
LE TEMPS VOULU.
LE JARDIN D'ACCLIMATATION.
NIAGARAK.
BIOGRAPHIE, *t. 1 et 2.*
ROMANCES SANS PAROLES.
UNE VIE DE CHAT.
FÊTE DES MÈRES.

YVES NAVARRE

Je vis où je m'attache

ROMAN

LE LIVRE DE POCHE

« Ecoute le silence du ciel... »

1

Je me souviens du berceau, aux rebords très hauts, net, rigoureux, comme une cage. Je suis dedans. Toute habillée de blanc, j'attends. Les rideaux de la fenêtre sont toujours tirés. Parfois, au-dehors, j'entends des voix, des cris, des chiens aux abois. Je sais aujourd'hui qu'il s'agissait de chiens. Dans le berceau, je ne faisais pas la différence. C'était les bruits de derrière les rideaux. Parfois, des ombres passent. J'attends. J'attends encore. J'attends que la porte s'ouvre. Il y a la dame en blanc qui m'apporte à manger ou bien qui me lange, et la dame en noir qui ne fait que passer pour vérifier. La dame en blanc me prend dans ses bras mais jamais la dame en noir. La dame en noir n'a pas de regard. Je vous le dis aujourd'hui, c'était ma mère. Je suis arrivée trop tard.

Pour ce premier temps, au chapitre du début, je veux me replacer dans ce berceau, revoir ce que j'ai vu, exprimer ce que j'ai ressenti, donner en partage le sentiment premier dont je ne suis, en fait, jamais sortie. On sort d'un berceau mais on en porte en soi les barreaux. J'attends. J'attends encore, le jour et la nuit, la dame en blanc et la dame en noir, celle qui donne et celle qui vérifie.

Tout cela, je l'exprime bien, j'en conviens. En adulte, je restaure la première vision. Je la pare. Je dis que la dame en blanc me langeait parce qu'à mon tour, ensuite, plus tard, j'ai langé mes fils. J'aimais la dame en blanc. Les biberons qu'elle me donnait étaient sucrés. Sa main aussi, touchante, pour me soulever la nuque, ou bien caressante, au bas du ventre, applications de toutes sortes de pommades, de poudres douces et parfumées. Un instant, je croyais que j'allais pouvoir suivre cette femme, mais mon poids me retenait. Je ne savais pas encore me lever. Proie, couchée, je devais rester là. La dame en noir, le soir, était toujours la dernière à refermer la porte. Propriétaire.

Alors, tournée vers la fenêtre, j'attendais qu'une lumière se lève, une lueur nouvelle pour donner le signal des allées et venues. J'ai su plus tard qu'un chien était un chien, qu'un jour était un jour. Ils ne m'ont rien enseigné. J'ai tout appris très vite. Je ne savais pas encore marcher que j'avais déjà en mon pouvoir tout ce qui faisait le leur, des mots, de nombreux mots, cachés en moi, que je leur volais et dont ils usaient pour désigner tout ce qui m'entourait. Tant et tant de mots que je ne formulais pas encore mais que je martelais au tout dedans de moi pour me sentir forte, prête à affronter. C'est si facile de s'inventer les premiers jours de sa vie et surtout de reprocher à ceux qui se les rappellent d'en avoir trace dans leur esprit. Pourtant, tel est mon cas. Le discours de mon silence est à ce jour, près de soixante-dix ans plus tard, tramé, tissé serré-serré de tous les faits de mon berceau et du tendre abandon dont j'étais l'objet.

Quelques minutes le matin et un plus long moment le soir, la dame en blanc ouvrait la fenêtre. Mais elle l'ouvrait derrière les rideaux. Je sentais un souffle qui venait du dehors, gonflait la toile, et certains jours, la faisait faseyer comme une voile. Simples rideaux de coton qui me cachaient ce qui était l'ailleurs. Une logique me portait à croire que la porte était faite pour entrer mais pas pour sortir. La fenêtre serait pour moi l'unique issue. Je ne savais rien de ce qu'il y avait derrière. J'imaginais une autre pièce, un peu plus vaste, mais sans berceau et sans barreaux. Une pièce avec plein de choses qui passent, d'êtres qui parlent et qui projettent des ombres. Seule l'idée de ce lieu second me donnait le courage d'attendre, justifiait le silence dont la dame en blanc me félicitait. Elle me disait toutes sortes de mots en « age » et en « ille ». J'étais sage et gentille. Une gentille petite fille. Sage comme une image. Ces mots chantaient. La dame en blanc me baignait peu avant la dernière visite de la dame en noir dans une vasque en porcelaine à fleurs bleues. Une eau tiède. La nuque calée sur le rebord de la vasque, la main de la dame en blanc, sous mes reins, m'empêche de glisser.

Le berceau. M'y revoilà. Couchée, je regarde le plafond, je tends les mains vers lui. Mes menottes. Je voudrais le toucher du bout des doigts. Puis j'observe mes pieds, sous la couverture. Je gigote. Je m'amuse, je voudrais tant savoir faire autant de gestes, et aussi bien, que les visiteuses. Et quand parfois, je me laisse rouler de droite, vers la fenêtre, ou de gauche, vers le mur, ce sont les barreaux du berceau que je saisis. Je voudrais les tordre, les écarter, sortir, aller me réfugier dans la pièce voisine, la grande vasque d'à côté, y cueillir toutes les fleurs bleues. L'air doit y être tiède, comme l'eau. Ecarter les rideaux et plonger. Je suis une petite chose oblitérée qui ne demande qu'à se hisser, courir, respirer, rire. Mes pieds, mes mains, mon corps, je fais l'inventaire, je pèse si lourd. Comment me lever, me relever, grandir une nouvelle fois? Une, deux, trois fois, combien de fois déjà m'a-t-on donné mon tour, n'est-ce pas suffisant? J'aurais sans doute pu, aux premiers mois de ma vie, raconter toutes mes autres vies, celles-là fauchées, bonheurs perdus, temps du passé, révolus, comment le dire : j'avais déjà terriblement vécu. Je l'ai su faiblement au début puis je l'ai oublié, je l'ai tu. Nous avons tous été tellement raisonnables ensuite pour soutenir de telles thèses sans essuyer un sourire. Je souris, aujourd'hui. Il faut que je me souvienne. Mes pieds, mes mains, les barreaux, la fenêtre aux rideaux tirés, gentille, sage, image, l'eau tiède dans la vasque, crèmes et poudres, parfum et sourire obligé de la dame en blanc. Elle ne m'aime pas plus que les autres. Son sourire me le dit. Elle est payée pour faire ce qu'elle fait et elle n'aime pas la dame en noir, ma mère, maman. Je n'ai jamais dit maman.

Vous m'aimez? Alors je vais voir jusqu'où va votre attachement. Ma mère me porte. Je me souviens de la poche et du ventre. Je sais que je vais revenir, mais où, chez qui, pour quel amour et quel siècle? Et si vous pensez que j'abuse en ce fait imaginez-vous avec moi, dans le ventre. Le ventre de cette femme. Elle ne fait pas attention à moi. Je l'entends rire, parler à voix trop haute. Elle commande à tous. Elle n'a de paroles douces que pour ses chiens. Elle s'adresse toujours à un homme qui ne lui répond pas. Dans l'eau de la poche, sourde, petite chose noyée qui ne demande qu'à sortir, respirer, tenter sa chance, dans l'eau de cette poche, j'entends la voix de celle qui me porte, la voix mais pas les mots, des vibrations, des sons graves et profonds, difformes. J'attends. J'ai toujours attendu. Combien de temps m'a-t-on tenue à l'écart avant de me permettre de revenir?

Quand j'ai enfin franchi le col, naissance, sortie, j'ai tout fait pour ouvrir les yeux, voir tout de suite, chez qui, où? Serai-je choyée, oubliée, ou encore la première, la première de toute une famille?

Je suis née le 22 décembre 1911. La dame qui me servit d'outre puis de couloir avait quarante-trois ans. J'avais déjà un frère et quatre sœurs aînés vivants, sans compter des jumelles qui étaient mortes l'année de la grippe espagnole et une famille d'enfants morts en bas âge dont ma mère portait le deuil. On me reprocha presque de n'être pas arrivée le jour de Noël, on m'aurait appelée Noellie. Mon père, celui qui ne parlait pas, prit tout de même l'initiative de mon prénom. Adrienne. Par lassitude sans doute puisque mon unique frère s'appelait Adrien. C'est tout. J'étais fragile. On décida que je ne sortirais qu'au printemps. On me mit dans la chambre, dans le berceau. Et on me fit attendre les beaux jours.

J'eus tout le temps pour m'inquiéter, réapprendre, vivre, me faire oublier aussi. Je ne regardais pas le visage de la dame en noir, mais son ventre, ce qu'il y avait de torturé à la ceinture, de bombé au-dessous. Elle était à la fois rigide et coquette. Je l'avais déformée pendant des mois, et il lui faudrait des années pour me le pardonner. J'étais arrivée tard, si tard, un miracle et pour elle, un danger. Elle ne me le dira jamais mais elle le laissera entendre tout le temps, d'un geste, d'un regard esquivé ou bien de sa démarche. Elle claudique à cause de moi. J'ai failli la tuer.

Un matin, la dame en blanc pousse un cri. Je me suis coincé la tête entre deux barreaux. Je ne pleure pas. J'attends qu'on me libère. Sans doute, en dormant, ai-je essayé de m'évader. Je me suis coincé la tête vers le bas. J'entends des pas, je vois des pieds qui ne sont pas ceux des dames. Puis un bruit de scie, dans un des barreaux, crissement aigu, grave, qui va et vient, se répercute dans mon corps. J'entends des mots en « tion ». Attention. Précaution. Puis de l'extérieur, on tord la barre, on me libère. Je ferme les yeux. Je ne veux pas les voir. Au toucher, c'est la dame en blanc qui me tient. Elle me couche, je m'endors. Je suis fière. Je leur ai fait peur. Ils sont tous venus. J'existe.

Le sein, de la dame en blanc. J'en ai le nez tout mouillé. La sensation est brève. Ce fut vite le biberon. Et des jours, tant et tant de jours. On était indifféré de m'avoir, mais on craignait de me perdre. Dans la prison de la chambre, dans la geôle du berceau, on me laissait à des réalités premières. On croyait sans doute que je n'étais pas en âge de penser, comprendre, recevoir. Ces premières sensations furent pourtant les seules incidentes de ma vie. La toile des draps, rugueuse. L'oreiller, un peu dur. Des brassières qui avaient déjà servi. L'accent est ici mis sur ce qui pourrait être entendu, comme un rejet, un refus quand ma seule attention au lieu clos de cette chambre était une différence. J'allais faire une nouvelle expérience.

Une table de toilette, la vasque, la cruche, des flacons et des serviettes. Un parquet lessivé mais pas ciré. Et dans les murs, de tous côtés, sauf dans le coin du berceau, des placards de haut en bas. Parfois la dame en blanc les ouvre pour classer le linge de la maison, les draps, les nappes, les torchons. Parfois, aussi, elle repasse en chantonnant. Elle me tourne le dos. Moi aussi, je suis rangée. L'odeur du linge propre ne me quittera jamais.

Plusieurs fois je me coince la tête. Plusieurs fois on

scie les barreaux. A chaque fois, libérée je ferme les yeux. J'entends des mots en « ange ». Etrange. Combien de jours encore avant les beaux jours?

Puis un matin, la dame en blanc me tient assise sur un pot. La dame en noir tire les rideaux et ouvre la fenêtre. Je fais en même temps une double découverte. Debout, dehors, il y a les arbres. Des cerisiers en fleur. On va me sortir. La dame en blanc retire le pot et me félicite. C'est très bien pour la première fois.

2

ELLE est là, assise. Elle ne dit rien, plus rien. Elle regarde la mer. A l'horizon, les îles. Une brume de chaleur. Un bateau à voile qui semble immobile. Pas un souffle d'air. Elle respire faiblement. De temps en temps, elle croise les mains sur son ventre. Elle joue avec son alliance, puis elle essaie de retirer sa bague de fiançailles. Elle ne peut plus le faire. Les anneaux se sont sertis. Ses mains sont devenues toutes rondes. Comme elle. Aussi remet-elle les bagues bien en place, instinctivement, sans quitter des yeux le voilier, la mer et les îles. Elle se caresse le poignet. Où est sa montre? Elle la remontait tout le temps. Le mécanisme s'est-il cassé? Quelle importance, elle ne regarde plus l'heure. Elle a simplement peur que les aiguilles, quelque part, cessent de tourner. Une peur vague et lointaine. Celle peut-être d'un retard pour un service à rendre, une commission à faire, un rendez-vous, une visite-conférence, un thé de femmes d'architectes, ou bien le déjeuner, le dîner, puis le petit déjeuner, le déjeuner et le dîner, donner les ordres qu'il faut, veiller à tout, les détails de la maison, quotidiens ou exceptionnels, les fêtes, les anniversaires, les premières amandes fraîches pour Gabriel, les premières asperges pour Gabriel, les boutons de sa chemise de smoking ont-ils été bien recousus, et les enfants, sont-ils heureux, eux? Poignet potelé, elle cesse de se caresser. Elle pose les mains à plat sur les accoudoirs du fauteuil relax. Elle n'aime pas le plastique du fauteuil, la chaleur de la tubulure. Mais elle les accepte. Elle demeure désormais là où on l'assoit. Elle regarde la mer, pas une vague. Le ciel, du même bleu que la mer. Soleil ascendant, elle cligne des yeux. Elle voudrait voir loin, plus loin, derrière les îles. Un autre rivage. Le rivage d'en face. Autre terrasse, et une femme, comme elle, en résumé. Elle voudrait se lever, toute seule, mais elle ne le peut plus. Elle est là, assise. Elle ne dit rien, plus rien. Elle regarde la mer. Premier août de cet été.

Du lit aux toilettes, des toilettes à la salle de bains, de la salle de bains à la terrasse, et là, le fauteuil en plastique, lavable, pour tout le temps d'un matin, première partie de la journée. Eté. Vacances. Le fauteuil l'étonne. Autrefois, il était en rotin, large, confortable, elle pouvait le caresser des paumes de la main. La fibre tressée, naturelle en était hâlée, douce comme une autre peau, contact, étreinte. Elle pense au fauteuil disparu, l'ont-ils caché, mais où et pourquoi, comme à un amour rompu, décidé, cassé par les proches. Une bonne compagnie déçue par d'autres, mari, fils, belle-fille, souci utilitaire ou bien jaloux? Tout cela, elle ne le formule pas. Elle y pense difformément quand, lassée de croiser les mains sur son ventre, renonçant à retirer ses bagues, elle choisit d'instinct le geste plus large et repose ses mains sur l'accoudoir. Mais plus le soleil grimpe dans le ciel, plus la tubulure est brûlante. Un contact pour un désagrément. Elle sait qu'elle ne peut plus se lever. On lui a flanqué sur la tête un chapeau de paille, noué sous le cou par deux rubans qui lui scient la peau, l'étranglent gentiment. Un coup de vent, le chapeau s'envolerait, le voilier disparaîtrait vers les îles, il faudrait attendre, à l'horizon, l'ombre nimbée d'un paquebot, ou bien le bateau à vapeur, de fin de matinée, qui file droit vers les îles avec sa cargaison de naturistes. Attendre, il faudrait attendre.

Elle se sent ronde, toute ronde, comme une bobine, des kilomètres et des années de fil, toute une vie embobinée, un fil blanc, sans tache, vierge, capable d'étonner de pureté, pour un tricot, sous-vêtement, vêtement de contact, fibre douce, ouvrage d'une vie restant à faire, d'une vie toute entière, matière première d'une pensée affectueuse, les bonnes bises d'Adrienne et puis adieu au moment où vous vous y attendrez le plus. Ils n'attendent que ça. Mais elle demeure. Tout un bonheur reste à dire. La leçon d'un échec est chantante. La France est vraiment le plus beau pays du monde. Du moins celui où l'on est le plus heureux.

Au début, cette petite maison, living, chambre, salle de bains, toilettes et coin-cuisine, a été construite pour des gardiens, au-dessus de la villa, elle-même en surplomb d'une calanque avec plage privée pour les enfants, petits-enfants, amies et amis de passage, l'armada des beaux étés en famille, tout au bout du Cap. Il faut quitter la route de corniche, descendre vers le port avec sa Marina, mur de béton, frôler des dizaines de campings, franchir une première guérite, celle du Domaine de la Presqu'île, villas-blockhaus toutes fondues dans le rocher, premier prix d'architecture intégrée au paysage, puis un second contrôle semi-douanier, gardien armé, le Parc du Phare, des villas plus anciennes, de tous styles pour enfin montrer un laissez-passer et découvrir les Résidences du Cap, quelques grandes propriétés, trois contrôles pour en arriver là, au plus jeté de tout le pays, terrasses et balcons sur la mer, vues imprenables, surplombs et plages secrètes, terrains qui appartenaient à la Marine nationale, vendus peu après la fin de la Seconde Guerre mondiale, repaires des grandes familles. C'est donc toute une grande famille qui est sortie d'elle.

Elle croise de nouveau les mains sur son ventre. Elle a soif. On lui donnera à boire tout à l'heure quand l'infirmière remontera de la plage. Le soleil est brutal. Elle ferme les yeux et s'endort. Sa tête tombe de l'avant. Le ruban du chapeau semble la retenir au gibet du ciel. Pantin du soleil. Dix heures, onze heures? Dans la villa, en contrebas, que font-ils? Se lever toute seule? Impossible. La boucle est bouclée, fin de bobine. Rien ne s'est déroulé, tout s'est enroulé. Toute une vie d'avoir, quand elle aurait tant voulu être, aller, défricher, inspirer, mais toutes ses tentatives l'ont ramenée à elle-même. Parfois, dans le miroir de la salle de bains, elle voit quelqu'un, mais ce n'est plus elle. Elle est là en surplomb de tout et de tous, comblée, muette, infirme. Elle a pourtant tenté la vie, tenté les êtres. Pour tout à venir, ne reste que sa mémoire. Et son élan. Un chant. Rêve suspendu au chapeau et au ciel. Le passé s'agite. Elle gigote encore.

3

JE me le rappelle. Un parc dans le parc. D'autres barreaux. Ce lieu pour un combat. C'est mon second été, 1913. Je marche, je me tiens debout, curieuse de tout. Les barreaux sont étroits. Plus question de me coincer la tête pour attirer l'attention des autres, peuple de cette maison, grande bâtisse carrée avec cour intérieure, flanquée au sud d'une chapelle en ruine et d'un ancien cimetière de moines cordeliers transformé en jardin de plaisance. C'est l'autre parc, le leur, avec ses treillis tapissés de clématites et de vigne vierge, ses ogives murées, comme des niches, vestiges d'un cloître. Par-delà les murs, des toits, bien ordonnés, le faîte d'un orme et dans le ciel, des couples de colombes. Parfois, je prends les barreaux à deux mains, je les secoue, me tarabuste, et ris aux éclats. La dame en blanc dit des mots en « ante » et en « onne », charmante, mignonne. Ou bien me prend-elle dans ses bras, un instant, en chantonnant « mon bel ange va dormir » pour me coucher, au milieu du parc sur des coussins gris, doux, qui sentent la poussière et me font éternuer. « Elle a froid. » « Non, Madame, c'est la plume, ça passera. » Docile, pour qu'ils me laissent là, mirador, privilège du dehors, je fais semblant de dormir. Mais les yeux entrouverts, j'observe les allées et venues. Les bottes noires du monsieur qui ne dit rien, mon père. Seul geste de tendresse, en passant près de mon parc, il pose une main sur ma tête, à plat, le petit doigt sur une oreille, le pouce sur l'autre. J'ai l'impression qu'il pourrait ainsi me soulever de terre. Mais sitôt le geste esquissé, sa main délicatement cramponnée, il la retire, croise les bras, s'éloigne, ou bien lisse sa moustache, jette un regard circulaire sur son parc et s'en va. Alors, j'attends. J'épie les chaussures blanches de mon frère aîné, ses guêtres impeccables et la canne dont il se sert comme d'une épée, à distance, pour me dire bonjour. Je guette mes sœurs, trottinantes, par groupe de deux, deux fois deux, ou bien toutes les quatre ensemble, piaillantes, s'échangeant à l'oreille toutes sortes de confidences, en me regardant. Elles n'ont pas le droit de m'approcher. « Maman a dit que tu n'étais pas une poupée. » Elles rient en faisant la ronde. J'essaie de répéter le mot, poupée, péepou, puis plus fort, pour qu'elles m'entendent, pipou. Désormais, elles m'appellent Pipou. Elles ne font que passer, c'est tout. Elles vont au fond du parc, derrière l'araucaria, la pergola, les boissons fraîches et le jeu de croquet. Mon parc à moi, autre cage à ciel ouvert est à mi-chemin de la maison et du lieu de leurs rencontres, sous un figuier. Odeur forte des feuilles de cet arbre, parfum lourd de ses fruits, un air stagne et ploie sur ma tête, comme les branches de cet arbre gris, vert, duveteux, tout occupé à la bonne mine de ses feuilles, au bombé de ses fruits. J'attends, là aussi. Combien de prisons me faudra-t-il franchir?

Puis la dame en noir, la dame-mère surgit avec ses quatre chiens, des beaucerons qui la devancent en tous lieux et qui, sur le chemin de la pergola, se ruent vers moi, en aboyant, tournent autour de mon parc. Je me réfugie au centre. Ils passent la gueule à travers les barreaux. Veulent-ils me mordre ou me lécher? Ils font leurs crocs des quatre côtés, sur la rambarde. La dame en noir crie « à terre », mais toujours un petit peu tard. Le temps pour moi de m'effrayer et pour la dame de s'amuser de ma peur. « Brave Pipou, attention! » Elle ne s'arrête même pas. Les beaucerons la suivent, queues basses, pataudes, jusqu'à la pergola. La dame en blanc vient me consoler. Pour le principe. Le traditionnel verre d'eau sucrée. Elle caresse mes cheveux, de longs cheveux blonds, déjà. Sa tendresse est habituelle. « Souris, Pipou. » Je souris, pour qu'elle s'en aille.

Les chiens n'ont peut-être attaqué mon parc qu'une fois, ou deux. Qu'importe. Ils sont là, encore, ils aboient. A moi d'ouvrir un à un tous les tiroirs que j'ai dans la tête, tiroirs de sons, autres tiroirs des rencontres, des espoirs ou des passions, ou bien encore tiroirs quotidiens, archives d'une vie, cœur d'un siècle. Pour mes parents, des biens acquis pendant vingt ans à Mendoza en Argentine, un retour en France pour l'Exposition universelle de 1900, l'achat de ce couvent de cordeliers au moment de la séparation de l'Eglise et de l'Etat, et moi, quelques années plus tard, malentendu, hasard, souvenir des jumelles défuntes pour que l'on s'éloigne de moi. Dans l'angle du parc, je tends les bras vers la pergola. Ils ne me voient pas. Je suis toute petite, si loin, le figuier me porte ombrage. Je suis trop couverte, aussi. J'ai toujours trop chaud. On me gronde quand je me déshabille. Je m'installe alors sur un coussin, je ne bouge pas. Le parfum du figuier m'enivre et très vite, je roule et m'endors, sur le ventre, la tête de face dans un coussin.

Les barreaux et l'écart. Ils passent, repassent. Ils se chamaillent au croquet. Il y a toujours deux de mes sœurs pour rentrer en pleurant à la maison. Ma mère les suit en agitant un éventail noir. Des portes claquent. Puis des volets. Ces demoiselles sont punies. Ma mère revient avec une ombrelle, et un châle brodé de fleurs sombres, ton sur ton, tête de nègre, un châle de Mendoza. C'est l'heure des visites amicales, cortège de deuil, des vieux, rien que des vieux à cannes, à chapeaux, d'autres dames à voilettes et s'il reste deux de mes sœurs, elles font une révérence, bêtement. Adrien, lui, se tient près de son père, un maillet dans une main, sa canne-épée dans l'autre. Il inspecte ses guêtres. Il sourit tout le temps. Quand on pose une question à notre père, c'est toujours lui qui répond. Ils sont tous très fier d'eux-mêmes. Du côté de la pergola, c'est l'été des murmures, chocs cristallins des verres et des carafes, cris d'admiration, ou bien les hommes parlent ensemble, à voix graves, par instants des éclats. Des mots en « ere ». Guerre, misère. Ou en « an ». Allemands. Je guette le retour de la dame en blanc.

Images. Album. Tourner les pages, des barreaux, des barreaux, des barreaux. Je me suis accrochée à ce temps, à ce siècle, à cette famille, j'ai grandi dans cette ville du Sud-Ouest pour me livrer à tous et à tout avec une curiosité intacte. Je me suis désirée, voulue, décidée silencieuse et forte. Je n'ai pas provoqué leur indifférence pour en souffrir mais pour m'en servir de référence et ne jamais l'imposer à d'autres. Je suis née dans un système, dans une société précise, cristallisée, ni grande, ni bourgeoise, mais provinciale et jouissante, un peu guindée pour mieux gagner, se hisser, riche de tout l'or de France et de toute son histoire, ivre d'inventer et d'accumuler. Et de mon parc, dans le parc, j'ai observé leurs bottes, chaussures, galoches, bottines, trottins, escarpins ou sabots quand ils se déguisaient. Je les ai vus à hauteur de pieds, se déplaçant le temps de cet été pour aller de la maison, sombre fraîcheur, à la pergola, fraîcheur parfumée, diabolos menthe et panachés. Je les ai vus. Ils apprenaient à marcher de la pointe du pied pour ces dames et demoiselles et du talon pour ces messieurs père, frère et Cie. Adrien cet été-là avait treize ans. Il passerait son conseil de révision le jour de l'Armistice. L'unique fils sauvé. Je le revois, il peut jouer avec sa canne et tenir les propos que son père tait. Prodige. Il ne sait pas que son âge l'épargnera. Il crâne. Parfois, en passant près de moi, il met un genou à terre, tire sur les lacets, refait le nœud d'une de ses chaussures. Je l'imite. Il se croit moqué. Il hausse les épaules et me fait une grimace. Ils sont terriblement fiers de leurs pieds et de leur parc, du gravier et des fleurs, de ce lieu enclos qu'ils foulent en allant, venant, revenant, s'interpellant, admirant. Ils ont leur parc, et leurs ogives, leurs chiens, et leur bébé. Moi. Dix-huit mois.

Habillée de l'odeur du figuier, odeur du tronc, des branches et des feuilles, parfum des fruits, le tout mêlé, chaud, enveloppant, j'entre dans mes rêves. Le figuier, mon chapeau, ma voilette, je suis grande, avec cet arbre sur la tête. Je crève les coussins, des nuages de plumes se lèvent autour de moi. La dame en blanc ne me voit plus, écran, elle crie, m'appelle. La dame en noir lance ses chiens à ma poursuite. L'homme qui se tait lisse sa moustache, il murmure, répète, sourit « on la retrouvera, elle ne peut pas nous quitter ». Il est encore là, à me le dire. Je saisis les barreaux, les secoue de plus en plus violemment, ris pour faire croire à tous ceux qui m'entourent qu'il ne s'agit là que d'un jeu. Le parc verse d'un côté. Je tombe, de l'avant, front contre terre. Eblouissement.

4

Le vent s'est levé. Le voilier a disparu. Un bateau à vapeur file droit vers les îles. Il est déjà loin. Une absence comme un sommeil. Le soleil, ascendant, est presque au sommet de sa course, dans l'axe du fauteuil, au sud, le midi. Elle voudrait bien pouvoir se raidir, se jeter de l'avant, aller de son propre gré, parler, sourire, faire mille et une petites choses, comme avant, comme toujours, les petits riens du quotidien, tout cela qui peut combler une vie, passer inaperçu, et pourtant.

Lever une main, défaire le nœud, tirer sur les rubans du chapeau, respirer mieux, le soleil alors serait trop dur. Elle renonce à l'effort. Elle croise de nouveau les mains sur son ventre, essaie de regarder de droite, de gauche. On lui fait tourner la tête, chaque matin, étrange gymnastique, mais là, elle ne peut pas. Toute seule, elle ne peut plus. Elle n'en souffre pas. C'est ainsi. A bien l'observer, parfois, elle sourit, comme à une présence étrangère. Pourtant, personne jamais ne monte. Pour les petits-enfants, la visite est interdite. « Mamie est très fatiguée, il ne faut surtout pas la déranger. » Adrienne, Pipou, Mamie, la liste des noms et petits noms serait longue, au hasard de toute une vie, signes et petits cris. Reste le vent, humer le vent et se laisser caresser par lui. Aux brises les souvenirs, vivre et revivre d'autres lieux, d'autres êtres, rencontres, joies, congratulations, surprises, étreintes. Le vent était souvent de la partie, de bonne compagnie. Mais quels souvenirs, où, et quand, avec qui? A chacun son cortège de vie. Elle ferme les yeux, relève un peu le menton. L'ombre portée du chapeau remonte jusqu'à sa bouche. Elle a soif. Elle a tout le temps soif. Elle sait qu'on ne lui donnera pas à boire et qu'il lui faut encore attendre un temps avant l'aide, les soins, le rituel du repas de midi. Un si long temps en regard de toute patience. Un éclat de voix, en contrebas? C'est Gabriel. Il exige, il se fâche. Elle n'écoute plus cette voix, elle ne subit plus cet éclat. De nouveau la voix retentit. Les vindictes d'autrefois. Où as-tu mis mes chaussures neuves? Qu'as-tu fait de ma cravate grise? Comment se fait-il que tu n'aies plus d'argent? Il y a trop de sel dans la salade! Cette robe est ridicule. C'est de ta faute. De ta faute. Elle sourit, faiblement. Personne n'a gagné à cette partie de cris et d'humiliations. Tout le monde est là, en scène, encore, mais chacun dans son coin, Gabriel pour les cris, et elle, le silence. Le sourire est faible, un sourire d'expression, un appel, une affection. Chacun dans son rôle a aimé l'autre jusqu'à l'absurde. L'histoire est ailleurs, autour d'eux, mais pas en eux. Gabriel, en contrebas, dans la vraie maison, croit encore refaire le monde en commandant sa famille. Il règne, on ne le comprend pas, il dit qu'on le fuit, qu'on ne l'écoute plus. Mais il est là. Il donne les ordres et les horaires, il impose les élans, il paie quand il faut payer, et il se plaint fort, très fort. Il dit qu'on n'achète jamais rien, mais immanquablement il achète tout. Elle sourit. Parce qu'elle l'entend. Elle sourit un tout petit peu, c'est son signe, encore, envers et par tous.

Toute une vie pour Gabriel, cette voix, et ce panorama. Brumes de chaleur, un frisson sur la mer, un hors-bord, ski nautique, un sillage d'écume qui s'efface. D'autres voiliers sortent avec le vent. Ouvrir, fermer les yeux, attendre, se taire, porter en soi la trajectoire d'une vie, reprendre le discours, savoir comment, mais surtout pas pourquoi, ni procès, ni chronique, les pulsions, étapes, c'est tout, pour en arriver là, surplomb de tous et de tout, à se savoir calée, entourée à ce point d'abandon où tout semble encore plus profond, irrémédiable. Chantonner au fond de soi « j'ai du bonheur à revendre, et personne pour m'en acheter ». La chanson, populaire, laisse des traces, rictus, cris du cœur. Elle remue les lèvres. Elle se souvient des paroles, elle n'est plus très sûre de la musique. Elle ferme les yeux. Elle entend Gabriel donner des ordres au chauffeur. Il part pour le golf. Monsieur, hier, a oublié une boîte de balles toutes neuves. En chemin, Bernard postera le courrier du jour, demandes, requêtes, comme si Gabriel existait encore pour tous ceux qu'il a défendus, inspirés, poussés de l'avant, tellement de l'avant qu'ils l'ont devancé au point de ne plus oser se retourner vers lui en ce temps de retraite. Elle croise très fort les mains sur son ventre, comme pour une prière. Soif.

Elle lève plus haut le menton, elle se cale la nuque sur le dossier du fauteuil relax. Le soleil inonde son visage. Elle entend battre son cœur. Elle voit du rouge à travers ses paupières, son sang. S'abandonner quelques instants au soleil. Ne plus très bien savoir qui est qui, et pourquoi, pourquoi en arriver là? Gabriel lui dit qu'elle est belle, c'était au tout premier temps, mais quand, comment? Gabriel aussi était beau, si beau. Il le savait et elle, Adrienne, ne le lui disait jamais. Elle ouvre les yeux, baisse la tête. De nouveau l'ombre portée du chapeau. Elle n'a jamais aimé le soleil. Elle était faite pour l'intérieur, la vie, les autres, la maison, carrefour d'enfants, petits-enfants, tendre multiplication. On a voulu faire d'elle ce qu'elle n'a jamais été et ne serait jamais, admise, admissible, castée, une bourgeoise. Les bourgeois, c'est toujours les autres. Et tout du combat, rebelle, s'est tramé en elle. Elle regarde ses mains. Immobile, indolente, tout au-dedans d'elle-même, elle manifeste. Le berceau, le parc, des barreaux et la laisse.

5

Je tire, tire de l'avant. La dame en blanc me maintient à distance. Deux lanières verticales sur chaque épaule fixées à une ceinture que l'on serre sous mes bras, un mousqueton dans mon dos, me voici en laisse. Sans doute ont-ils peur que j'aille trop loin. Parfois je m'élance. Je voudrais faire trébucher la dame en blanc. La dame en noir se fâche. Je n'ai que deux mètres pour me sauver. Sitôt le choc, je tombe en arrière sur mon séant. Le jeu m'amuse puisque j'en ris. Ou bien ma joie n'est que feinte pour qu'ils ne croient pas à mon désir de fuite. La visite chez le bourrelier fut ma première sortie dans la ville. J'ai vu une promenade bordée d'une double rangée de platanes, un kiosque à musique, des gens que la dame en noir saluait à distance, et moi, derrière elle, objet précieux, anxieux dans les bras de la dame en blanc. Ma mère pressait le pas. Rues, ruelles, puis une place principale, la cathédrale, beaucoup de personnes de pierre, sculptures, tout autour, au garde-à-vous, dans les murs, et même un monsieur avec sa tête, dans les mains. Je le montre du doigt. La dame en blanc murmure « chuttt... » en baissant mon bras tendu. Le pas de la dame en noir fait, tic, toc, tic, toc, boite-t-elle? Non, elle a mal à la hanche. « C'est de la faute à Pipou. » La dame en noir fend la ville devant nous. Et moi, je m'émerveille jusqu'à l'échoppe du bourrelier. La dame en noir choisit le cuir. L'homme se met à genoux devant moi. Ma mère lui explique comment il doit coudre ma laisse. Elle parle de Mendoza où tous les enfants « ont ça ». L'homme prend des mesures. Son tablier de cuir crisse quand il se penche de droite, ou de gauche. Il me saisit par les épaules et me tient devant lui, susurre à plusieurs reprises « n'aie pas peur ». La peur? Je le regarde droit dans les yeux. Il me pince la joue et m'embrasse sur le front. Vivement, la dame en noir me reprend dans ses bras, me tend comme une balle à la dame en blanc. L'homme se relève. La réaction de la dame en noir semble l'avoir amusé. Il annonce que tout sera prêt « demain ». Chemin inverse. La dame en noir dit à la dame en blanc « couvrez la petite ». C'est une fin de journée. Le ciel rougeoie au-dessus des toits. La pierre des maisons devient rose, comme une peau, douce au toucher? Je tends le bras. La dame en blanc répète « pas ça, Pipou ». Mais je me cambre hors de ses bras et me tends comme une branche de figuier. Je veux les murs, et l'ombre douce sur toute la ville. De nouveau les Promenades. Ma mère ne salue plus personne. Je dis la dame en noir, ou bien ma mère. J'hésite, je crois pouvoir encore l'aimer. Je suis toujours à me demander si je peux l'approcher. Familiarité. Puis au-dessus des Promenades, en surplomb du square, notre maison, le couvent, le toit effondré de la chapelle. Sitôt la grille refermée, les chiens tournent autour de la dame en noir. « Couchés! » Vite dans la chambre, une serviette propre, un peu d'eau fraîche dans la vasque. On m'essuie le front. Pour un baiser de bourrelier. « Et surtout, ne recommence pas. »

Un tablier de cuir dans ma mémoire. Une douceur. L'homme me regarde. Mendoza, c'est où? Il ne sait pas. Et les enfants, là-bas, ont ça? Mais toi, petite, pourquoi?

Cette bise effacée, je la porte encore sur mon front. J'étais si petite qu'il fallait devant moi s'agenouiller. Le regard de cet homme ne m'a pas quittée. Un regard à ma hauteur, sans aucun doute le premier échangé. Et pour cette qualité, non plus, je ne l'oublierai. Il me fixe, je suis fixée. Barreaux du berceau, barreaux du parc, et maintenant barreaux de cuir pour me retenir. Cette laisse, comme une longe. Parfois, mes sœurs ont le droit de jouer avec moi. Je m'assois alors immédiatement par terre pour ne pas participer. Elles ont beau agiter le cordon de cuir, faire le serpent avec, s'en servir comme d'une corde à sauter, je ne bouge pas, je les regarde, tout étonnée de leur insistance, profondément agacée par leurs robes et leurs rubans. Elles se coiffent tout le temps. Elles ont peur des taches. Elles se félicitent de leurs élégances. Tout ce qu'elles portent est neuf, blanc, grège, blanc cassé, dentelle, pilou, batiste, éternelles premières communiantes. Je les revois ainsi, caricatures, tout occupées à leurs apparences respectives. Jamais un pas de trop. Jamais un geste déplacé, toujours groupées, avec quelque chose de nerveux dans les genoux, toujours prêtes à toutes sortes de révérences. Les visites sont pour elles le moment fascinant de la journée. Je ne les revois qu'en temps d'été. L'été 1914. Aux premiers jours de l'école, elles ne feront que passer. Mais là, elles se chamaillent pour avoir la laisse. La dame en blanc dit « chacune son tour ». Et je m'assois. J'ai vu les Promenades, les rues et ruelles, les statues de la cathédrale et un homme m'a embrassée sur le front. Je sais déjà tout du monde et de la vie. Je me le dis aujourd'hui, la tendresse de cet homme-là était spontanée, un pur gain, baiser donné une fois pour toutes. Pour la laisse, sans doute. Ni compassion ni tragédie. Un échange, c'est tout.

La dame en blanc me promène. Les beaucerons en grattant derrière un massif viennent de déterrer un tibia qu'ils se disputent. « Couchés, donnez-moi ça ! » La dame en noir ramasse l'os avec un pan de sa robe. Comme une moue de dégoût sur ses lèvres. J'ai grandi sur un cimetière. Adrien, lui, se fâche au croquet, frappe la terre à coups répétés avec son maillet. Mes sœurs l'accusent de tricher. Mon père, sous la pergola, lit un journal avec de gros titres, déclarations. Il est trop vieux. Il n'ira pas à la guerre, lui non plus. Mes sœurs, de temps en temps, vont l'embrasser, bises furtives, curieux va-et-vient. Et moi, je cours vers les buis taillés au carré qui bordent les allées, je me jette dans les rhododendrons et les géraniums. Je cherche des fleurs, des odeurs, des immensités dans chaque recoin du parc. La dame en blanc me suit, mais jamais assez vite. La laisse me retient. Contrariée dans mes élans, je tombe de l'arrière. Je ne manifeste pas. Je recommence. Ils me tiennent. Je n'aime pas mes robes.

6

Les jours de pluie, l'hiver, je me frotte le nez sur les accoudoirs des fauteuils. Les dames sont à leur ouvrage. Elles tricotent pour les soldats. Soldats? « Ne pose pas des questions stupides, Pipou. » 1915. Adrien est au collège. Chaque jour, une lettre obligatoire. Et chaque jour, lecture de ladite lettre en début de repas. Le message commence par « petit père, petite mère et très chères sœurs sans oublier Pipou ». Invariablement. Sans m'oublier? Je me tiens droite, sur mes coussins. On me tolère depuis peu à la table familiale. La dame en blanc, pendant ce temps, peut passer les plats. Ma mère, je voudrais tant l'aimer, flanquée de ses quatre divines, semble m'observer, près de mon père. La table serait tellement plus ordonnée sans moi. Quand je fais un geste maladroit, d'instinct, l'homme qui ne parle pas, me prend la main et m'indique comment il faut faire. Des questions, très vite, je n'en pose plus. Des maladresses, bientôt, si vite aussi, je n'en fais plus. Je suis là, en espionne, et je me dis aujourd'hui qu'en fait je m'amusais à les voir se taire et se laisser servir. La dame en blanc, sitôt le repas terminé, me reprenait en main pour l'après-midi, ou pour aller me coucher.

Les jours de vent, l'hiver, il y avait un feu dans la

cheminée, et des voix pour commander de ne pas trop m'en approcher. Sur ma chaise d'enfant, à distance, j'observe les bûches, les flammes et les braises. J'écoute sonner les heures deux fois, chaque fois. L'horloge du grand couloir, les mois de grand froid, ne sonne pas gai. J'ai des poupées, de nombreuses poupées, toutes les reniées, les recousues, les énucléées, il y en a même une qui n'a pas de bras, j'ai toute la famille chiffon, pantins de son, dont mes aînées ne veulent plus. Je me défends d'éprouver pitié ou compassion pour ces jouets rejetés.

Sans doute me faudrait-il à ce point, comme à un contour, observer une halte et préciser que je ne recrée pas un passé afin de souligner de manière accusée ce qui pourrait être, a posteriori, considéré comme un procès. Je ne juge pas. J'éveille les souvenirs et leur demande conseil. Il y va de moi et de ma famille comme d'une époque, d'un temps ou d'un siècle. L'Histoire a besoin de trancher pour exister. Elle classifie, archive, célèbre tel fait au détriment et à l'oubli de tel autre, quand les deux, en réalité, sont scindés. Elle organise un mensonge pour créer une vérité. Quelque part, en moi, aujourd'hui, tout se réfléchit, tout des petits détails me montre un chemin. Tout le monde est responsable. Chacun implique. Il ne faut plus chercher ce signe du temps présent dans les audaces, les inventions, les puissances, les grandes dates ou les prises de position, mais au lieu strict et unique des omissions. Nous nous sommes tous omis jusqu'à l'absurde, jusqu'à ce fauteuil où l'on m'oublie. Apparemment, je n'ai rien à dire. Je ne communique plus. Pour eux, de l'extérieur, c'est terrible, un drame, une mélancolie d'involution, disent-ils. Ils parlent de ralentissement psychomoteur précoce. Ils me qualifient. Quand en fait, tout en moi, au tout dedans de moi, intacte, je suis et serai là à m'interroger sur ce goût dévastateur et meurtrier de l'analyse qui a fait de moi, d'eux, de tous et de tout dans notre société, ce qu'elle est. Etouffée. Imbue.

Toujours prête à m'émerveiller, je dirai tout des omissions. Je suggérerai mais ne formulerai pas. Je suis une vieille dame malade qui a encore tout pour vivre, comme au début. Chaque expérience, chaque vie est univers. L'Histoire, en fait, à vouloir réunir, oublie le fait premier de chacun. Chacun de nous est roman, temps, durée, histoire d'une humanité. Seul l'exemple, le témoignage, offert en partage par la grâce et la violence des confidences, peut un temps seulement unir, inspirer. Je n'ai pas vraiment d'idées. Je me méfie d'elles. Elles en disent trop pour dire l'essentiel. Elles se font trop vite spectaculaires pour séduire. Elles oublient l'émotion, elles nient le jeu souterrain des omissions du quotidien. Je me sens grandie à vous le glisser ici à l'oreille. Je parlerai bas, mais bien. Pourquoi en sommes-nous arrivés là? A trop se poser cette question, Gabriel s'est éloigné d'une réponse qu'il croyait de plus en plus possible. Et moi, à me taire et à observer, écouter surtout, je me suis approchée d'un terme, j'ai frôlé une évidence. Pas de réponse possible. Un témoignage, c'est tout.

Mes sœurs rentrent de l'école. Elles ne parlent que de leurs bonnes notes. Elles se querellent sans cesse pour des rivalités de plumiers. Elles s'échangent crayons, taille-crayons, gommes ou plumes Sergent-Major. Chaque troc devient affrontement. Elles ont soif et besoin de drames. Elles n'existent que pour l'apparence de leurs cahiers, leurs progrès en calcul, en écriture ou en sciences naturelles. Leur idéal est Adrien, savoir et paraître aussi bien que lui. J'attends l'école pour ne plus entendre le glas de l'horloge, le raclement de gorge de la dame en noir quand elle prend son thé, les soupirs de la dame en blanc, le silence errant de l'homme qui ne parle pas. Près de mon lit, dans la lingerie, le peuple des poupées m'affole, me pose tant et tant de questions que je redoute à l'heure de la sieste, ou à l'heure du coucher, encore plus à celle de la toilette quand elles m'observent nue, dans la vasque. La dame en blanc verse la cruche sur ma tête. Quand donc serons-nous libres? Les poupées parlent. Fais quelque chose pour nous, toi qui as tout, deux yeux, deux bras, deux jambes. Toi qui peux circuler, reconnaître les lieux, organiser l'évasion.

J'entends dire « Pipou n'est pas comme les autres ». Des mots en « ible ». Terrible. Sensible. Cible. Mais si parfois la dame en noir s'inquiète, le monsieur qui ne parle pas disparaît derrière son journal. Un article important à lire. C'est l'hiver des fauteuils. Sur ma chaise d'enfant, devant la dame en blanc, je lève les mains et on place un écheveau de laine qu'il me faut tendre en écartant les bras. Je dois rester longtemps dans cette position. La dame en blanc embobine la laine. Je ne bouge pas, sinon le fil se casserait et on me gronderait. Un écheveau et je suis tout endolorie, les bras, les épaules, je ne bouge même pas sur ma chaise. Si j'ai un besoin urgent, je me retiens. Je ne dis rien. C'est ma manière de participer au tricot et à la guerre. Mais c'est quoi la guerre, et pourquoi? Et un mort, c'est quoi un mort? Etrange liste, de jour en jour complétée de la bouche même de la dame en noir. « Le fils Raillac est mort. » « Le neveu d'Adeline est mort. » Ce sont toujours de « terribles nouvelles ». J'imagine un champ d'honneur grand comme le ciel renversé sur la terre, un ciel bleu, posé à plat sur la ville et au-delà.

Quand mes sœurs se verront offrir une mappemonde, j'aurai du mal à comprendre que la terre est ronde et que le monde est autre chose que la ville. Je tombe de ma chaise. Vertige. « Il faut coucher Pipou. »

La cuisine est interdite. Je ne sais toujours pas qui prépare les repas. Il y a une entrée de service sur le square. Mes sœurs disent « autrefois, les gâteaux.. ». La dame en noir les interrompt. « Guerre », « guerre » elle n'a que ce mot à la bouche. « Nous avons quitté Mendoza, pour une guerre! » Elle me regarde. « Sans Pipou, nous serions repartis. » Je ne me sens pas coupable. Je ne juge pas. Je me fais petite, toute petite. Une fois seulement je m'échappe. Je cours vers la grille. Je m'y cogne, les beaucerons signalent ma fuite. J'ai une bonne grosse bosse sur le front. La dame en blanc me tamponne avec de l'eau Ecarlate. Je pleure. De vraies larmes, larmes de joie. Un jour viendra. « Surtout, ne recommence pas. » Je ne fais que ça.

7

ELLE s'est endormie, nuque cassée, le menton écrasé sur le premier bouton de sa blouse. Elle ne porte plus de robes depuis longtemps mais des blouses, des vêtements simples à enfiler, boutonnés de haut en bas pour plus de facilité et toujours très lavables, en tissus synthétiques. Le nœud du ruban s'est encore plus inséré dans le pli de son cou. Le rebord du chapeau de paille frémit au vent. De la terrasse du dessous, Gabriel l'observe. C'est elle. Adrienne. Pipou. Mamie. Son épouse. Etrange chose désormais là-haut. Assise. Endormie. Gabriel n'ira pas au golf ce matin. Le chauffeur est allé chercher la boîte de balles neuves et poster les lettres du jour, ou plutôt les lettres inspirées par les nuits. Mais au courrier, réponses, il n'y aura rien pour Gabriel d'intéressant. Des relevés de banques, des formules de réabonnement pour des revues d'architecture, une quittance d'électricité et l'insistante publicité pour l'Encyclopédie universelle, mais pas de réponse véritable. Demain peut-être? Ce premier jour d'août devrait être une fête. Celui de leurs cinquante ans de mariage, noces d'or. Le sait-elle?

Les enfants, fils, belles-filles, petits-fils et petites-filles sont là au grand complet. La salle de jeux a été transformée en dortoir. Dans le patio intérieur une grande table carrée a été dressée. Des jouets traînent un peu partout, des bouées dégonflées, des maquettes d'avion, des voitures miniatures, une poupée qui ferme les yeux, un scrabble abandonné en cours de partie, un pick-up et une pile de 45 tours, les tubes de l'été, disent les aînés de la nouvelle génération. Gabriel voudrait donner des ordres pour que l'on range tout cela. Il a souhaité cette réunion. Il a payé les voyages. Il a couvert de cadeaux, de promesses. Une fois encore, il les a tous achetés pour qu'ils viennent. Prétexte. Qu'ils soient là. Provocation. Et pour l'heure, ils ont tous disparu. Dans la calanque, en contrebas, langue de sable, les petits-enfants jouent, crient, se baignent, pleurent. Il y a les demoiselles des enfants et l'infirmière pour les surveiller. Les parents, eux, sont au large, sur le voilier qui s'éloigne. Quatre fils et quatre belles-filles. Belle ordonnance. Les voir tous ensemble. Pour Gabriel c'est à chaque fois la dernière fois. Un chantage qu'il se fait à lui-même, une inquiétude comme une tendresse, la seule qu'il puisse éveiller, il ne la puise qu'en lui. Il n'a jamais su émouvoir les autres à trop les désirer parfaits, conformes à ses désirs légitimes, lui, de par la loi, et de fait, père de tout ce beau monde.

Ce n'est qu'un jour comme un autre. Cinquante ans plus tard, c'est tout. Avec un peu de chance, dans quatre ou cinq ans, les aînés des petits-enfants se marieront. Et lui, Gabriel, verra ça. Mais elle, là-haut, comprendra-t-elle? Gabriel se dit qu'il devrait monter, tenter, une fois n'est guère sa coutume, de lui parler, d'obtenir d'elle un regard comme une interrogation, un mot, ne serait-ce qu'un mot comme une reconnaissance pour qu'il ne se sente pas coupable. Mais Gabriel, maître du lieu, organisateur du spectacle de ce jour, reste là, sur sa terrasse, devant son bureau et cette chambre qui fut leur chambre, en principe, sur ses plans d'architecte, mais ils faisaient déjà chambre à part, il y a trente ans. Tout cela, acquis, conçu, construit, mis au monde, tout cela des choses et des êtres est là, en bloc, pour un jour, cette soirée, point culminant. S'interroger encore. Qui est-elle? Qui était-elle quand tu l'as épousée? Et toi à la devancer en tous lieux et toutes situations, pour ne jamais te retourner et douter, douter de toi, d'elle et de tout ce que tu entreprenais. Gabriel, pantalon blanc, chemisette blanche, sandales blanches, rasé de près, parfumé à l'eau de Cologne, ses cheveux si fins, rares, plaqués de l'arrière, net, propre, prêt à être fêté, ne peut pas quitter son poste. Propriétaire, malgré lui, il se sent prisonnier de ce qu'il a désiré pour un bonheur. Une si belle vue. Un si bel endroit. Un si bel été.

Elle ouvre les yeux. Combien de temps encore avant le verre d'eau sucrée? Instinctivement, elle relève légèrement la tête, cherche du bout des doigts le nœud du ruban et le défait. Le chapeau tombe par terre. Gabriel l'a vu. Il faut prévenir l'infirmière.

Plein soleil, comme une joie. Midi, bientôt midi. Elle sait que le chapeau est tombé. Elle court le risque d'un feu. Feu du ciel, feu du bleu, éblouie, elle ferme les yeux, grimace un peu. Où sont-ils? Où est l'autre, cette femme, jamais la même, toujours changeante, cette femme qui lève, couche, assoit, nourrit, surveille, parle si peu? Le chapeau tombé, cette femme devrait être là pour ramasser. Mais elle ne s'inquiète pas. Elle pose les mains sur les accoudoirs, délicatement, s'habituer à la chaleur de la tubulure, petit à petit laisser les doigts se reposer, épouser et, les bras écartés, respirer profondément, comme un soupir. Tout cela, elle le fait encore, instinctivement. Seule. Toute seule.

Martin. Cinq ans. L'infirmière lui fait signe de sortir de l'eau et lui demande d'aller ramasser le chapeau de sa grand-mère. « C'est interdit, mais tu peux le faire. » L'escalier, cent soixante-treize marches. Martin les compte à chaque fois. Il arrive essoufflé. Eviter grand-père pour qu'il ne sache pas. Contourner la villa. Attention, il pourrait voir. Non, l'ordre donné il est rentré dans son bureau. Il classe des papiers comme d'habitude. Martin passe par l'allée de citronniers. Il se baisse, ruse de Siou, voir Mamie, lui rendre un petit service. De la villa à sa maison, autre escalier, trente-sept marches. Ouf. Martin contourne le fauteuil. Elle ferme les yeux. Dort-elle? Ses lèvres bougent un peu. Si elle se mettait à parler? De l'index de la main gauche, elle donne de petits coups réguliers sur la tubulure comme si elle voulait rythmer une chanson sourde, profonde. Martin regarde autour de lui la terrasse interdite, la villa en contrebas. Si grand-père le surprenait? Vite il ramasse le chapeau et le pose sur la tête de sa grand-mère, tout doucement, pour ne pas la réveiller. Elle ouvre les yeux, elle le regarde, ses lèvres ne bougent plus. Elle ne donne plus le rythme avec son doigt. Elle sourit faiblement. Martin a peur, recule, manque de trébucher mais elle fait un geste légèrement soulevé de la main droite. Elle lui demande de s'approcher? Il s'approche. Plus près? Plus près. Le voilà tout contre le fauteuil. Les rubans du chapeau pendent de chaque côté de son visage et, lui, Martin, doit refaire le nœud. Il tremble un peu, s'y prend à deux fois, tout doux, tout doucement. Mais il ne sait pas encore faire les boucles, comme pour ses chaussures. Il fait deux nœuds, l'un sur l'autre, sans serrer trop fort. Il est fier. Il embrasse la main de sa grand-mère. Elle lève alors la main et la pose à plat sur la tête de Martin en l'observant étrangement, autre sourire, si faible, pour ne pas effrayer l'enfant.

Lequel est-ce et de quel fils? Martin sent sur sa tête la main de Mamie l'interdite. Mamie qu'il ne faut surtout pas fatiguer, cette main qui s'écarte comme si elle voulait du petit doigt frôler une oreille et du pouce toucher l'autre. Il a peur. Il part. La main de Mamie retombe sur l'accoudoir. Un peu brutalement. L'escalier. Trois marches. Il revient vers elle et replace la main de sa grand-mère sur l'accoudoir. L'embrasse encore. « Pourquoi ne dis-tu jamais rien, Mamie? » Elle le regarde. Elle veut parler. Il attend, caresse la main sur l'accoudoir. « Dis-moi. Je veux que tu parles. » Elle cligne un peu des yeux. L'ombre retrouvée du chapeau. Elle se penche un peu vers lui et murmure « Pipou... » Martin a bien entendu. Surpris, il s'enfuit. Mission accomplie.

8

J'AI huit ans. La dame en blanc ne s'occupe plus de moi que pour surveiller l'ordre de ma chambre. Adrien fait ses études à Bordeaux. Deux de mes sœurs se sont mariées, peu après l'armistice. Etrange musique que celle de cette époque, musique à venir encore. J'en cherche le rythme. Ce qu'il pouvait y avoir de mélodique dans le rituel des jours, le silence du père et le froissement de ses journaux quand il s'assoupissait dans son fauteuil, le tintement des pinces sur les chenets, raviver les braises et le feu, le pas furtif des deux sœurs restantes, à marier bientôt, elles aussi, le cliquetis des aiguilles à tricoter, la guerre est finie, désormais, la dame en noir fait d'interminables patiences, bruit des cartes quand elle les mêle pour recommencer à jouer avec elle-même. Je suis encore à rêver de poèmes qui ne condamnent pas à perpétuer des actes mais à en créer. Ce qu'ils vivaient tous, autour de moi, avait déjà été vécu, décrit, narré, peint, copié, répété. Ils s'installaient chaque jour plus profondément dans l'idée d'un confort sans faille, principes inébranlables. Leur goût allait au sombre l'hiver et au blanc, rien que le blanc, l'été. Leur ambition était celle des notables, générations de notables, moins riches que les grands des villes, mais plus nantis que les serviteurs. La seule présence de ces derniers rassurait, rappelait à chaque instant la non-appartenance à un milieu précis. Nous étions, subrepticement, à mi-chemin de toute classe. J'étais née là, comme sous une cloche, pour leurs glas et leurs carillons. Mais de loin, dernière, étrangère, je pouvais à distance observer, respecter leurs codes et leurs modes pour, dans le secret de mon esprit, dans la cage de mon corps, apparemment conforme à leurs idées de sagesse et de charme, oser l'œuvre de ma vie, librement, avec fidélité, au risque de les offenser. Je lisais tout, surtout les poètes. Les vrais. Ceux de l'éveil qui, disant les choses à demi, me permettaient de greffer mon rêve sur le leur. J'avais huit ans, de longues tresses blondes. Seul mon corps m'appartenait. Mes vêtements étaient toujours ceux de mes sœurs. Toute mon enfance, j'ai senti la naphtaline. Cette odeur, je la respire encore là, les yeux fermés, elle m'inspire. Elle est toujours la moitié du message sur laquelle j'ai greffé mon rêve. En vain. Comme un vertige.

Février 1919. Au sortir du collège, les restantes ne m'ont pas attendue. Il faut toujours que j'arrive au portail avant elles. Elles me l'ont si souvent dit depuis des années que j'en oublie parfois mes cahiers ou mes livres dans le pupitre, et que je suis toujours la première à quitter la salle de classe, faire glisser ma main sur la rampe d'escalier, dévaler, être là, ponctuelle, à leurs ordres. Mais, en cette fin d'après-midi, Mademoiselle Triboulet, je n'oublierai jamais son nom, m'a retenue. « Pourquoi êtes-vous si pressée? Vos sœurs étaient plus calmes. Restez. Que cela vous serve de leçon. » La diction de Mademoiselle Triboulet est parfaite. Elle range des copies, des livres, sur son bureau, elle met de l'ordre, elle sourit. Je me tiens debout, mon cartable à deux mains, bras ballants, j'attends. Rien de mon impatience ne paraît. « Vous pouvez y aller maintenant. » « Merci, Mademoiselle. » Je me souviens de ce merci. Je voudrais pouvoir le redire, voix claire, calme et sans feinte. La voix de leurs courtoisies. J'esquisse la révérence obligatoire, on habite sur les Promenades ou pas, mais dans le couloir, je ne presse plus le pas, je descends l'escalier sans hâte. Je sais que mes sœurs pour la première fois ne m'ont pas attendue. Elles sont rentrées. Elles ne diront rien de mon absence pour qu'à la découverte, le drame éclate plus violemment. Tout ce qu'elles aiment, un événement, une cassure dans le rythme, une fausse note dans la musique, elles, innocentes, et moi, seule à longer les murs, à les caresser du bout des doigts, à jouir de cette sensation unique, un baiser sur le front et plus personne pour me retenir dans ses bras. C'est mon corps, mon pas, je me déplace, seule, je n'ai plus de maison, plus de famille, je ne suis pas abandonnée, je m'abandonne. Tout cela des rues, des places, des fontaines, ce linge qui sèche à une fenêtre, cet homme qui vient de me croiser, reconnue, il a soulevé son chapeau, cette glycine qui attend au printemps, les pavés de la chaussée, le ciel net de l'hiver et l'air, rien n'est pareil, tout est nouveau, je suis différente. Je suis enfin sortie du berceau, des placards de la lingerie, du parc, des buis qui m'égratignent. On ne me dit plus de remonter mes bas ou de me taire, je suis sortie des deux parcs, je n'ai plus d'écheveau de laine à tendre, de bises à faire sur des joues froides, plus de poupées qui appellent au secours de la vie, je n'ai plus que moi, je marche, elles ne m'ont pas attendue. Tant mieux. Je rentrerai lentement. Tout ce temps pour une éternité. J'existe pour la première fois. Ou bien je l'imagine. Je suis étonnée de ne dépendre brusquement que de moi, même si cela ne doit durer que le temps d'un retour au bercail, leur expression, pas la mienne.

Sur les Promenades, le kiosque me tente. J'ai le temps. J'irai. Je serai à moi seule tout l'orphéon municipal, autre armistice, le mien. Quelques marches, une grille ouverte, me voilà sur la plate-forme. Je pose mon cartable et fais un premier tour de kiosque en caressant la rambarde, fer rouillé, fraîchement repeint d'un vert cru pour les fêtes de l'été prochain. Un second tour en sautillant, me donner le vertige, je jure de m'éblouir. Puis un troisième tour, cette fois je virevolte. Ma robe, sous le tablier gris de l'école, vole un peu. Je me sens légère, parfaite, je chantonne pour m'entraîner et vite, je ne sais plus où j'en suis, qui je suis. Cette fois, je l'ai compris, admis, conçu, la terre est ronde et je ne suis qu'un tout petit point, une chose, un être infime qui s'agite et s'enivre. De tour en tour, le pas esquissé, comme une valse se fait plus sûr parce que plus abandonné. Je vois les platanes, le square, les maisons, les toits, le clocher de la cathédrale, au lointain les collines et tout se fond, tout devient flou, circulaire, abstraction, tourbillon. En gravissant les marches du kiosque, je me suis donné un temps de liberté, quelques minutes seulement, comme une orthographe, un temps pour une correction, une limite pour ne pas trop bousculer une ordonnance. Mais à danser, à faire le tour du kiosque dans un sens puis dans l'autre, j'ai oublié ce qui avait été une fois encore, une raison pour me retenir dans une livraison, comme une jouissance. L'air du kiosque, la musique du kiosque, et ma danse, violons et cymbales, violoncelle, piano, flûtes et hautbois, l'orphéon, mon orphéon intérieur, joue terriblement juste une musique que je suis seule à connaître, comme un vent soulevant les nuages, nettoyant le ciel. Je viens de vivre une impression. Les contours n'indiquent plus, tout se fond et m'entraîne. Je n'ai jamais respiré aussi fort, aussi bon et aussi profondément.

Puis un bruit de ferraille. Un choc. Je m'arrête, titube un peu. Il me faut un temps pour reprendre vision précise de tout ce qui m'entoure. Deux garçons du collège ont volé mon cartable et s'enfuient avec. Ils se retournent. Ils rient en me tirant la langue. Ils ont fermé la grille du kiosque avec un cadenas. Me voilà prisonnière d'un cercle parfait. Je crie « s'il vous plaît ». Les garçons disparaissent. J'escalade la grille. Mon tablier se déchire. Mes nattes se sont défaites. Vite les quelques marches, en bas. Derrière le square, l'ombre de la dame en noir suivie de la tache de la dame en blanc. On me cherche. On m'appelle. On me voit. On vient vers moi. Je ne bouge plus. Je baisse la tête. Je serre les poings dans mon dos. J'attends. J'entends le pas de ma mère. Elle boite désormais intensément, presque à l'arraché. Je vois ses bottines noires. Elle s'arrête devant moi. Je reçois une gifle, puis deux, puis trois. Toute la ville me regarde? J'entends « et ton cartable? » puis « souillonne ». Premières gifles. Un bonheur, pas un plaisir. Au pain sec et à l'eau, pour un soir, je m'endormirai. Je viens de découvrir le grand cercle du monde. Un choc, un bruit pour m'interrompre dans ma danse. Le crissement du tablier qui se déchire. Le lendemain, je trouverai le cartable devant la porte de ma chambre, sans explication. Au petit déjeuner, les restantes feront comme si je n'existais pas. On me privera de confiture. Leur punition. Mais dans le rêve, répété, tant et tant de jours, après, je retrouverai le cercle du kiosque qui ne peut que se refermer sur moi. Il n'y a de liberté qu'en moi. C'est tout ce qu'ils me laissent. L'homme qui ne parle pas s'approche de moi, me tire un peu l'oreille, se penche et murmure « je t'attendrai ce soir, dans mon bureau, après l'école, nous parlerons ». Premières gifles. Premier lien. Mon père m'a parlé.

9

C'EST un barrage de cristal, en très haute montagne, celles-là mêmes que j'ai vues sur des dessins, dans des livres, grandes et grises. Horizon hérissé de pics et de glaciers, bien au-dessus des forêts, là où il n'y a plus que roc et neiges éternelles. Le lieu est sombre, comme un cirque. Une faille seulement du côté des grandes vallées. C'est là qu'ils ont choisi de construire un barrage afin de retenir les eaux les plus pures, celles d'en haut. Ces explications, sans doute, entre deux fois le même rêve, me les suis-je données, par désir de revenir en ce lieu en le connaissant mieux, laissant aux « ils », de ils ont choisi de construire, un rôle mystérieux. Ils, des architectes, des ingénieurs, des ouvriers en cordée, des géants souffleurs de verre, toute une armée d'esclaves de ce siècle pour bâtir toujours plus haut, toujours plus beau. C'était donc mon lac de retenue, lac artificiel, étroit, miracle du cristal reflétant l'émeraude des eaux profondes, gris granité du rocher ajoutant à l'impression saisissante. Aux abords du rêve, je quitte toujours la ville, puis très vite la plaine, pour traverser les forêts, seule, en courant sans jamais m'essouffler, approcher le lieu du haut, tout en haut, mon lieu, Pyrénées ou Caucase, Dolomites, rien ne le situe vraiment.

Petite fille décoiffée et nue, tresses défaites par le vent de la fuite, robe arrachée par les bras des humains et les branches des arbres qui veulent me retenir, me voici face à la barrière de cristal, triangle renversé, planté dans une gorge profonde. Il me faut escalader de droite et de gauche. Le rêve me hisse prestement m'offrant toutes les prises nécessaires pour que je n'aie jamais l'idée du vide dans mon dos et qu'un vertige me saisisse. De la maison des Promenades au bord du lac, il ne me faut sans doute que quelques fractions de seconde, couchée sur le ventre, dans mon lit, cramponnée de tout mon long au traversin, ce tronc, corps oblong de mes voyages. Je rêve. C'est fou ce que je peux voyager sans voyager.

Parvenue là-haut, il me faut faire le tour du lac. Je saute de rocher en rocher. Il y a comme un passage pour moi et je ne me blesse jamais les pieds. C'est la danse première. Je sais seulement qu'il ne me faut pas tomber dans l'eau, elle est profonde et je ne sais pas nager. Qui d'autre, d'ailleurs, pourrait me secourir puisque je suis la seule à connaître ce lieu et à m'y rendre? Seul le hasard des nuits fait que j'y reviens. Rien en moi ne commande. C'est la surprise. Et ce rêve, intact, il m'arrive encore de le faire. Soixante ans plus tard, il demeure aussi surprenant qu'à la première nuit, celle de la punition du kiosque.

Au fond du cirque, l'escarpement est abrupt. Le passage devient étroit. Il y a une barque à la coque large, de forme gracieuse, presque élancée, comme une prame, sans rames, sans voile et sans gouvernail. Seul le rebord, décor, est hérissé de barreaux, ceux miniatures d'un berceau, d'un parc, ornés en proue d'un motif à volutes qui rappelle étrangement celui de la rambarde du kiosque. Je m'assois sur le rocher, je tends les jambes, je donne de petits coups de talon et je me laisse glisser dans le ventre latté, strié de compartiments, cloisonnements cirés, vernis, c'est mon bateau et je m'y terre, à genoux, en proue, Pipou la proue, les mains sur le rebord, je me tiens droite, bien au milieu. Un geste maladroit, nerveux, et je basculerais. Devant moi, à l'endroit où toutes les structures de la barque se rejoignent en un point, au tout devant du tout, un petit marteau est suspendu. J'ai vu le même dans la poche d'un tablier de cuir. La barque, toute seule, me promène. Un instant, au milieu du lac, à l'aplomb du plus profond, je retiens ma respiration. Puis invariablement, comme si je commandais les brises des cimes qui me poussent au fil de l'eau, la barque me ramène en bordure, je respire. C'est l'école de la peur. J'apprends petit à petit à ne plus redouter les profondeurs. Parfois, doucement, je renverse mon visage de l'arrière, bien dans l'axe de la prame, sans trop me tenir aux petits barreaux, et je regarde le ciel. Jamais le soleil ici ne pénètre. Les glaciers et les pics font rempart, comme s'ils voulaient déchirer le ciel, chasser des lumières trop vives, préserver ce lieu, mon lieu, étranglement, et tout glisse en moi jusqu'au pli du bas de mon ventre. J'ai mal aux genoux, je serre les jambes mais ne me crispe pas. Un tour, deux tours, puis quelquefois le lac en son centre, mise à l'épreuve. Qu'elle est douce, cette eau, je voudrais tant la boire.

Et seulement au moment de l'apaisement, gagné envers et contre moi-même, à l'instant du calme absolu, quand mon cœur, au centre du lac, ne bat plus extraordinairement, seulement à ce moment-là, la barque me conduit au rebord du barrage de cristal et je peux enfin jouir de la vue. La coque frôle la barrière de verre, si étroite, comme une vitre, sans jamais heurter ou cogner. Je peux alors délicatement me pencher, observer la grande langue cristalline, scellée au roc, comme incrustée, toute en perspective se relevant légèrement, douce courbe au point le plus profond de la gorge. Ce barrage ne sert à rien qu'à mon rêve. Tout en bas du triangle renversé, tout au fond, un filet d'eau jaillit, écume, pour glisser et se perdre, en torrent, couler vers les forêts, les vallées et les plaines. Je peux alors d'une main, celle du précipice, toucher le rebord, caresser le cristal du bout du doigt. Je suis ici en paix, protégée de tous et de tout. Jamais ils ne sauront que je suis là.

Intervient alors le marteau. Il me faut le prendre avec précaution, mesurant mon geste, bien le tenir et, tout doucement, donner de petits coups sur le rebord, d'abord, sur la paroi ensuite, cramponnée aux barreaux de la main droite, toute cassée sur moi-même, le coude gauche sur le rebord de la barque et du barrage, l'avant-bras dans le vide, frapper à coups réguliers. Il se fait dans le cirque comme un écho. L'eau du lac frissonne. L'air devient plus vif. Tout du paysage circulaire semble grandir, se hérisser et menacer plus encore. Il s'agit donc pour moi de vérifier la solidité de l'édifice. Un défaut dans le cristal et tout se briserait. Je serais emportée par les eaux, vague dévastatrice. J'ai lu ça dans un poème de Victor Hugo, une petite fille, comme moi, renversée dans sa barque par une vague et noyée. Mais mon père n'est pas poète. Il ne me chanterait pas. Je tape de plus en plus fort. Tout doit être parfait, indestructible si je veux me défendre seule. Dans le cirque, ce n'est plus que fracas. Les heurts cristallins se répercutent, se croisent et se mêlent. Il me faut vérifier tout du long une fois, deux fois dans les deux sens. La barque automatiquement me guide, virer de bord, recommencer. La main droite est moins sûre à tenir le marteau. Je n'aime pas ce côté-là. Mon coude droit tremble toujours un peu. Si je lâchais le petit marteau, il glisserait le long de la paroi, serait charrié par le torrent. Je ne serais plus armée pour la grande vérification.

Quelques secondes pour ce rêve, peu avant le réveil. La dame en blanc pousse la porte de la chambre, écarte les rideaux, ouvre la fenêtre, fait claquer les volets et ressort sans rien dire, sans même me regarder. Dans l'eau de la vasque je baigne mon visage. Je suis encore sur le lac.

C'est le rêve de la nuit du kiosque. Au pain sec et à l'eau. Combien de fois, ensuite, suis-je revenue au lieu intact de toutes les retenues?

Mon père m'attend dans son bureau. Il m'embrasse sur le front, puis il me prend dans ses bras. « Tu es grande maintenant. » C'est tout. Tout ce qu'il me dit. Il me caresse longuement les cheveux, défait mes tresses, embrasse mes mains. Il se tient assis, près de moi, vieux, innocent. Jusqu'à l'heure du dîner. La dame en noir, jalouse, vient nous chercher. Je sais désormais que la jalousie est une manière d'indifférence. Mon père se tait parce qu'il meurt. Un silence pour une dignité. Et dans ma tête, je frappe encore, petit marteau d'argent. Outil des glaciers.

10

Elle entend une voix, on l'appelle, on la secoue. « Madame... Ma-dame! » L'infirmière est là, debout, un verre d'eau à la main. « Vous avez meilleure mine ce matin. » Elle ouvre les yeux. Elle essaie de se mouiller les lèvres. Elle a soif. Mais qui est cette jeune femme qui se penche vers elle, lui saisit de nouveau la nuque comme si elle allait, elle, glisser dans la vasque à petites fleurs bleues? Ces femmes, toutes ces femmes qui se sont occupées d'elle, et maintenant, celle-ci, jeune, en maillot deux pièces, pieds nus, lunettes de soleil, vaguement un sourire, qui tend un verre d'eau. Une gorgée, le chapeau est un peu de guingois. Deux gorgées, le nœud s'est défait. Qui était l'enfant blond, lequel d'entre tous, et de qui? Troisième gorgée. Elle toussote, elle a avalé de travers. L'infirmière pose le verre sur une table qu'elle tire vers elle du bout du pied, retire le chapeau, le jette par terre puis, la prenant sous les bras, la soulève dans le fauteuil, cale un coussin dans son dos, sac de peau, sac de plumes. Elle toussote encore un peu. Elle regarde le verre. Du plastique. Un verre à dents. « Ça va Madame? » Regard fixe. L'infirmière reprend le verre. Cinq, six gorgées, lentes, appliquées. « C'est bien, il faut que vous soyez belle ce soir. »

Elle ne comprend rien. L'infirmière parle et elle ne comprend pas. Elle entend mais elle n'écoute plus. Des sons, difformes et surtout le ton serein, uniforme désormais, de tous les propos qu'on lui tient. A quoi bon? Elle se sent toute calée, coincée dans le fauteuil. Elle se met à jouer avec les boutons de sa robe. Elle les lisse, les polit, les caresse inlassablement. Elle sent que sa bouche s'est déformée, sur la gauche. Quelque chose, là, plissé, est tombé. Elle ne s'est pas vue depuis longtemps dans un miroir ou bien, elle ne s'est pas reconnue. C'était une autre. Une étrangère qui passait. Mais pas elle. Pas son image.

Sur le voilier, au large, près des îles, Emmanuel, Stéphane, Laurent, Paulin et leurs épouses respectives observent la côte, la mer, l'horizon, les autres bateaux. Silence. Quatre fils et quatre brus, quatre autres familles et la réunion de ce jour. Silence. Ils se sont baignés en pleine mer. Ils ont ri, plongé, ils se sont même disputé les palmes et les masques, comme autrefois. Ils ont fait semblant d'être ensemble pour la joie du large et de l'écume, celle aussi du soleil et de la rencontre. Emmanuel et Laurent sont devenus architectes, comme leur père dont ils ont repris le cabinet d'études. Ils se voient toute l'année. Ils s'entendent très bien. Ils ne se parlent pas. Ils n'ont rien à se dire. Stéphane, le second, ingénieur, dirige une usine de structures mobiles pour échafaudages, filiale française d'une société états-unienne, c'est son expression, « je travaille pour les états-uniens ». Tous trois, aînés, ont cinq, trois et quatre enfants, soit douze en tout plus le fils unique de Paulin, Martin, cela fait treize au total. Une belle famille, un beau voilier, « la mer est bleue, c'est fou ». Silence. Les quatre femmes se sont allongées, côte à côte, nues, à l'avant du bateau. Elles se tournent et retournent, échangent quelques propos ou des crèmes bronzantes. « Celle-ci est dangereuse, mais regarde, en un rien de temps... » Murmures puis silence de nouveau. Paulin, canard noir de la famille, agrégé de lettres, comme sa femme, le seul aussi à avoir choisi la province, se tient à l'arrière. Ses frères le regardent. Il va parler. Il faut parler. « Rentrons le plus tard possible. » Sourires. Coup de brise, le voilier dérive. « Si on jetait l'ancre? » Emmanuel murmure « pas de danger par ici ». Paulin respire un grand coup. « Bon, on pourrait peut-être en parler, pour une fois que nous sommes tous ensemble. » Laurent se lève, s'adosse au mât, tournant le dos aux femmes « de quoi? ». Paulin met les mains sur ses genoux, relève la tête, sourit, le sourire grave de Paulin. « Non, de qui, et de maman bien entendu. » Une voix « il n'y a plus rien à faire ». Une autre voix « d'ailleurs elle ne souffre pas ». Puis « qu'en sais-tu? » « Et toi? » « Elle n'a jamais voulu se confier à personne » « C'est une accusation? » Silence de nouveau. Steph plonge, remous, écumes. Le voilà sous l'eau. Ses frères le guettent. Sa femme s'est relevée en se caressant le buste, huile de coco, elle compte les minutes, une inquiétude comme une autre, un mari comme un autre, une fidélité, toutes ces fidélités. Paulin reprend « bon, un de moins, toujours le même. Je repose la question : Maman? » Une voix « elle ne nous comprend plus. Je crois même ce matin qu'elle ne m'a pas reconnu ». Une autre voix « moi non plus ». Paulin insiste « qu'en savons-nous? » Emmanuel regarde ses frères. Steph émerge à une vingtaine de mètres. Il pousse un cri « venez, elle est bonne! » Ce n'est ni le lieu ni le moment. Ce n'est jamais le lieu. Paulin dit à voix claire « mais c'est maintenant ou... » Ses frères plongent à leur tour, puis les femmes. Des cris d'enfants de quarante ans. Paulin se retrouve seul, la main sur le gouvernail. Il s'allonge sur la banquette arrière. Il se tasse, se love, se fait une petite place. Le gouvernail lui barre le ventre, étrange sensation. Il regarde le ciel. Il se souvient d'un bal, un jour, avec elle, Pipou, Mamie, Adrienne, quand elle était encore belle.

Elle marche, c'est la promenade du matin. L'infirmière lui tient le bras. Faire le tour de la maison. C'est un ordre du médecin. Il faut qu'elle marche, au moins deux fois par jour, un bon quart d'heure. Soutenue, retenue, elle voit les arbres, pins, sapins, citronniers, les massifs de géraniums lierre, l'ibiscus et ses fleurs éphémères. Elle veut en cueillir une. L'infirmière la retient. « Monsieur ne veut pas, vous le savez. » On la retient encore. Elle s'émerveille de tout. Elle est la seule à le savoir. Un pouvoir encore, au tout dedans d'elle-même. Un discours, comme celui de son temps.

Sur la plage, Martin rejoint ses cousins et cousines. Il y a les plus petits qui font des châteaux de sable, remplissent des pots, les tassent avec des pelles et les retournent, ça fait une tour. Martin n'a plus envie de jouer avec eux. Ils sont trop petits. Et puis, les plus grands, qui jouent autour du canot pneumatique, le prendre d'assaut, le faire basculer, recommencer, les filles contre les garçons, tout vire tout le temps au violent. Un coup de coude en plein front. Des cris, des pleurs. Puis la revanche. Les deux jeunes filles au pair se relaient « arrêtez », « ne criez pas » « ce n'est rien ». Mais il faut se venger. Des rires pour recommencer, puis très vite les cris. Ils se cognent trop. Martin ne les rejoint pas. Seulement à l'heure de sortir de l'eau, pour tout le monde, à l'heure de se sécher, certains claquent des dents, au moment du « mettez vos maillots secs, et toi, tiens mouche-toi » Martin va de l'une à l'autre, cousine, cousin, pour leur dire « Mamie, c'est Pipou », répéter « Mamie, c'est Pipou ». Et ils lui répondent « t'es bête » ou bien « t'es fou » ou encore « tu dis des bêtises ».

Mais fort du message, Martin hausse les épaules et se tient à l'écart. Un mot, un nom, comme un trésor. « Pi-pou! »

Assis à son bureau, Gabriel veut écrire à sa sœur. Papier à en-tête, son nom, gravé. Il le caresse du bout du doigt, comme un relief. Son nom inscrit étrange, presque étranger. C'est donc lui, ça, ces signes? « Ce premier août. Ma très chère sœur... » Il s'est arrêté à la virgule. Il ne lui a pas écrit depuis cinq ou six ans. Pourquoi se tourner vers elle, aujourd'hui et pour lui dire quoi, quelle fête? Dans la cuisine, des bruits d'assiettes et de couverts, des chocs de verre. On prépare le déjeuner. Le « on » des domestiques, le on domestique. Gabriel déchire la lettre, recapuchonne son stylo. Attendre les cris. Attendre qu'ils reviennent. Il se lève, sort sur la terrasse et avec des jumelles regarde au large, cherche, scrute puis trouve son voilier, leur voilier, ses fils et belles-filles. Voiles baissées, dérive, ils vont rentrer trop tard, l'éviter encore, lui, Gabriel, le père. Il y aurait pourtant tant à dire, accuser, réfléchir, mettre au point. Que font-ils, là-bas, sans lui? Que disent-ils?

C'est Jeanne, la femme de Paulin, qui commence. Le livre de Sinoviev est « tellement plus important que Soltjenitsyne. Le goulag. Le vrai. Pas celui dont menacent nos pantins d'intellectuels français. Un goulag qu'ils ont vécu dans leur chair ». Une voix « mais oui, ma chère... ». Des rires. Ils rient. Il faut rentrer. Hisser les voiles. Jeanne regarde Paulin. Clin d'œil. « Parés à virer? » Le voilier se dirige vers la côte. Steph admet « qu'on a atteint le degré absolu de confusion » et que de tous bords « c'est la même démagogie électoraliste ». Une voix « t'as rien d'autre à nous raconter. On le sait tout ça... ». Une autre voix « de toutes les façons, tous les pays libérés retombent dans leur passé. Pour la Russie, tu n'as qu'à lire Custine. On croit que les pays changent, ils ne font que retrouver leurs racines ». Silence. Sourires. Bravo. « Alors à quoi bon? » « Et maman alors? » « Ah non, tu ne vas pas recommencer. L'important c'est qu'elle soit bien soignée. » Silence. « Moi, j'ai jamais vu la mer aussi belle. »

L'infirmière est allée chercher le plateau du déjeuner. Il faut attendre. Encore. Cette fois dans la maison. Sur le sofa. « Je reviens tout de suite, Madame. » Elle joue avec les boutons de sa robe. Elle entend une musique. Sa musique. Elle déchiffre.

11

« TENEZ-VOUS droite, regardez la musique. » Assise sur le tabouret du piano, à vis, qui grince, je m'applique. Madame Certain vient me donner des répétitions à domicile. J'ai onze, douze, treize ans. Adrien se marie ainsi que les deux restantes. Toute tournée vers le piano, droit lui aussi, je l'ai souvent pensé, amusée, moi droite et lui droit, il me faut l'exprimer ainsi, aujourd'hui, sentiment identique, mon identité, je fais des gammes, je puise dans les Classiques favoris, éditions Durand, place de la Madeleine à Paris, des sonatines de Schumann et de Diabelli, revues et améliorées pour doigtés d'enfants, une valse de Chopin, la brave *Lettre à Elise* et le *Gai Laboureur*. Pendant tout ce temps, « tenez-vous droite, regardez la musique », ils se marient. Le piano, rempart, miroir noir, me protège de tous, Durand, Madeleine, Paris, ces voyages ne sont rien en regard, la musique regarde, de ce qui se joue à tact de clavier. C'est beau un piano, c'est comme un orchestre au bout des doigts.

Pour Madame Certain, je suis étourdie, peu attentive, distraite. Un premier quart d'heure passé à faire du solfège et je ne lui appartiens plus. Mon destin est ordinaire. Il se détache de toute règle. A cet âge-là, on croit à une destinée. Le piano, monstre docile, accroupi, fait le beau devant moi. Je joue sur ses ongles blancs, parfaitement manucurés et sur ses griffes noires, plus douces encore au toucher. J'aime à me surprendre de ces dièses qui deviennent bémols selon la tonalité, les premiers tenaces, aux accents courageux, et les seconds, pour un petit rien, parfois, langoureux. Je voudrais bien pouvoir, ici, chanter et restituer, le sentiment de ma présence face au piano, corps à corps, sous la haute surveillance d'une répétitrice aveugle. Cette extraordinaire Madame Certain connaissait par cœur la ville et les partitions. Elle se rendait seule, chez nous, en agitant sa canne blanche et se fâchait si quelque passant se croyait obligé de l'aider à traverser un carrefour, ou les Promenades. C'était donc elle, et nulle autre, il fallait que ce soit cette femme-là pour prendre le relais de la dame en noir qui m'avait délivrée à ce monde, et de la dame blanche qui avait guidé mes premiers pas. Madame Certain agite la cloche au portail de la maison. Les beaucerons s'élancent en premier mais au vu de la canne blanche, brandie à travers les barreaux, ils cessent d'aboyer et se terrent en se léchant les pattes comme s'ils voulaient trouver une excuse, manière visible, face à l'aveugle. Etrange femme, donc, qui me faisait un long premier quart d'heure durant, déchiffrer des partitions qu'elle ne voyait pas. Souvent même, son doigt, à corriger une erreur de lecture, allait droit à la portée et au signe sur lequel mon attention venait de trébucher. Il y allait de ma lecture comme de sa marche dans la ville, sa ville, son lieu, une géographie. Je devais aller droit à une vérité.

Le piano avait été acheté fort tard. Il y avait eu des musiciens pour le mariage d'Adrien. Mes parents avaient peur de me voir vivre seule, si jeune avec eux. Il fallait me distraire et m'instruire. Le jour de mes premières gammes, mon père était venu poser la main sur ma tête, geste poignant, et avait seulement murmuré « continue, je t'écoute ».

Madame Certain sent que je ne me tiens pas droite ou bien encore, que je ne regarde pas la partition. J'observe mes mains. Egrenée, surprenante, triolets, cantabile, sostenuto, coda, avec expression, la musique est là et par elle je me sens grandir, comme le tabouret quand il faut le remettre à ma hauteur exacte. Rituel. Il y a deux chandeliers de part et d'autre du piano. Les fins d'après-midi d'hiver, il faut allumer les bougies. C'est même Madame Certain qui me demande de le faire. Elle ne voit rien et elle voit tout. Combien de fois, aussi, m'a-t-elle expliqué qu'il n'y avait pas que les mains pour jouer, qu'il fallait laisser cette technique aux virtuoses et que, pour la modestie de mon interprétation, je devais tout accompagner de mon corps. Sa main glisse dans mon dos, elle place sa canne blanche contre ma colonne vertébrale, me commande de respirer « comme à la campagne, devant un beau paysage » et alors seulement, je comprends. Au tout dedans de moi, c'est une course belle et simple. Je vais au devant de, je me donne et je reçois. Je joue brusquement tellement mieux. Les coudes, les épaules, le buste, l'assise de mon corps, tout joue. Je m'abandonne et en retour la musique me donne tant, qu'il n'y a plus de murs, plus de noir, plus de blanc, plus de silences ou d'aboiements, plus rien de craintif ou de furtif, ni même une province, un pays, un point, mais un univers dans lequel je me plonge. Madame Certain me pince alors le bras « oui, mais regardez la musique ».

Le berceau, le parc, le kiosque, le barrage de cristal et maintenant le piano. Il me faut le revoir, noir, ciré, briqué, lustré, dernier signe extérieur de familiarité. Comme une laisse, comme une longe, la musique me retient car elle me donne à rêver. Et il y a du poète dans la cécité de Madame Certain. Une émotion même, dans l'affirmation de son nom. Rien ne s'invente, tout ne demande qu'à être observé, à l'écoute des faits et des êtres, l'appel des choses qui s'animent et des humains désenchantés. Qu'elle était belle ma musique dans ce salon aux volets éternellement clos par peur des poussières et des lumières pour ces tableaux auxquels on prêtait en haut lieu maternel une valeur de trésor. Jamais un mot doux, une caresse, un sourire. Je me retrouve avec deux vieux. Les visites des cinq jeunes couples ne sont autorisées que les dimanches, avec bébés, et sans enfants, en semaine. La dame en noir ne supporte pas leurs cris. « Déjà, Pipou et son piano... » Un regard échangé avec celui qui ne dit rien, mon père, à la dérive, comme moi, et d'une connivence nous nous aidons à cheminer, lui vers la mort, moi vers la vie. Je crois alors à deux chemins différents. En fait nous étions sur le même sentier. Comme les autres, comme tout le monde. Pourquoi ne me l'a-t-il pas expliqué? Je tiens de lui, de l'échange avec ses regards, l'illusion, l'espoir, une ténacité. « Tu fais des progrès, et je suis fier de toi. » Quelques paroles échangées aussi. Mais si peu. Toujours au moment où je m'y attends le moins. Il s'emploie à me surprendre comme pour m'habituer à la nouvelle de sa mort, un jour, à venir. Et si la mémoire tranche, choisit, préfère, si l'inventaire se fait aussi à rebours, laissez-moi seule, je suis seule, je suis bien ainsi, c'est mon inventaire, mes fétiches, mes heurts, c'est moi tout entière, au tout dedans de moi, à vivre mon temps comme leur temps, mon époque comme leur époque. J'aurais pu m'insurger, débattre, accuser, mais il n'y a ni coupable ni victime, il n'y a que la foi de la partition, l'interprétation et la fin, ma fin. C'est tout. Je joue encore. Je laisse aux autres l'amour virtuose.

Madame Certain s'en va. Elle a aussi une horloge dans la tête. Ponctuelle à l'arrivée, son heure de répétition s'achève à la minute près. Elle se lève, prend sa canne blanche et me tend la main « au revoir, Mademoiselle, vous êtes bien pressée de tout apprendre par cœur » ou bien « vous trichez avec vous, vous ne jouez que pour vous » ou encore « vous êtes bien trop douée pour avoir du talent ». Je lui fais une révérence. Elle dodeline de la tête et quitte le salon, abandon, il faut qu'elle ait toujours un dernier mot, dur. Pourtant je l'aime. Elle ne tortionne pas, elle m'enseigne l'étreinte. Vite. J'attends que les portes s'ouvrent et se ferment, que le portail claque, quelques minutes, elle est déjà loin, et je me remets au piano, je joue, les yeux fermés, la tête haute, je deviens la Mademoiselle Certain, arpèges, mains croisées, longs accords plaqués, j'invente des musiques, d'autres musiques. La main gauche accompagne, la main droite est mélodique. Je me venge, je devance, je me perds dans une forêt de sons et d'échos. J'ai quelque chose de plus à dire, moi aussi, comme tout le monde et pourtant, prisonnière, je me sens élue, capable d'invention. Je n'inspire pas, je m'inspire. Et tout ivre de chants, rompue aux galops chromatiques, je prends possession du clavier tout entier. Je me tiens terriblement droite. C'est le grand concert. Volets clos, yeux clos, jusqu'à ce que la dame en blanc m'interrompe « il est temps d'aller vous préparer pour le dîner » ou bien « avez-vous fait vos devoirs » ou encore « Madame a mal à la tête ».

1925. J'ai quatorze ans. Ma mère s'offusque des « robes courtes » de mes sœurs et de « leurs cheveux coupés ». Et moi, héritière de leurs tabliers mimollets, de leurs bottines craquelées et de leurs barrettes de pacotille, je m'habille et me coiffe comme autrefois, déjà, autrefois. Quand donc sortirai-je de la ville, de la campagne des alentours, au-delà le monde entier? La nuit, je me perds dans des livres de géographie. La dame en blanc dit que je suis pâle à cause des bougies.

Un jour, la cathédrale engloutie, Debussy, une avant-garde pour Madame Certain. La dame en noir interrompt la leçon. Mon père est mort. Il écoutait. Un cercueil, c'est comme un piano, plein de décès et plein de vie. La même boîte. Elles étaient belles, mes sœurs, en robes courtes, au cimetière. Et ma mère toute couverte de voiles noirs. J'étais heureuse pour moi et pour lui. Qui donc a coiffé sa moustache, une dernière fois? Rien ne s'achève, tout s'inachève. J'ai soif.

12

MARDI premier août. La Calanque.

Très chère sœur,

Oui, c'est ton frère Gabriel qui t'écrit. Ce jour n'est pas ordinaire. Secrètement, la semaine dernière, j'attendais de toi un message, un signe, un recours au sensible comme une réponse à un au secours sourd qui, dans mon esprit, se fait écho. C'est donc, encore une fois à moi de prendre l'initiative du geste et de la pensée. Je ne te reproche rien. Tu me connais trop. Aîné, adulé sans doute, jalousé de toi, je n'ai jamais suscité l'élan spontané de l'autre. A trop provoquer, on ne murmure plus et on perd toute chance d'être entendu. Me voilà donc encore à guider et cette fois, plus encore, à me plaindre. Ils vont fêter ce soir mes cinquante ans de mariage avec Adrienne. Leur mère. Me voilà parvenu à un point d'arrivée comme à un point de départ. Jamais nous ne serons entrés en scène. Nous sommes de la race qui reste en coulisses et nos discours sourds, si longtemps murmurés, trament le drame qui se joue sur les planches sans jamais y participer vraiment. L'amour fou et heureux n'appartient qu'aux artistes. Il est leur semence, leur produit, mais dans ma vie, qu'ai-je vécu d'incident? Dans ma famille? Je sais, tu m'avais prévenu. Tu me disais bien connaître Adrienne. Elle ne se livrera jamais, me disais-tu. Et j'en suis là, pour une lettre de retrouvailles, à interpréter ce que tu m'as alors expliqué. Tu as bien connu Adrienne au collège. N'avez-vous pas fait toutes vos études ensemble? Distante, elle ne te parlait jamais, ou peu, pour la courtoisie. Elle te fascinait puis à mon tour, aussi, je fus fasciné. Je voudrais tant aujourd'hui que tu m'expliques. Comment m'adresser à toi, lointaine, distante? Quelle idée de continuer à vivre dans cette ville du Nord, alors que ton mari est mort et que tes enfants vivent à l'étranger? Parfois, en pensant à toi, je me dis que tu es la gardienne des terrils. Viens, rejoins-moi, rejoins-nous. La maison se dit accueillante mais ne l'est pas. Peu importe. Aux premiers jours de septembre? Nous parlerions ensemble? L'accueil, après tout, on le porte en soi. La morale est ordinaire. On porte tout en soi et le bonheur, c'est ce qu'on en fait. Je m'égare, ici, à t'écrire. Cette lettre, je ne te l'enverrai pas. Il me faudra en rédiger une autre plus directe, car à trop désirer, on dit trop, puis on ne dit rien. On se perd dans un labyrinthe de sensations, les émotions carambolent et le tout se noue au point de non-retour qui est aussi point de non-recevoir pour celle à qui on s'adresse. Toi. La lettre, intime, quand elle vise un témoignage, gêne, et devient suspecte. Les petits-enfants reviennent de la plage. On leur commande de ne pas crier pour respecter la règle de mon troisième âge. Cette retraite est insupportable. Je ne sais pas vers qui me tourner et tu ne m'écoutes déjà plus. Lettre inutile, comme un exercice de style, premier exploit non conforme au message que je dois t'adresser, me pliant aux normes recpectueuses d'un silence qui dure depuis tant et tant d'années. Faut-il que je te demande pardon? Ironique, déjà, je moque la fidélité à l'amour de ta vie, et au lieu majuscule de ta famille, cette maison, près d'une usine, en briques rouges, lugubre, ce jardin où l'herbe ne pousse pas et où les arbres ont des troncs de charbon. J'ai désiré, c'est vrai, pour toi, un époux plus audacieux, une région moins sombre et des enfants pour te et nous prolonger dans nos rêves. Mais de quoi avons-nous rêvé? Qu'avons-nous perpétué? Quels sont notre caste et notre désir? Tu ne voulais pas que j'épouse Adrienne et je me tourne vers toi pour te le rappeler, éveiller en toi une connivence, comme une complicité ou une douceur. Il ne me reste que ce bureau dans cette maison, des feuilles blanches et de l'encre bleue qui vire au noir en séchant. Je t'écris. Recommencer le message. Il sera plus direct, conforme, normal.

Mardi premier Août.

Chère sœur,

Il y a cinquante ans jour pour jour, ton fiancé acceptait d'être le témoin de mon mariage avec Adrienne. Tu étais belle ce jour-là, belle et agressive. Tu me fuyais du regard. Tu étais contre ces épousailles. Tu jouais le jeu de notre mère, une fois n'est pas coutume. Adrienne ne m'aura donc dit oui qu'une fois dans notre vie. C'est dur, n'est-ce pas? Or,

Premier Août, cinquante ans plus tard.

Chère Henriette,

Mon message sera court, bref. J'ai attendu jusqu'au dernier moment. Sans doute pour ne pas t'infliger une obligation de présence à la fête de ce jour. Ou bien, pour être franc, ai-je purement et simplement oublié de te prévenir et de t'inviter à temps. Mais la fête, tu t'en doutes est amère. Et à te l'écrire, je ne reconnais même pas mon écriture. Elle se tasse, elle se terre au point de l'illisible. Pourrais-je me relire? J'en doute. Je ne peux parler que de moi, moi, et moi, pardon.

Ce mardi 1er Août.

Chère Henriette et très chère sœur.

Je n'ai guère de bonnes nouvelles à te donner. Je ne peux que t'informer de la fête de ce jour à laquelle je n'ai pas voulu t'associer pour respecter l'ordre de l'intimité de ta vie, ta venue dans ce lieu aussi, luxueux, à l'image de ce qui fut pour toi la réussite de ton frère et pour moi un échec. Cette maison de vacances, je l'ai conçue, dessinée, construite, pour le bonheur de mes fils, de mes belles-filles et de mes petits-enfants. Elle était aussi une caution pour leur présence à tous, tous ensemble, autour de moi. Je dis moi. J'oublie Adrienne. Nous l'oublions. Ou bien s'est-elle oubliée, perdue en elle-même. Quel chemin parcouru pour en arriver là? Toi au nord et moi à l'extrême pointe du sud, quand nous avons renié notre vraie province, notre ville, là où nous avons grandi. Je t'en prie, écoute-moi. Réponds-moi. Ai-je commis l'erreur de trop vouloir étreindre et quand ai-je commencé? Bien avant Adrienne n'est-ce pas? L'amour que me portait notre mère et dont tu étais si jalouse? Il m'est si difficile de t'écrire. J'en suis à mon quatrième essai. Et je me dis que l'œuvre achevée cache des ébauches bien plus signifiantes. Il en fut toujours de même de mes plans d'architecte. Où aller et vers qui me tourner? On me dit que tu joues beaucoup au bridge et que tu donnes même des leçons. Je t'envie. Tu as trouvé une activité pour greffer un peu de ton attention et toute cette passion que tu déployais à m'informer et tenter de me séparer d'Adrienne. Elle avait dix-sept ans, ton âge. Dix-sept ans et demi. Elle comptait encore par demies. J'avais des diplômes, un prix de Rome et elle, une dot. Nous étions beaux, un Roméo, une Juliette, des familles rivales et toi à jouer au Tybalt. L'expression est de toi, t'en souviens-tu? Cette maison de vacances, je la voulais heureuse, ils en ont fait un camp où ils m'accusent de les concentrer. Et en regard du pluriel de leurs vacances, ma vie désormais n'est qu'une singulière vacance. Je ne peux pas t'écrire. Je ne peux qu'en ressentir le désir. Adrienne est en haut, et moi en bas. Les petits-enfants crient et jouent. Comment leur imposer le silence puisqu'on leur a expliqué qu'il s'agissait d'un jour de fête. Seuls Paulin, Jeanne et leur fils unique Martin, n'est-il pas ton filleul, ne jouent pas le jeu de mes trois aînés, de leurs épouses et de leur horde. Ils ne viennent jamais ici, eux. Aujourd'hui est l'exception. J'ai tout fait, c'est vrai, pour empêcher Paulin, mon dernier, de faire les études littéraires qui étaient sa vocation. Il s'est accompli, malgré moi. Je croyais à la science. J'y croyais trop. J'y tenais. Elle était la chance de nos rêves. Nous devions occuper ce terrain. Quelle erreur. Comment peut-on bâtir encore dans notre société? A l'image de cette maison, tout se concentre, s'entasse et se désagrège. Nous avons perdu le goût des empires. Et lui, Paulin, à enseigner notre langue, comme Jeanne et avec Jeanne, de front, a paré au plus simple et au vrai. Je le reconnais. Hier, quand Paulin est arrivé, je l'ai pris à part. Je lui ai longuement parlé. Ce fut pour lui une épreuve, car il ne voulait pas m'accuser. Dès que j'exprimais mon désarroi, il répliquait le sien. Je ne suis pas arrivé à l'émouvoir. Lui seul me comprend, je le sais désormais. Et quand nous nous sommes séparés, je le revois, debout, à la fois grave et souriant, dans ce bureau, pressé de me quitter, je lui ai dit que je voulais l'aider, faire au moins quelque chose pour lui. Il n'avait qu'à me le demander. Il m'a répondu que je lui avais tout donné par omission. Je me suis cru, un instant, attaqué, comme un reproche, il me blessait. Mais sa voix était calme. Et il a précisé, oui, par omission, tu m'as tout donné en ne me rien donnant. Cela m'a forgé. Je suis aussi malheureux que toi. Je n'ai pas su lui répondre. Il n'y avait aucune réponse possible. Quelques minutes plus tard, je l'ai vu embrasser Jeanne. Ils m'ont regardé, tous deux. Et j'ai baissé les yeux. Jeanne attend un second enfant. Je serais presque tenté de dire un vrai. Quand leur petit Martin m'a embrassé avant d'aller se coucher, seul, quand les autres ont des demoiselles, ces morveuses que l'on paie à ne rien faire, c'était un vrai baiser. Comment te dire, Henriette, ma hargne à ce jour. Adrienne depuis cinquante ans me quitte. Est-ce cela l'amour? Je t'en dis trop, et si peu.

Mardi premier août.

Chère sœur,

Tu trouveras, ci-joint, les ébauches d'une lettre que j'aurais voulu t'écrire. Paulin m'a souvent expliqué que, dans nos rapports, la distance était une preuve d'affection. Puisse-t-il en être de même pour nous. Réponds-moi, si tu le peux, si tu le veux. Nous nous sommes mariés à ce siècle au point de ne plus être. Je t'embrasse. Ton frère, Gaby.

P.S. Ils m'attendent pour le déjeuner. Je n'aime pas leur camping.

13

DEBOUT. La montagne est belle en ce matin de février, toute glacée, du haut du col de la Marie Blanque, le creux sombre des trois vallées, Ossau, Biehl et Billière, ces noms qui désignent brouillard, nuages arrachés, tout en bas, un croisement et de notre point de vue, le surplomb des moraines, et des pics enneigés. Nous attendons l'aurore.

Hier, au Grand Hôtel des Thermes, ils murmuraient que le spectacle serait i-nouï, mer-veilleux. Ils regrettaient tous, convalescents, arthritiques, tuberculeux ou bien vieillards, « de ne pas pouvoir se lever si tôt par si grand froid, pour voir ça! » Ils disaient « ça! » du bout de la langue, mot jeté, comme un bonbon trop acidulé, craché, une rancœur. Le pianiste qui joue chaque fin d'après-midi dans le hall s'est même approché de moi pour la première fois et m'a murmuré, en s'essuyant les lèvres, mouchoir, petites taches de sang, il ne faut surtout pas lui serrer la main, ordre de la dame en blanc, « vous avez bien de la chance, Mademoiselle, car vous irez, vous! » Il a répété « vous! » comme les autres disent « ça ». A vivre ensemble, les gens s'imitent, gestes, intonations. De quoi se gaussent-ils donc même lorsqu'ils sont émus? Le pianiste est amoureux de moi, c'est sûr. A quatorze ans, je me crois aimable. Je le suis, nul doute à cela, mais ce détail sentimental m'éloigne de l'image à vif de ce matin de grande innocence.

Debout. Face à moi, les pics d'Anie, de Sesques, du Midi d'Ossau, le Plat à Barbe, Soumcouy, Pétragène, les noms résonnent et s'enchevêtrent, un bel écho dans ma tête. La montagne sort de la nuit, toute sertie encore dans les ombres vert-de-grisées des micas, des schistes et des affleurements de granite. Tout cela, frontière basque des Pyrénées, semble accroché à cette lumière qui se lève, givrante, patinoire céleste sur laquelle je voudrais m'élancer, comme les dames de Paris, fourrures et manchons, dans leur Palais de Glace, premiers jours de leurs hivers. Je l'ai vu en photos et sur gravures. Frivole? Les mots, pourtant, devraient suffire.

Debout, innocente. Entendre les mots accomplir ce qu'ils disent. Sentir les mots, ces canifs que le discours affûte, accomplir ce qu'ils disent. Entendre les mots être à leur tour ce que je suis. Leur existence, aujourd'hui, devient doublement mienne. Par eux, leur pouvoir, leur compagnie, faire ma part des êtres dans ce monde qui fait tant et trop la part des choses et des situations. Iront-ils jusqu'à m'accuser de n'avoir jamais conçu, modelé, projeté mon discours de toujours? Frivole un temps, grave maintenant, nulle raison entendue, toute logique distrait, écarte du vrai propos, cette image, moi, debout, innocente, je la veux dépouillée, animée, pour ce qu'elle est. Bouleversante, cette image m'a emmenée ailleurs, au-devant de moi-même. Elle m'a tiraillée. Oui, ce matin-là, fut su-blime. Je l'entends encore en moi se lever, se suspendre, s'inquiéter et m'étreindre. Debout, innocente, à l'écart des dames en noir et blanc, l'infirme de la hanche et notre nounou-infirmière, nommée dame de compagnie pour l'occasion, un garçon de l'équipage m'accompagne. Au début il me retient par le coude pour que je ne glisse pas, bottines fourrées, luxe et cadeau de ce premier grand voyage, je ne marche plus dans les pas de mes sœurs, et maintenant, franchement, le garçon me tient par la main. La dame en noir crie « surtout, n'allez pas trop loin! »

Nous avons quitté Lurbe St Christau deux heures avant l'aube. Pour l'occasion, ma mère a frété le meilleur attelage, quatre chevaux et une berline confortable. « C'est tellement plus sûr qu'une voiture. En cas de précipice, on a le temps de sauter de l'autre côté. Les bêtes alertent. » Pour le fait de ce jour, rien n'est trop beau ni même trop coûteux. Sans doute, dans l'esprit de ma mère y a-t-il aussi, enfoui et vivace, le désir d'épater les clients malades de l'hôtel. De tous les errants de la station, nous serions donc des quelques privilégiés à se déplacer pour aller au plus haut et au plus près, jouir du spectacle u-nique. Un vieux de l'hôtel, qui se targue d'être membre de la Société de géographie de Toulouse, a même affirmé que « le meilleur et préférentiel promontoire était certainement au Mario Blanco ». « Le col de Marie Blanque, de pré-férence! » Et nous voilà en route. Etrange architecture que celle de ce premier lieu hors de ma ville d'origine. Lurbe, maisons de pierre, crépis clairs, grosses ardoises grises, et tout contre, St Christau, la station, maisons de bois sur herbe verte et lambeaux de neige, un luxe, une fantaisie, chalets, pensions, hôtels, thermes, casino inspirés pourquoi pas, tout de front, du russe, du bavarois et du tyrolien. Lurbe St Christau, lieu bâtard, rêvant de son propre mythe, une paysanne qui aurait épousé un général d'opérette. Nous sommes là. Vacance d'hiver. Mais en route, en route donc! Que l'image bouge! Je veux me retrouver en haut. La berline? Deux heures avant l'aube, emmitouflées, châles de laine, les châles de

Mendoza sont trop légers, notre silence, étrange, ouaté, pesant, trois femmes. Par la portière j'observe les silhouettes agitées de ces bâtiments de bois aux toits pointus, aux balcons armés de lourdes solives. « Une allumette, et tout flamberait », murmure ma mère. Mais comment détacher cette femme de mon souvenir? Comment aller, fouetter, cravacher le souvenir? Je chasse la dame en noir? Elle revient, claudicante, heureuse, à sa manière. Elle gère. Elle régente. Elle veut encore s'étonner et m'ignorer. Mais ici, à ce point, surtout n'accuser personne. Les souvenirs, élagués, à bien les vivre sont phrases liturgiques, sans dieux ni Dieu. La nature en moi constamment reprend sa place et me dit de m'en aller, humaine, donc de trop. Que mon discours, sourd, me guide. Surtout, surtout n'accuser personne. Ni ceux du passé, ni ceux venus ensuite, ni même ceux encore à venir. Tendre avenir des souvenirs, je voudrais tant le chanter, je le chantonne. Rien du souvenir n'est révolu. Tout m'involue. Chacun bâtit son siècle. Le mien fut de sable. J'y crois encore. Je recommence. La dune ne sera jamais assez haute pour dominer et clamer la dérision de nos intentions, le poignard et les lèvres de nos passions. Ils ont fait « ça! » de moi. Les images vivantes de mon passé, face à la nature mourante de leur présent, ensemble, quand ils se réunissent pour fêter, je le devine, mais quelle fête déjà, revendiquent encore. J'existe.

Le garçon a la main couvrante et large, douce, frémissante. Je pourrais sentir battre son cœur tant il me serre fort, de peur que je ne tombe. Quel âge a-t-il? Deux, trois ans de plus que moi? A peine. Où ai-je lu que le sang peut s'échanger par les pores de la peau? Si dure, l'étreinte de sa main, si proche. Un pacte. Le garçon porte un béret. Il sourit. Il se penche vers moi, petite pulsion des doigts « quel est ton petit nom? ». Avec l'accent, chantant et grave. « Adrienne, et toi? », voix étranglée, le froid. La peur. « Lucien. » C'est tout. Il s'appelle Lucien. Un prénom qui crisse aussi un peu, si l'on veut. Les enfants se tutoient. C'est leur manière de se coupler. Leur sensualité, s'ils savaient, si j'avais su. Et c'est avec Lucien que j'ai vu « ça! ». Que se passait-il, à ce moment-là, ailleurs, dans le monde? 1911 plus 14, 1925, l'Histoire ne nous atteint pas. Nous la subissons, après, mensonges des peuples civilisés. Je n'étais qu'une petite fille qui se civilise. Lucien aussi. M'a-t-il oubliée? Nous avons vu « ça! », ensemble, main dans la main, un peu du sang de l'un, un peu du mien en partage, égal. Lui aussi est ému. Lui aussi n'a jamais vu ce que nous allons voir, quelques minutes seulement, su-blimes, mer-veilleuses, une fois, dans une seule vie, une seule. Ma mère crie « où êtes-vous? ». Lucien m'entraîne, un promontoire au-dessus du col « c'est pour voir encore mieux ».

La découpe des pics, cette lueur grandissante du jour, plein est, le disque gris, parfaitement rond de la lune, puis le soleil qui jette ses premiers feux, comme des flèches de glace, et le ciel pour se blanchir, brusquement, éveil pur, cristallin. Le paysage devient immense, vallée, forêts, ravins, tout sort de l'ombre de la nuit pour devenir terriblement planté, dessiné, accroché, tendu. Le soleil grandit presque à vue d'œil, boule qui se détache bientôt de la ligne de crêtes pour se lancer dans le ciel vers le disque de la lune qui semble choir vers lui, discret, plus subtilement gris encore, comme attiré par le feu. Naissance. Et moi, toute raide, je serre très fort, si fort la main de Lucien qu'il me regarde, furtivement, je l'amuse, il s'amuse, c'est tellement beau, c'est pour nous tout « ça! » et pour nous seulement. Il retient son souffle. Je ne respire plus, bouche bée. Lucien veut dire un mot, au moment où les circonférences de la lune et du soleil se heurtent, la belle image, oui, c'était un heurt. Dans la gorge de Lucien, comme un « ah » qui avorte, une peur pour couvrir, envelopper la mienne. La lune très vite, si vite, comment est-ce possible? La terre tourne-t-elle si vite, ou bien! Ce fut l'éclipse. Totale. Parfaite. « C'est si rare » a dit le monsieur de la Société de géographie de Toulouse « mais si j'y vais, je meurs de froid ».

Une pleine lune et un plein soleil pour un plein obscur de quelques secondes, autre nuit, autres ombres car dans cette nuit-là, les ombres sont comme phosphorescentes, nuit pailletée de quartz, nuit pour l'éclat des micas et des schistes, nuit à faire frémir les granites et les neiges éternelles. Une nuit, et une clameur. Non pas celle des humains, ils sont là, en contrebas, troupeau agglutiné autour des attelages et des voitures, non, clameur des brebis, des vaches, des juments, des mulets, des ânes et des chèvres, clameur dans les bergeries, cris assourdis des bêtes asservies qui se mêlent aux hurlements des bêtes sauvages, l'isard, le lynx, l'ours, le chat sauvage, le bouquetin, la marmotte, le renard, le blaireau, le sanglier, tous, ils hurlent tous à cette nuit de quelques secondes, à cette lumière noire, brusque, contrariante. J'ai l'impression quelques instants que l'air est doux velouté, caressant. Je me jette dans les bras de Lucien sans même m'en rendre compte. Je respire, à pleins poumons, très vite, mon cœur bat et j'entends taper celui de Lucien comme si nous avions voulu ensemble donner le rythme au cri unanime, tranchant l'air, qui se répercute en échos. Ce cri qui a commencé à se lever au moment où la lune a entamé le soleil, s'amplifie, grandit, devient immense, comme s'il voulait emplir la voûte céleste, comme s'il devait être entendu par la Terre entière. Cette nuit-là de l'éclipse, je la respire encore. Elle est mon souffle. Ce cri-là, je l'entends, comme une origine, au tout début de toutes les musiques. Cette étreinte-là, Lucien, me tient encore debout, curieuse de tout, debout en moi, dans moi, au plus profond de moi-même. Là, je me promène encore. Je suis encore là-haut, pour mieux voir. Je me raconte mon histoire, mais ne la racontez pas. Puis le cri se fait plus aigu encore, à l'unisson, à ce dixième de seconde où la lune masque totalement le soleil. Lucien me retient. J'ai l'impression que la Terre va se décrocher, tomber dans le vide, comme une pierre, tourne bouler. J'ai peur, aussi, que le cri brise le barrage de mes rêves. Cristal. Puis, vite, très vite, comme un mouvement de chute précipitée, la lune se détache du soleil, la clameur des bêtes se fait plus grave, le soleil de nouveau jette ses flèches, une lumière habituelle redessine le paysage, tout revient dans l'ordre. Je sens le menton de Lucien sur ma tête. Il me caresse les cheveux. Tout redevient comme avant. Alors, et alors seulement, les humains, en contrebas, se mettent à applaudir. Ils poussent de stupides cris de joie au milieu desquels j'entends ma mère jeter mon nom. Je regarde Lucien. Il m'embrasse sur le front. Je l'embrasse sur le menton. Il murmure « tu ne le diras pas? » La lune disparaît derrière la ligne dentelée des crêtes. Le soleil se lève et pivote, triomphant. J'ai le bout du nez gelé. Lucien me le pince en riant. Nous nous détachons l'un de l'autre. Reste ma main, dans sa main, pour rejoindre les autres. Je prends mille précautions pour demeurer le plus longtemps possible avec lui. Je porte en moi, un soleil et une clameur. Lucien.

14

« LUCIEN... » « Non, Madame, c'est moi, Martine, il faut manger, il faut prendre des forces pour ce soir. » L'infirmière se penche sur elle et lui place autour du cou une serviette, comme un bavoir. Elle se laisse faire, lever, coucher, asseoir, laver, nourrir. Elle est là où on la laisse, on la retrouve là où on l'a laissée. Martine est la onzième infirmière en quatre ans. Elles partent toutes. L'une boit, l'autre vole dans les supermarchés, une autre, vingt-sept ans, recommandée par Henriette, s'est faite engrosser, tentative de suicide, une autre encore, trop bien, trop bon genre, qui avait de l'éducation, donc de la conversation et qui répondait à Monsieur. Gabriel les chasse toutes sans le vouloir, leur signifiant du mépris, cet amour qu'il ne peut plus porter à son épouse, trop tard. Gabriel a si souvent expliqué à ses amis, en riant ou souriant « il faut économiser ses rancœurs ». L'architecte ne supporte pas qu'on critique ses conceptions, ses grands ensembles, ses prises d'opinion. Il ne faut pas mettre en doute son intégrité et son désir de justice. Bâtir juste. Gabriel Rex, né Clapier, disent encore ses détracteurs. Aujourd'hui, Gabriel détraque tout, traque et réunit tous ceux de sa famille. Ils sont là.

Martine, pour le déjeuner de Madame, a enfilé une

blouse blanche sur son maillot deux pièces. En remontant de la plage, Gabriel, Monsieur!, lui a reproché de ne pas être montée elle-même, à son appel, afin de ramasser le chapeau de Madame. « Vous êtes payée pour ça, Mademoiselle. » Martine a répondu « plus pour très longtemps ». A la cuisine de la grande maison, elle a préparé le plateau du déjeuner sans oublier les médicaments, dans une soucoupe, pour éveiller Madame, ce jour-là, particulièrement. Un conseil du médecin, à la demande de Monsieur, pour la fête, pour que Madame soit en forme. Pilules d'exception et une piqûre, en fin d'après-midi. Martine voudrait rire de tout ce qui se passe là, ce jour-là, ces gens-là, c'est incroyable « et » vrai. D'ailleurs pourquoi disent-ils toujours, c'est incroyable « mais » vrai? L'évidence de leur rang et de leur vie les contrarie?

Elle ne bouge pas. Elle attend la becquée, le contact de la cuillère, dans sa bouche, le goût fade des purées, les granulés de viande hachée, puis le dessert, les compotes, sucrées dans lesquelles cette jeune femme-là, en blanc, changeante, comme les saisons, si vieille, ou bien trop jeune, toujours étrangère, place des pilules. Elle le voit, elle le sait confusément. On lui fait avaler les médicaments avec ce qu'il y a de plus sucré. Elle ne résiste pas. C'est le meilleur moment du repas. Et quand on lui essuie les lèvres, elle ouvre encore la bouche. Elle en redemande. Portrait de famille, portrait de mère de famille. Face à elle, Martine n'est que l'infirmière, une de celles qui passent, un personnage, si peu une personne. Pourtant Martine, dans cette famille-là, dans ce lieu-là, ne se sent concernée que par cette femme-là : elle. Martine se sent regardée, écoutée, épiée, reçue, partagée, comme écartelée par chacun des silences de cette femme qui se tait. Martine approche une chaise, pose le plateau du déjeuner sur ses genoux.

Pour un peu aujourd'hui, elle tremblerait, pourquoi donc? Après l'été, elle partira. Ou même avant, si on trouve « une nième » pour la remplacer. Elle et elle : deux femmes. L'une répète « Lucien... ». L'autre répond « mais Madame, qui c'est, Lucien? » Silence. Madame ferme les yeux. Madame ouvre la bouche. Le rituel du repas. Martine ne saura pas.

Elle. A chaque bouchée, la clameur encore. Les yeux fermés, retrouver l'image en se laissant alimenter. Attendre, attendre, toujours attendre, tendre aussi vers l'image, ses rumeurs, ses sons, ses cris et ses pulsions. Dans la salle de séjour de la petite maison, mobilier en rotin, quelques objets venant de la maison du bas, reniés, une ambiance de salle d'attente chez un médecin de banlieue. Martine rapproche la chaise en veillant à ne pas renverser le plateau. Ses genoux touchent les genoux de Madame. Martine se penche, pose la cuillère sur le plateau, prend le visage de Madame à deux mains. Du pouce, elle ferme la bouche de cette femme, et de l'index elle essaie d'ouvrir un œil, puis l'autre, voir Madame, la regarder droit dans les yeux. C'est la première fois que cette femme dont elle a la charge dit un mot, un nom, un prénom. Si au moins elle nommait quelqu'un de la famille, mais Lucien, non, ce n'est aucun d'entre eux, en bas, contrebas, dans la belle maison. « Madame, regardez-moi... » Crispation, comme si elle clignait des yeux, volontairement. Martine retire ses mains, reprend la cuillère. Viande hachée, le plat principal. Madame ouvre la bouche. Un médecin a dit devant Martine « de toutes les façons, elle entend, mais elle ne comprend plus ». Martine se dit que Madame la comprendra. Martine sait qu'elle ne va plus rester très longtemps. Madame mange très lentement. Elle mâche, elle mastique. Il faut lui donner un petit coup de doigt sur le menton, alors seulement elle avale. « Pardon, Madame... »

Martine a les yeux qui piquent. Ce n'est pas son genre. Elle ira finir ses vacances ailleurs, dépenser son argent, danser, n'importe quoi. Elle regarde Madame, cuillerée « pourquoi avez-vous épousé cet homme-là? ». Martine l'a dit sans même s'en rendre compte. Silence. Faire comme si. Faire comme chaque jour, depuis quatre mois, déjà quatre. « Famille de fous... » Martine l'a dit à voix basse. Madame rouvre les yeux et la regarde. Ecoutée, entendue? Martine ne sait plus. Toutes les familles, à les raconter, sont familles brisées, espoir insensé d'être ensemble. Martine aussi, voudrait raconter son histoire, d'où elle vient, elle le sait, où elle va, elle le saura après, quand il sera trop tard pour recommencer. Le dessert. La compote. Les pilules. Le sucré. Se ressaisir. Laisser Madame à elle-même. Faire le travail vitc fait, bien fait et ensuite, la sieste, deux heures de liberté. Petit coup de doigt sur le menton de Madame, déglutition, Martine se remet à parler « je ne peux rien pour vous, Madame ». Peur de s'émouvoir « personne ne peut rien pour personne! » Haussement d'épaule, petit bruit de la cuillère sur l'assiette à dessert, ne rien laisser, pouvoir dire que Madame a de l'appétit « votre Lucien, je vous le laisse ». Essuyer une dernière fois les lèvres de Madame « des Lucien, moi aussi, j'en ai plein. J'en ai même un en ce moment, qui m'attend... » Martine sourit, pose le plateau sur une table basse, lève et conduit Madame à la salle de bains. Hygiène. Ensuite, elle la couchera, tout habillée, sur le lit et elle quittera la chambre en disant « je reviens... »

Déboutonner la robe de Madame, de face. Asseoir Madame sur les toilettes. Sortir dans le couloir et attendre, adossée au mur, bras croisés. Les chats eux aussi, n'aiment pas qu'on les regarde, à ce moment-là. Attendre quelques minutes, revenir, rentrer dans la salle de bains, vérifier, nettoyer, reboutonner la robe et même, pourquoi pas, féliciter. Tout cela, évident, soutenable, rituel des jours, vie d'infirmière, coulisses d'un être qui ne parle plus et qui pourtant, ce jour-là, un mot, un nom, un prénom. Martine fait toutes sortes de raisonnements. Peut-on raisonner sur une telle situation? Madame attend, debout, la main sur le rebord du lavabo. Elle ne sait même plus dire merci, elle ne sait plus rien dire, ou si peu. Elle ne geint ni ne se plaint. Madame est là, elle attend qu'on la guide. Sur le piano, dans la maison du bas, il y a une photo d'elle, jeune, souriante, belle, elle avait de si beaux yeux, un regard simple, avenant, un bonheur saisit l'instant, un instant signé Harcourt, comme pour les stars, à l'entrée des cinémas, autrefois. Mais maintenant, ces yeux, petites billes, profondément, ce visage bouffi, sans rides, ces traits, méconnaissables. Madame, pourtant, n'a que soixante-sept ans. Si jeune pour en être là, les yeux sertis, ce regard banni, lointain, une si faible lueur, parfois, si rarement. Martine se ressaisit. Il ne faut pas s'émouvoir. C'est suspect. Désormais, rien ne doit se partager, tout du sensible est mal venu et contre toute tentation, faire comme si, faire comme tout le monde, frôler et ne pas étreindre, ceux du bas diraient, frôler mais ne pas étreindre. Martine se dit qu'on l'attend. Que cet instant à venir vaut mieux que toute interrogation. Elle ne déjeunera pas avec la tribu. Elle prendra ses deux heures de liberté. Elle dit même, à voix haute, en guidant Madame vers sa chambre « je suis aussi payée pour ça... ». Le garçon qui l'attend a son âge, trente ans, comme elle, et si peu d'illusions, comme elle. Martine montera sur sa moto, ils quitteront le Domaine, ils couperont la nationale, ils remonteront vers Bormes, la route de corniche. Ils trouveront bien un coin pour s'allonger une heure, dans les aiguilles de pin, faire comme si, eux aussi, en passant, romance d'un été. Martine sourit en allongeant Madame sur son lit. Elle quitte la chambre, se retourne une dernière fois « je reviens... » Combien de fois, cet été-là, a-t-elle pu le dire sur ce ton détaché, fuyant. Madame la regarde toujours à ce moment-là. Elle essaie de soulever sa main gauche, faire un petit signe d'au revoir, comme un enfant. Elle n'aime pas qu'on l'allonge. Elle préfère la terrasse, le fauteuil, le chapeau et le panorama. Martine ajoute, exceptionnellement « il faut vous reposer aujourd'hui. Il faut que vous soyez parfaite ce soir... »

Dans la maison du bas, la cuisine, grand branle-bas. Il y a Fernande, la gouvernante de Monsieur. Fernande chasse aussi les infirmières. Elle ne leur parle pas. Question de hiérarchie. Fernande, en fait veut tout gouverner, décider, diriger. Martine sourit en plaçant assiette, cuillère, fourchette et verre dans le lave-vaisselle. Elle nettoie le plateau et le remet à sa place, suspend sa blouse blanche et sans faire le moindre signe à Fernande, quitte la cuisine, traverse l'office. Sur la terrasse, des tréteaux, un repas froid improvisé, un buffet pour ne pas gêner les préparatifs du dîner. Emmanuel l'aîné, prend une douche. Stéphane et Laurent allument la première cigarette de la journée, un record, ils le clament. Leurs trois épouses enfilent des djellabas « pour ne pas choquer Papie, il faut s'habiller un peu et puis... » Jeanne reste en maillot, ventre proéminent « c'est pour bientôt ». Elle s'assoit sur les genoux de Paulin « ça vous gêne? » Ses belles-sœurs ne répondent pas. Paulin embrasse sa femme, lui caresse le ventre. Jeanne sourit et lui murmure « c'est fou, il ne bouge que lorsque c'est toi qui le touches ». Martine s'approche d'eux. « Je ne déjeune pas avec vous. Je préfère... » Jeanne prend la main de Martine. Paulin la regarde « vous avez bien raison ». Raison? Le petit Martin sourit, court vers ses parents, regarde Martine, puis grimpe sur les genoux de son père

« attention... » il s'accroche à sa mère, l'embrasse et redit « Mamie a dit Pipou! Pi-pou! » Stéphane s'approche, puis Laurent, les femmes, Emmanuel s'essuie, les enfants, la horde, tout le monde. Une voix « répète? » Martin se tait. Jeanne se lève. Paulin remet son fils par terre en lui pinçant la joue « Rien, il n'a rien dit, il invente, il est comme moi, il rêve. » Jeanne s'approche de Martine « je sais ce que mon beau-père vous a dit tout à l'heure. Fernande me l'a confié. Il ne faut surtout pas... » Martine sourit. Jeanne dodeline de la tête. Elle accompagne Martine à l'entrée de la Calanque. « Vous partez, comme ça, en maillot, pieds nus? » Martine s'arrête, prend Jeanne par le poignet « Madame m'a parlé, à moi aussi, aujourd'hui, elle m'a dit un autre prénom, Lucien. » « Lucien? » « C'est quelqu'un de la famille? » « Non. » « Alors... » Les deux femmes se remettent à marcher. Au portail, Jeanne murmure « j'irai lui tenir compagnie cet après-midi. Vous pouvez rentrer un peu plus tard » « Et le rendez-vous chez le coiffeur? » « Nous irons toutes les trois. »

Dans son bureau, Gabriel referme un dossier. Sur la couverture, en lettres capitales « DE LA REPRODUCTION DES INÉGALITÉS ». Sur un papier, il vient de griffonner « ... une politique sociale de l'architecture est un combat pour donner à la collectivité la capacité de produire cette image d'elle-même comme habitant, et comme création, qui l'entraîne loin de la reproduction des inégalités et de la soumission des masses aux faux dogmes du prolétariat, aux dieux mensongers et truqueurs de la technocratie ». Il prend un crayon, biffe le tout. Il ne pourra jamais écrire. C'est l'heure du déjeuner. Il les a tous fait attendre un assez long temps pour les rejoindre, enfin, paraître. Ce jour. Son jour. Il retourne le dossier pour en cacher le titre. Il boutonne sa chemise blanche. Dans la salle de bains, un peu d'eau de Cologne. Dans le miroir, il s'interroge, est-ce lui, il a tellement vieilli, cette pâleur? Il ne veut surtout plus se reconnaître. Derrière lui, il ferme précautionneusement toutes les portes et les lumières des couloirs aveugles. Sur la terrasse, plein soleil, on l'attend. Fernande dénonce « Martine est encore partie ».

« Eh bien, les enfants, embrassez Papie. » Baisers obligatoires. Baisers obligés. Martin reste à l'écart. Paulin lui pince le bras « c'est ce que j'aurais fait ». Martin hausse les épaules, se dirige vers un pin, baisse son slip et fait pipi. Fernande va droit vers lui. Paulin la retient « mon fils pisse où il veut ». Jeanne revient, seule, en maillot, le ventre en avant. « Que se passe-t-il? » Paulin la serre dans ses bras « Embrasse-moi. »

Vu du lit, le plafond. Sans moulures, sans rien. Territoire blanc cassé. Même pas une toile d'araignée, un peu de peinture écaillée, rien que cette surface lisse. Elle regarde, elle observe. Elle retrouve là une absence, une netteté qui l'invite au sommeil, son éveil à elle. Le discours, son discours, « Lucien... ». Elle ferme les yeux. Elle entend vaguement des cris d'enfants, en contrebas, des éclats de voix. Mais une clameur, bien vite, recouvre le tout. Une torpeur. Sa vie à elle. « Lucien? »

15

DEBOUT. Je ne suis plus seule, désormais. Une emprise. Un autre sang, mêlé, coule dans mes veines. J'attends Henriette à la sortie du collège. Elle veut que je lui raconte tout sur mon séjour à Lurbe St Christau. Or, depuis mon retour, je ne veux pas me livrer. Même le corps de Lucien, refuge, me fut un rempart. En classe ou pour mes devoirs, j'écris différemment. Il me tient la main, je tremble un peu. Parfois, je m'embrasse les doigts. Henriette se doute qu'il s'est passé quelque chose d'incident. J'ai beau lui raconter le pianiste amoureux, quelle importance désormais, j'ai beau lui décrire la station, tenter de la faire rire en décrivant les vieux, les malades, les dames couvertes de bijoux, ou bien la dégoûter en soulignant la présence de crachoirs dans les couloirs de l'hôtel, elle n'en démord pas, elle veut la vérité, l'autre événement. Et je le lui cacherai au risque de me fâcher avec elle quand, elle, ne me parle, échange de jeunes filles, que de son frère Gabriel. Gabriel à Paris, Gabriel aux Beaux-Arts, Gabriel premier partout, Gabriel qui a des fiancées. Pas une mais des. Gabriel qui lui écrit toujours des lettres qui commencent par « très chère sœur adorée ». A la fin du cours de latin, le professeur a retenu Henriette. Elle a copié sur moi à la dernière composition. C'est flagrant. Henriette m'a demandé de l'attendre. Je suis là, debout, contre la grille du collège. Peu m'importe d'attendre, je suis encore en surplomb de tout, les pieds dans mes bottines fourrées, les premières qui ne me viennent pas de mes sœurs, toutes neuves, pour moi, quand je porte encore des robes qu'elles ont portées, des manteaux qu'elles ont usés, j'ai même leurs barrettes, leurs peignes, leurs foulards et leurs culottes qu'il me faut laver en cachette, frotter, lacérer presque avec de gros morceaux de savon Le Chat. Ça aussi, comment le dire à Henriette? Je suis une femme, désormais. Etranges règles, comme un hasard. Personne, jamais, ne m'avait prévenue, un hasard, pour la première fois, de retour à l'hôtel, après l'éclipse. Ce sang.

Debout, contre la grille, j'attends, ivre de tout ce qui m'arrive. Grille ouverte, mais encore une grille. Dans mes bottines fourrées, c'est le sol modifié d'une autre ville que désormais je foule. Tout est devenu différent. Même la cécité de Madame Certain qui me reproche de trop jouer du piano avec mon corps. Elle me gronde « trop émouvant, ce n'est plus émouvant du tout ». Elle menace de me faire reprendre les *Etudes* de Czerny, d'abandonner Schumann et les *Nocturnes* de Fauré. Tout de ma vie et de la ville a changé. Debout, à la grille du collège, je regarde le bout de mes bottines. Lucien est là, il m'entraîne. Nous devons rejoindre les autres, nous heurter au regard de ma mère, nous nous dirigeons vers elle. Et moi de baisser les yeux, le froid m'empêche de rougir. J'ai dans mon ventre le soleil et la lune. Une barque, sur le plan d'eau du barrage de cristal chavire. Le petit marteau tombe tout au fond de l'eau. Je me jure de demeurer intacte. J'écoute le monde crier, hurler et là, en attendant Henriette, je me promets de laisser la clameur se prolonger d'écho en écho, d'année en année, de créer dans un monde qui ne fait que copier et recopier, Henriette, la copieuse. Madame Certain me tape sur les doigts « trop d'effets, arrêtez ».

Henriette me rejoint, « ce soir, je veux savoir! ». Je presse le pas. Je ne dis rien. « Dis-moi, sinon je m'arrête. » Je lui décris une bergerie, pas de paille mais de la fougère, l'agnelage d'une brebis et tous les agneaux mort-nés, avant terme, à cause de l'éclipse. « Je veux la vérité. » J'opte pour la Marie Blanque, Mario Blanco, ce vautour dont le retour aux beaux jours signifie à la fois le printemps et la fécondité. Je me mords les lèvres, Henriette ne peut pas comprendre. Elle se fâche « Non, ce n'est pas ça ». Elle m'agace et m'amuse. Diversion, je lui décris la route étroite, taillée dans le roc, bordée d'un précipice, qui mène à Lescun, ce replat défriché par les catholiques repoussés par les Arabes, réfugiés. Pour un peu, je lui décrirais comment ils ont franchi les Pyrénées. « Pas ça! » J'insiste. Et dans Lescun, il y a deux systèmes de circulation de rue, on peut aller du lavoir aux maisons, des maisons à l'église sans que les chemins des cagots et des non-cagots se croisent. « Des quoi? » Henriette épinglée. Elle menace de ne pas me raccompagner chez moi. Elle me dit que, d'ailleurs, sa mère le lui interdit, que ma famille n'est pas assez bien, qu'il ne suffit pas d'avoir fait fortune à Mendoza pour être! Silence. Elle me demande pardon. « Tu me prêteras tes bottines un jour? On se les échangera à l'entrée du collège, je te les rendrai à la sortie, promis? » Je persiste, jeu, et lui explique que dans notre ville aussi il y a des ladres, des cagots, des espudits, qu'on est toujours le chassé de quelqu'un, griefs, rancœurs, croyances, et que les quartiers des autres, rejetés, les chrestias, il y en a partout, comme à Lescun, et que le lavoir des cagots interdits dont on prétend qu'ils ont des ongles recouvrant le bout des doigts, le lobe de l'oreille attaché et toutes sortes de maladies de peau, que leur lavoir est toujours en aval de celui plus beau, où ceux qui se considèrent comme les purs, les normaux vont laver leur linge. « Tu es folle, Pipou. » C'est la première fois qu'Henriette m'appelle par mon petit nom. Je souris. Je continue, me perds dans des explications pour mieux me rapprocher de Lucien. Il y a deux lavoirs, aussi, dans notre ville, au bord de la Verse. La Bouquerie n'est que notre chrestia et mes parents, comme par hasard, sont nés là, avant de revenir riches de Mendoza, d'acheter la maison des Promenades, sa chapelle en ruine, son jardin embroussaillé, sa pergola. Henriette s'impatiente « je ne suis pas jalouse de toi, je veux seulement que tu me dises ce qui... » Je tourne la tête. Je crache par terre, comme un garçon, je ris. « Dis-moi... » Nous passons devant le kiosque. J'ai envie de danser. Je serre mon cartable dans mes bras, contre ma poitrine. Bourgcons. « Tu me fais peur, tu sais, Adrienne... » Elle ne m'aura appelée Pipou qu'une fois.

Puis, je lui fais remarquer qu'à la cathédrale, comme dans toutes les églises de la ville, il y a toujours deux portes et deux bénitiers, c'est ainsi, tout est coupé, partout, cloisonné et nous sommes nés de ça, et nous nous sommes nourris de ça. En cela nous sommes civilisés. « Je ne comprends plus. » Henriette ne comprendra jamais. Je la regarde « et Gabriel? ». Elle se tait. Encore quelques pas, et nous serons devant ma maison. « Demain, je te prêterai mes bottines. Demain, ce sera mon tour de te raccompagner chez toi. Demain, si tu as reçu une lettre de Gabriel, tu me la liras et alors, peut-être, je te dirai tout » « Non, tout de suite » « Alors, adieu ». Je lui tends la main, comme une dame, très dignement. Silence. Elle regarde la grille « et les chiens? » « Ils sont morts » « Quand? » « Le jour de notre retour » « Tu ne me l'avais pas dit. Finalement, je ne sais rien de toi ». Je lui réponds « c'est ça l'amitié ». Elle part en haussant les épaules. En bas du chemin, Madame Certain traverse les Promenades, canne tendue, elle marche droit vers moi. Henriette se retourne, hausse de nouveau les épaules. Elle a l'âge ingrat, je ne l'ai plus. Je sais que j'ai tout à apprendre. Moi.

Ce jour-là, sans doute, ai-je choisi Gabriel par défi. Pour le mépris de ma future belle-mère, Madame-mère, digne veuve, folle de son fils. Pour le mépris ou l'indifférence des miens, dans ma maison, barreaux, cloisons, et corsets de mes aînées, grilles et portes toujours refermées. Oui, on est toujours le cagot de quelqu'un, l'espudit, le ladre. Pendant la répétition de piano, Madame Certain se tait. Elle me trouve bien calme, pondérée, brusquement. Le haussement d'épaules d'Henriette me situe et la remet à sa place. Sous mes doigts, arpèges, gammes chromatiques, une étude de Czerny, la punition, « pour la vélocité », je m'envole, plane, m'égare, je suis le milan royal au-dessus de Biehl et Billière, je fends les brumes, m'élève jusqu'au col et me pose sur le promontoire, ici, Lucien et Adrienne! Fausse note. Je m'embrouille. Je reprends. « Mais regardez la musique Mademoiselle! » De nouveau je m'applique, une attention pour de nouveau rêver, pieds bottinés, je joue sans effet, de la technique, c'est tout.

Plusieurs fois, avant la fin du séjour, j'ai quitté St Christau, je suis descendue jusqu'à la gare de Lurbe pour voir de loin les attelages et les voitures de location, reconnaître notre berline. Il n'y a que le cocher. La veille de mon départ, sans doute me remarque-t-il. Il me sourit, me fait signe de m'approcher. Je pars en trottinant, demoiselle effarouchée. Voix bourrue, « j'ai un message pour vous! » Je m'arrête, me retourne. Il saute à terre, se dirige vers moi, retire poliment son béret « il veut vous revoir, lui aussi ». Sourire « mais je ne lui ai interdit. Vous êtes trop jeunes et pas du même genre ». Il remet son béret « mes hommages Mademoiselle ». Troublée, confuse je lui réponds « merci ». Madame Certain m'interrompt « à quoi pensez-vous, aujourd'hui? ». Je la regarde. Elle tourne ses yeux vers moi, pupilles opaques, blanchies. Comment lire un regard dans ces yeux-là? Madame Certain me prend par la main. « Ce n'est rien vous savez. Un mauvais moment à passer. C'est le trésor des jeunes filles. » J'entends la voix monocorde, lasse, voix de flanelle, nulle complicité, terne élégance pour une confidente. Qu'a-t-elle compris de moi?

Au retour de Lurbe St Christau, les beaucerons ne sont pas là pour aboyer, bondir, tourner en rond, fêter la claudicante, mendier une caresse, faire semblant de mordre leur maîtresse, me mordre, moi, pour de vrai. Toujours à l'écart de ces bêtes, j'ai souvent, c'est vrai, souhaité qu'elles s'en aillent, de mort ou de fait. Ma mère s'étonne, s'inquiète de ne pas les entendre nous accueillir. Un domestique, mais lequel, un homme, mais quel homme, quel visage, je n'entends que sa voix, s'approche donc « Madame, ils sont devenus fous après votre départ ». Il tend une main bandée « le vétérinaire a dit que c'était la rage. Le boucher nous a rendu service ». Ma mère, me regarde, comme un reproche, puis sèchement « où sont-ils? » L'homme la conduit au fond du jardin, près de la pergola. De loin, je vois ma mère se mettre à genoux, gratter la terre inutilement, donner des coups de poings avec ses gants noirs. Puis elle fait signe à l'homme de l'aider à se relever. Elle manque de trébucher du côté de sa hanche. Douleur vive. La dame en blanc me conseille d'aller m'enfermer dans ma chambre et murmure, unique ironie complice que je lui aie jamais connue

« le petit nègre de Mendoza va lui manquer ». Etrange aveu. J'obéis.

Dans ma chambre, je m'invente toutes sortes d'histoires de petits nègres. Je remercie Lucien, aussi, en pensée, boucher, bourreau, ami. Je pense à mon père, dans son cercueil, squelette, allongé, doigts croisés. Il a trouvé, lui, le calme d'une éternité. J'irai lui rendre visite, au cimetière, l'allée du bas, le long de la Verse, en aval du lavoir d'aval. Je souris. Il me faut lui porter la bonne nouvelle lui dire que je vis, merci pour ce risque. De trois jours, je n'ai pas vu ma mère. On me sert les repas à l'office.

Je ne suis jamais allée chez Henriette, Henriette n'est jamais venue chez moi. Nos mères, dans les rues ou sur les Promenades ne se saluent pas. Elles font semblant. Elles font comme si. Chez mes sœurs aînées et chez Adrien, on ne parle que de scarlatine et d'oreillons. Leurs enfants sont si fragiles, pauvres bébés choyés, que les visites sont toujours remises au dimanche suivant. Une ombre tombe sur notre maison. Un silence pour une rumeur. Au collège, je m'emploie à être la première en français, en histoire, et géographie. Je lis, je voyage. La clameur, en moi, donne brusquement à tout ce que j'apprends une saveur essentielle. Madame Certain se fâche. C'est la fin de la répétition. Une dernière fois l'*Etude numéro 7*, avec la pédale de gauche, en sourdine « pour ne pas déranger votre mère qui, m'a-t-on dit, est très affectée ». C'est tout. Madame Certain rentre chez elle, canne tendue, si sûre d'elle-même, tout informée, dans sa nuit. Dans mon cabinet de toilette, je nettoie le sous-vêtement de la journée, petites taches de sang qui se font plus rares. C'est moi, je vis. Mon éclipse et ma clameur. Parfois, avant de me coucher, je me mets à genoux devant les bottines fourrées, je glisse mes mains dedans, je m'y plonge, puis je les caresse, je les cire, amoureusement. Je les porterai tout l'été, s'il le faut, pour une fidélité. Henriette aura beau y glisser ses pieds, elle ne saura jamais tout ce que j'y mets, moi, Adrienne, Pipou, Madame, Mamie. Le plafond. Refermer les yeux. Revenir en moi. Je m'entraîne. Je me guide.

16

Debout, c'est la fête sur les Promenades. Allongée, ce plafond aux angles nets, le soleil, derrière les volets, et ce lit sur lequel ils me couchent. Un geste, relevez-moi! Ma tête, lourde, s'incruste dans l'oreiller, douceur, chaleur, puis moiteur de la plume, tourner mon visage de droite, de gauche, ouvrir la bouche comme un poisson qu'on tire de l'eau, respirer, retrouver une altitude, celle de ma taille d'être humain, debout, par curiosité. Seul le songe, demi-sommeil, semi-éveil, rêve ou cauchemar, torpeur de la sieste, mais que m'ont-ils donné, avant de me coucher, mêlé au sucré, pour me tenir ainsi, immobilisée, quand les images, elles, me redressent, secours, leur logique, cet album et mon espoir? J'étais une origine, possible, j'étais vivace, faite pour des années et des années, puiser en moi les forces qui suffiraient à moi-même, porter la preuve d'une éventuelle modification, modifier en me modifiant, debout le rêve qui me met debout.

Debout, c'est la fête sur les Promenades, quelques jours avant Pâques, premiers beaux jours. Dans le kiosque, l'orchestre municipal joue quelque chose qui ressemble à l'Ouverture d'une Italienne à Alger. Mes sœurs sont là, avec leurs époux, Adrien et sa dulcinée, c'est le grand étalage des neveux et des nièces, autres laisses et lanières pour premiers pas, landaus qui viennent de chez le meilleur carrossier de Bordeaux. On se salue beaucoup. Ma mère a choisi de rester dans le jardin, sous la pergola, une couverture sur les genoux, binocle pincé sur le nez, elle fait et refait toujours la même patience sur cette table de fer qui a encore froid de l'hiver. Et moi, libre, je vais du kiosque aux baraques foraines. J'évite mes sœurs. La robe que je porte est encore leur, un peu fanée, démodée, trop longue, mais j'ai dénoué mes cheveux, je suis fidèle aux bottines, mon amour, mon escapade. Il y a un manège de chevaux de bois, avec des toupies qui tournent sur le manège qui tourne. Henriette y entraîne son frère Gabriel qui est descendu de Paris pour cette vacance. Dans la toupie, Gabriel prend sa sœur dans ses bras. Un tour, deux tours, puis trois, ils redescendent. Gabriel est fier de son costume, et de tout ce que l'on dit de lui. « Futur prix de Rome, vous savez, et il est très bien noté! ». Henriette a mal au cœur. Son frère l'entraîne derrière une baraque, un arbre, elle vomit, s'essuie les lèvres avec un mouchoir trop petit, Gabriel lui caresse les cheveux, l'embrasse sur le front. Je m'éloigne, dans mes bottines, à pas raisonnés. Il y a ceux des villages et des fermes, et nous, moi, demoiselle de sous-préfecture, en quête d'une seule et digne aventure, la vie, une main dans ma main, de tous les pores de mon corps, une compagnie, accompagner, ne pas refaire ce qui a été fait. Mes enfants seront différents, c'est toujours ce que l'on dit, n'est-ce pas?

Debout, je bouge, je me déplace. Il faudra que je demande à ma mère de me parler des petits nègres de Mendoza. En attendant, j'apprendrai à jouer le *Petit Nègre* de Debussy. Facile. Tout cela, détail dérisoire, est arrimé à ma mémoire, attachant, présent. Debout, je marche, c'est fou. C'est la fête, leur fête. C'est toujours la fête pour les autres, ou bien chacun se dit la même chose. On se réunit, on fait semblant, parade, mêmes mots, mêmes situations, le temps, notre temps, de notre siècle et notre pays, ne se déroule plus, il s'enroule. Et moi, allante, j'évite de me laisser attraper. En classe de rhétorique, le professeur nous a interdit d'utiliser le verbe récupérer. Me voilà donc irrécupérable, u-nique, i-nouïe, comme le spectacle que les condamnés de St Christau n'ont pas vu.

Je m'approche du pousse-pousse, manège qui ressemble à un parapluie géant auquel sont suspendues des balançoires retenues par des chaînes. Sur le terre-plein, une corde soutenue par des pieux, délimite l'aire circulaire dans laquelle il ne faut pas pénétrer. Tourne, tourne le pousse-pousse. Les balançoires s'élèvent, légèrement à l'oblique, filles, femmes, hommes, jeunes gens, plus ça tourne vite plus ils s'élèvent, plus ils crient, rient, se poussent, se cognent. C'est la grande attraction. Je n'ai pas emporté d'argent avec moi. Je veux voir leurs jeux, mais ne pas les vivre. Attendre et m'interroger. Leur joie me paraît indécente puisque indifférente. Est-ce possible qu'ils se réjouissent encore de la sorte? Sur le pousse-pousse, pleine altitude, vitesse maximale, les jeunes filles hurlent, crient, pouffent de rire, ne savent plus si elles doivent se cramponner aux chaînes ou bien plaquer leurs jupes sur leurs genoux. Et l'orchestre du kiosque joue n'importe quoi, cadence et décadence. Seule, à l'écart, je joue avec les mots, en silence. Leur jeu est celui d'une vérité, une présence à moi-même, une attente. Henriette, toute pâle se tient près de Gabriel. Elle sait que je l'observe. Elle ne fera pas un tour de pousse-pousse, trois tours de toupie ont suffi, elle ose à peine regarder les nacelles qui petit à petit perdent de l'altitude. Silence du côté du kiosque. L'ouverture de Tannhauser a été une catastrophe. Applaudissements gantés. Lumière de fin d'après-midi. Petit à petit, les balançoires reviennent à la verticale, le pousse-pousse s'immobilise. Certains s'amusent à tourner sur eux-mêmes, torsadant les chaînes. On entend des « c'est interdit », « c'est dangereux ». Puis chacun se libère, mousqueton de sécurité, le pied sur le plancher, on titube un peu, on se retient par le bras, on fait connaissance. Il y a un bal, ce soir, au foyer Sainte Catherine. Henriette ira. Pas moi. Elle a un frère, elle, pour l'accompagner. L'honneur est sauf. Et le mien? L'honneur se réinvente à chaque regard, chaque parole, chaque instant. Exister, écouter, recevoir, répondre, partager, mission impossible, symphonie inachevée. Mon luxe est de me considérer comme très ordinaire quand autour de moi, là, ce jour-là, tous minaudent et s'imaginent plus beaux qu'ils ne sont, plus heureux qu'ils ne le seront jamais. Ma mère, de sa pergola, par son absence, me retient encore. Les regards esquivés de mes sœurs, de mon frère et de leurs conjoints sont autant d'attaches et de contraintes. Ils ne s'aiment donc tous que pour ce qu'ils ne sont pas. Je vois autour de moi des personnages, si peu de personnes. Où sont-elles? Comment les deviner?

Discrètement, je m'approche d'Henriette et de son frère. Par hasard, parce qu'on me bouscule, « pardon Mademoiselle ». Il y a ceux et celles qui viennent de faire leur tour de pousse-pousse et ceux et celles qui veulent faire le leur, avant la nuit « C'est tellement drôle » « mais non, n'aie pas peur ». Le jour où j'ai prêté mes bottines à Henriette, elle me les a rendues le soir, toute déçue en me disant que finalement elle les trouvait « très ordinaires ». Elle prétendait avoir essayé les mêmes, pour son anniversaire et avoir préféré du chevreau « tellement plus cher, mais c'est comme des gants et pour moi, maman achète ce qu'il y a de mieux ». J'en souris encore. Gabriel remet en place le nœud de sa cravate, tire son gilet, bombe le torse, regarde de droite, de gauche, au-dessus des têtes, qui cherche-t-il? Il connaît Paris. Notre ville doit désormais lui paraître petite, aimable et sans audace. Henriette s'accroche à son bras et lui sourit. Gabriel lui demande d'un regard si elle va mieux, si elle veut rentrer. Elle fait signe qu'elle veut regarder le pousse-pousse une dernière fois. Piétinements sur l'estrade, on se bat pour avoir une balançoire, on paie, on prend place, vérification des mousquetons puis on demande à tout le monde de s'écarter « derrière la corde s'il vous plaît! ». Du kiosque, une valse de Strauss, dernier morceau du programme de la journée. Le pousse-pousse commence à tourner, tourner, au rythme de la musique. On se parle, on s'appelle, on se fait des petits signes. Toupie, manège, pousse-pousse, valse, les humains pour se distraire ne savent-ils que tourner sur eux-mêmes? Cela m'amuse. Chaque minute de ma vie est vie, abandon et si peu raison, appel et si peu fuite ou démission. Cette journée me comble. Une autre fête est entrée en moi. Les balançoires s'élèvent, le pousse-pousse tourne de plus en plus vite et le rythme des valses de Vienne, *Perles de cristal* ou *Beau Danube bleu*, entraîne les préposés aux manivelles qui font tourner le grand manège, araignée géante, déployant ses pattes, menaçante, au-dessus de nous. Puis au moment de plus grande vitesse, comme si les balançoires allaient nous survoler à l'horizontale, qui l'un, qui l'autre, image floue au-dessus de nos têtes, un cri, aigu, strident, un cri de fille, une des deux chaînes s'est brisée, hurlements rauques, remous, la chaîne rompue, fouette l'air, heurte les branches des arbres, puis la seconde chaîne se brise et la nacelle, petite robe à fleurs, autres bottines, va s'écraser obliquement, brutalement, près du kiosque, comme un sac, fauchant des spectateurs. Ils ont tous crié. Moi, pas. Tout des drames de leurs jeux est terriblement prévisible. Valse interrompue. L'orchestre se hérisse d'archets immobiles, stupeur, panique. Je ne bouge pas. Henriette s'est mise à genoux, la tête dans les mains. Son mouchoir est tombé par terre, elle le ramasse. Des cris « arrêtez! ». Des hommes, en renfort, essaient de retenir les manivelles du pousse-pousse. Les balançoires se heurtent, les chaînes s'emmêlent « ce n'est rien, du calme messieurs-dames... » Près du kiosque, un groupe, une grappe, des hommes, des vieux, de noir vêtus, comme par hasard, les docteurs de la ville. J'entends des « c'est trop tard » « son crâne a éclaté » « c'était la petite Garcia, mais si, les Garcia de la Bouquerie ». La chrestia de ma ville. Je veux aller voir. Une main me retient. Gabriel « n'y allez pas Mademoiselle... » Une main me retient. Sa main.

Une chaîne, l'autre, puis la chute. La nuit elle aussi tombe brusquement. C'est trop tôt, pour un printemps. Henriette s'approche de nous « je te présente Adrienne, tu connais ses sœurs aînées. Nous sommes dans la même classe ». Elle tapote ses lèvres avec le petit mouchoir. Je lui souris, elle baisse les yeux. Près du kiosque, on a recouvert le corps de la petite Garcia d'un drap blanc. Une de mes sœurs m'ordonne de rentrer tout de suite à la maison, le traditionnel « maman t'attend ». Adrien vient féliciter Gabriel « il paraît que tu fais grand bruit, à Paris » puis à mi-voix, en regardant le pousse-pousse « j'ai toujours pensé que ça arriverait ». Gabriel ne répond pas. J'entends quelqu'un dire en passant « ce n'est que la petite Garcia, j'ai eu peur ». C'est par ce geste, à ce moment-là, une main me saisissant l'avant-bras, Henriette, jalouse, se relevant, prestement, que tout a commencé entre Gabriel et moi. Mon frère aîné dit alors de moi, copain, complice « comment, mais c'est notre Pipou, tu ne la connaissais pas? » Il a dit Pipou de manière tendre. Je suis à prendre. Marché à conclure. Henriette veut rentrer chez elle. Gabriel s'éloigne avec elle. Il ne s'est pas retourné. Et pour cela, une seconde fois il m'a retenue.

17

ELLE secoue la tête comme si, incrustée, elle voulait se dégager de l'emprise de l'oreiller. De la main gauche, elle serre fortement son avant-bras droit. Elle a le front en sueur, les yeux qui pleurent. Jeanne ouvre en grand les contrevents de la porte-fenêtre. Lumière vive, dans la chambre. Jeanne l'observe. Elle cligne des yeux, s'immobilise, ses lèvres remuent, comme si elle voulait pousser un cri. Jeanne s'assoit sur le rebord du lit, saisit la main gauche, la détache de l'avant-bras « Mamie? Calmez-vous, je vous en prie ». Elle ouvre les yeux. Etonnée, ébahie, c'est le plafond qu'elle regarde en premier, puis cette autre femme, nouvelle, confusément. « C'est moi, Jeanne, vous me connaissez si peu. » Jeanne défait le col de la robe, soulève la nuque de sa belle-mère, retourne l'oreiller, attrape un Kleenex sur la table de chevet. Et elle, elle se laisse faire. On lui éponge le front, on lui essuie les joues, les lèvres, on la regarde. Qui est-ce? Qui? « Je suis la femme de Paulin, votre dernier fils, la mère de Martin, le premier de mes enfants. Parce que, bientôt, tenez! » Jeanne ajuste son maillot, prend la main gauche de sa belle-mère et la plaque sur son ventre nu. « Il ne bouge pas, il dort, ou bien elle dort, mais il ou elle est là, je suis sûre que vous me comprenez. » Elle tourne un peu la tête, regard fixe, comme une interrogation, un étonnement. « Vous m'écoutez, n'est-ce pas, si je parle lentement, comme ça, distinctement? » Jeanne se rapproche, les pieds sur le lit, recroquevillée, plaque la main un peu plus fort sur son ventre. Jeanne aime ce contact. « Martin est venu ce matin. » Jeanne sourit. « On vous appelait Pipou autrefois? Non, ne répondez pas, regardez-moi, Mamie, mieux que ça, un petit signe, un regard? » Mais rien, rien de lisible, un étonnement, c'est tout. Jeanne prend la main de sa belle-mère, la porte à ses lèvres et l'embrasse « je ne peux pas croire, Mamie, je pense souvent à vous et je me dis... » Silence. Paroles en suspens. Elle regarde, absente, lointaine. Jeanne s'écarte d'elle, pose pied à terre, se relève, remet instinctivement en place son soutien-gorge. Pendant le déjeuner une de ses belles-sœurs lui a fait remarquer qu'il était indécent de montrer son ventre, devant Martin et devant les enfants. Jeanne s'est contentée de répondre que les bébés ne naissaient plus dans des choux et qu'elle ne se sentait pas du tout déformée, encore moins en train d'informer qui que ce soit. Les mots, encore les mots, qui se rassemblent, assemblent, jouent avec eux-mêmes pour dire une vérité, être ce que l'on est, au plus risqué. Jeanne quitte la chambre.

Abandon? Elle entend l'eau couler dans le lavabo, longtemps, pour qu'elle soit fraîche. Elle espère que cette femme va revenir. Elle devine que cette femme n'est pas celle des repas et des douches, des levers et des couchers. Elle a senti le ventre de cette femme comme elle a senti le sien, si dur et si doux à la fois, par quatre fois dans sa vie. Elle voudrait s'étonner, appeler, remercier, dire, mais les mots ne montent plus à ses lèvres. Pipou, Lucien? Même pas. Tout tourne encore un peu dans sa tête, nacelle, se décroche et la retient. Rencontre. Emprise. Cette femme l'a surprise à cet instant-là, quand tout devenait supportable. L'assurance d'Adrien, sa fierté. Il tutoie

Gabriel comme autrefois, quand ils étaient au collège, enfants, rivaux et amis eux aussi, sans doute, jaloux, mesquineries des provinces. Et tout cela, aujourd'hui, présence, recommence, commence. Cette femme revient, un bac dans une main, une serviette dans l'autre. Et elle, elle se laisse faire, visage, oreilles, cou, un peu d'eau et de fraîcheur. Elle respire un peu plus profondément. Sa main glisse sur le lit, caresse le genou de cette femme qui lui sourit et répète doucement « ce n'est rien, Mamie, rien, nous allons beaucoup parler ». Parler? Jeanne se mord les lèvres. Savoir, elle veut savoir jusqu'où, et si vraiment?

L'heure du café. Gabriel observe ses belles-filles, cigarettes, lunettes de soleil, elles écoutent vaguement ce qui se dit, ne participent pas à la conversation, regards ironiques, elles s'échangent parfois à voix basse des propos distincts, autres familles, les leurs. Elles ont couché leurs enfants. Sieste obligatoire. Puis elles sont revenues sur la terrasse. Un sucre, deux sucres? Le café n'est jamais assez fort pour elles. « Fernande, exceptionnellement vous devriez... ». Fernande fait semblant de ne pas entendre. Aidée de Bernard, le chauffeur et des deux femmes de ménage espagnoles retenues pour toute la journée et surtout la soirée, « mais si on vous raccompagnera... », Fernande dessert la table, verse les déchets de jambon, de riz et de tomates dans les saladiers, empile les assiettes, réunit les verres, froisse les serviettes en papier en petites boules, organise le ballet des allers et retours aux cuisines, plateaux chargés « non, vous ferez un second voyage ». Bientôt, Bernard retire tréteaux et plateaux, petit coup de balai de Fernande, la terrasse est nette. Ce soir on dînera dans le patio. Ce sera beau. Mais là, le geste est fonctionnel, rapide. Il faut vite laisser Monsieur à son monde, ses enfants. Gabriel attend de ses belles-filles un regard, un mot, un geste, ou bien une inquiétude. La veille au soir, il n'a entendu, à chaque arrivée de couple et de horde que des « vous avez bonne mine, Père, pourquoi vous plaignez-vous? », « vous êtes plus jeune que jamais », « voyons, Père, nous avons aussi nos problèmes avec nos enfants ». Rien de plus. Jeanne, elle, s'est simplement contentée de l'embrasser, mains croisées sur son ventre, en murmurant « c'est un baiser à trois ». Gabriel demande où est Jeanne. Martin, près de son père, un mégot à la main, fait semblant de fumer. Gabriel répète « où est Jeanne? ». Martin répond « dans la petite maison, avec Mamie Pipou ».

Stupeur. Stéphane regarde Emmanuel, Emmanuel regarde sa femme, Paulin regarde son père « Jeanne est allée voir maman, c'est interdit? ». Il regarde ses belles-sœurs « c'est comme son ventre, elle ne l'exhibe pas, elle le porte bien, c'est tout. Rien à cacher. Tout à découvrir ». Quelqu'un lance « belle formule ». Une autre voix « et ton fils, lui, ne fait pas la sieste? » Martin baisse la tête, hausse les épaules, voix de femme, remontrance « tu vas dormir, Martin, ce soir, tu sais? » Martin donne un coup de pied par terre. « Qui lui a dit Pipou? » Martin lève le poing, jeu d'enfant, en souriant « c'est elle! » « Qui elle? » « Mamie! » Gabriel suggère de se taire. « Un peu plus de café? » « Non merci. Et toi? » « Oui, mais sans sucre, le sucre, tu sais... » Confidences monocordes, lieux communs, faux silence, chacun dans son fauteuil regarde ailleurs, les pins, les citronniers, les massifs de géraniums lierre. A l'office, bris de vaisselle, un plateau renversé. Gabriel, lèvres pincées, réprime un mot de colère. Martin s'approche de lui, mains dans le dos, comme s'il allait faire une facétie. Tout le monde le regarde, il le sait, il en joue, son grand-père lui tend les bras. Martin s'arrête net, crie « Pipou! Pipou! » et s'en va en poussant des petits cris de sioux. Gabriel ferme les yeux. Paulin s'allonge dans son transat. Stéphane allume une cigarette. Emmanuel retire sa chemisette en fil d'Ecosse, toute neuve, « une folie... » et s'allonge par terre, au soleil. Il murmure « autant en profiter ». Laurent l'imite après avoir embrassé sa femme sur le front. Bise mécanique. Chacun a peur, peur du nom, du prénom. Martin, de loin, fait signe à son père de le rejoindre. Paulin d'un geste lui répond de disparaître.

Jeanne déboutonne la robe de sa belle-mère de haut en bas, corps en nage. Elle passe un gant mouillé d'eau fraîche sur le buste, mouille un peu le soutien-gorge, comme une caresse, elle aurait tant voulu qu'on lui fasse de même, spontanément, les derniers jours avant la naissance de Martin. Puis le ventre, bombé, et cette gaine qui doit trop serrer. Qui veille aux achats de sous-vêtements de cette femme, qui s'occupe vraiment de ce point caché de son corps et de ses vêtements? A genoux sur le lit, Jeanne entreprend de retirer la robe. Elle soulève sa belle-mère de droite, de gauche, fait glisser le chiffon à boutons, tissu synthétique, fleurs à ramages, trop gaies. D'un geste, dans le dos de cette femme qui gît tout encore secouée par son silence, elle défait le soutien-gorge, retire la gaine, la culotte. Rien d'obscène. Jeanne se dit seulement qu'elle doit délivrer ce corps. Secrètement, elle respecte ce ventre qui fut le ventre d'un autre enfant, son époux, Paulin, père de son fils, tant et tant de gestations dans ces gestes. Elle en tremble un peu.

Et elle, elle, se laisse faire. Jamais on ne s'est occupé d'elle ainsi. L'eau, le gant, une nudité. Corps vieilli, lassé, difforme que Jeanne rafraîchit à force de gestes précis, intimes, répétés. Le bac, l'éponge, puis le bac, tordre l'éponge, recommencer. Puis Jeanne se lève, ramasse les vêtements épars, les plie, les pose sur une chaise et dans l'armoire du couloir, choisit un drap de bain, le plus grand, blanc. Dans la salle de bains, une brosse à cheveux. Elle revient dans la chambre. Sa belle-mère la regarde, femme, épave, comme un regard, un vrai. Jeanne est heureuse. Est-elle attendue, comprise?

Et elle, elle, se laisse soulever. Le drap de bain glisse sous son corps, des oreillers pour caler le dos, le drap est replié et noué sur sa poitrine, il couvre son ventre et ses genoux. Un souvenir de toilette, si lointain, pommade verte, une chambre pour tout univers, une chambre qui a caché tant et tant d'autres chambres pour en arriver là, dans celle-là, cet instant-là, avec cette femme attentive qui fait juste ce qu'elle aurait fait, elle, au sortir d'un mauvais rêve, impasse des siestes quand les volets ne sont pas vraiment clos, quand le soleil frappe tout, le sol, le roc, les murs et le toit. Elle voudrait tant pouvoir dire merci. « Je suis Jeanne, Mamie, dites au moins mon nom, ou bien celui de Paulin, ne dites que Paulin, un nom, un seul, vous le pouvez, je le sais... » Inutile.

Jeanne se souvient alors brusquement de ce que Paulin dit toujours, en boutade ou en tendresse, quand il veut, d'un trait, cesser de parler de sa mère « tout désespoir n'est pas perdu. » Paulin et elle, Jeanne, professeurs de lettres, habitués de la littérature, du romanesque, du poétique, théorisent l'année durant devant des étudiants de province, des étudiants à l'assaut, peut-être plus attentifs qu'ils ne l'étaient, eux, à Paris, au jeu de l'écrit, simple reproduction du réel et à celui plus poignant de l'écriture, cette réalité en soi qui se distingue de celle de l'écrit à ce point d'ambiguïté où l'histoire n'étant plus racontée, mais contée, les personnages s'offrent en personnes, pour un partage, tout le monde, et chacun. Et quand le texte se réalise en lui-même, chaque lecture est écriture. Jeanne sourit. Au discours magistral, théorique, des cours de l'année, se mêle et se noue celui vécu, direct de ce jour. Sa présence, là, dans cette chambre. Ce qu'elle vient de faire, les gestes qu'elle vient d'accomplir, comme des performances, ou des provocations. Calmer cette femme, interroger cette mère, guetter, traquer un regard, un geste, un signe, fût-il infime, pour que tout de cet être ne soit pas voué à cette infirmité créée par un entourage, la compagnie de toute une vie, aussi, peut-être.

Jeanne va renouveler l'eau du bac, revient dans la chambre, reprend place sur le rebord du lit, immerge et pétrit un gant de toilette, le tire de l'eau, le tord et l'enfile à sa main gauche. Il est frais. Caresser le front de cette femme, le cou, les mains, une à une, délicatement. Et pour Jeanne, surtout, ne pas s'interroger sur le texte de ce jour, le présent et l'évidence de sa présence et de ses actes. Sur la terrasse, sans doute sont-ils en train de parler d'elle, elle, là, qui se laisse toucher, caresser, pour une netteté, tout, sauf une absence. Jeanne, pour avoir épousé Paulin et pour l'aimer, ne peut se plier à cette évidence. Aurait-elle eu le même élan, ou bien agi de la sorte avec sa propre mère? Jeanne est venue, sans doute parce qu'elle demeure et demeurera étrangère au clan de cette famille et que jamais force d'amour ne la rapprochera assez de Paulin pour qu'elle puisse s'émouvoir, partager au plus profond, comprendre. Toute rencontre de deux êtres n'est-elle immanquablement qu'une terrible méprise qui dure, ronge, rogne, éteint et fauche? Les familles ont-elles tant et tant besoin de se créer des victimes? Et devant une victime les plus proches sont-ils forcément ceux qui doivent les premiers s'écarter? Ils ont peur de la question. Ils disent alors que seule la distance est une preuve d'affection. Paulin n'a pas le beau rôle. Et Jeanne, encore moins. Le romanesque est ordinaire. Jeanne sourit de ses cours. Travaux pratiques, pourquoi toujours rêver d'amours grandioses?

18

« MARTIN a raison. Parlons de maman. » Paulin se lève. Gabriel ferme les yeux, se redresse, pose les mains à plat sur les accoudoirs de son fauteuil. Emmanuel et Stéphane s'observent, regard en coin. Laurent allume une cigarette. Françoise, Catherine et Sylvie ne bougent pas. Gabriel s'interroge. Emmanuel et Françoise ont quatre ou cinq enfants? Stéphane et Catherine, deux jumeaux, et des filles, mais combien, deux ou trois? La dernière a quel âge déjà? Laurent et Sylvie, deux filles et deux fils, c'est sûr, ça, Gabriel se le rappelle. Mais sa mémoire lui fait défaut. En est-il arrivé à ce point d'orgueil de la multiplication des siens où l'on oublie noms et nombres, précisément? Ils sont tous là, sauf Jeanne et Adrienne. Paulin insiste « eh bien? ». Silence. Une voix « qui a dit à Martin que maman s'appelait Pipou? » « Quelle importance... » « Si, c'est important. Réponds. » « Martin m'a dit... » Silence. Paulin fait quelques pas, se donne des coups de poing dans les paumes de ses mains, alternativement. Une autre voix, « Martin t'a dit quoi? » Paulin regarde son père « Martin est allé voir maman. Elle lui a parlé. » « Impossible! » « Ne crie pas, ce n'est pas la peine. » « Je te répète que ce n'est pas possible. » Gabriel arbitre. Une troisième voix « maman ne parle plus depuis longtemps ». Voix de femme, Catherine,

Françoise ou bien Sylvie « si au moins tu habitais Paris, tu la verrais, chaque week-end, comme nous, et tu saurais qu'elle ne dit plus rien, rien ». Autre voix de femme « jamais! » puis en désordre « c'est la maladie de Pick... », « une mélancolie d'involution, ça veut dire ce que ça veut dire... », « on a mis assez de temps pour obtenir un diagnostic... », « Pick, je connais un neuropsychiatre qui n'en a jamais entendu parler... » « ça n'existe plus les neuropsychiatres, ils sont en voie de disparition, Freud merci... ». Diversion. Petit rire. Echange de phrases. Paulin regarde l'autre, fixe l'un ou l'autre, feux croisés, rien, lieux communs, et le reproche initial de ne pas vivre à Paris, de ne pas rendre visite chaque week-end, lui. Paulin regarde son père « je sais que vous avez pris la décision de la mettre en clinique, après les vacances. J'insiste. Nous pourrions peut-être en parler, tous ensemble ».

Gabriel regarde son fils, lève les bras, croise les mains, index tendus sur ses lèvres comme s'il réfléchissait, il parle « mais nous n'attendions que toi, Paulin, pour prendre notre décision ». Silence. Bruit de moteur de hors-bord, premières sorties de l'après-midi. Fernande apporte un verre d'eau sucrée et les médicaments de Monsieur. Tout semble réglé pour émouvoir, dire, dire, mais ne rien dire vraiment. Paulin regarde ses frères, ses belles-sœurs. Martin a grimpé dans un arbre, il appelle, de loin son père. La voix de Sylvie « il va réveiller nos enfants ». Paulin sourit. Fernande rentre dans la maison. Elle n'a regardé personne. Pas même Monsieur. Gabriel fait signe qu'il va dire quelque chose d'important, une déclaration. Il murmure « je ne peux plus supporter le spectacle de votre mère. Je ne veux plus d'elle chez moi ». Silence. Paulin regarde le ciel, le faîte des arbres, le vol d'une mouette. Son fils l'appelle « papa, papapaulin? ». Silence d'une famille, silence des familles. Se taire, confronter un père à ce qu'il vient de dire.

C'est doux, le coup de brosse, frôlant le front, lissant les cheveux en arrière, caressant le haut du crâne ou latéralement les oreilles. Elle se laisse brosser. Le geste de Jeanne est bref, cheveux courts. Autrefois, Adrienne avait des cheveux longs, blonds. Elle se penchait devant le miroir dans le cabinet de toilette. Avec la brosse elle n'en finissait pas de caresser de haut en bas, côté droit, côté gauche, puis d'un coup de nuque, elle se relevait, rejetait en arrière cette chevelure qui, nudité, chatouillait le creux de ses reins. Il fallait alors nouer, ou bien natter, dompter la chevelure. Paraître et surtout ne pas être, jeune fille rangée que seule l'intimité tentait. Avec elle-même, enfin. Et là, calée, assise, calmée, extirpée du rêve, elle entend des mots en « ie », Mamie, des mots en « anne », Jeanne. On la coiffe. C'est le même geste, le même tact, contact de la brosse, mais très vite, plus rien, cheveux courts, cheveux gris. Jeanne sourit. Jeanne ne veut pas admettre qu'elle a joué à la poupée de la même manière, même geste, mêmes douceurs. Jeanne est venue pour une autre rencontre, partage, dialogue. Jeanne voudrait tant en être sûre. N'est-elle pas en train de caresser une image d'elle-même, vieillie? Ne pas raisonner. Brosser.

Paulin s'est assis en tailleur près du fauteuil de son père, les coudes sur les genoux. Lui aussi croise les mains, porte les index à ses lèvres, réfléchit. Il sait que ses trois frères l'observent, attendent de lui une contestation. Après quoi ils lui diront, une fois encore « c'est ton côté universitaire, révolutionnaire ». Paulin respire profondément, regarde son père, « tu n'as pas le droit de dire que tu ne veux plus d'elle chez toi. C'est autant chez elle que chez toi. C'est chez vous ». Eclat de voix de Stéphane

« elle ne se rend plus compte de rien ». « Qu'en sais-tu? » Gabriel regarde ses fils aînés. Un merci pour la défense, puis il se tourne vers Paulin « ne m'accable pas ». Silence. Paulin dit à voix basse « alors, pourquoi me demander mon avis? Maman a le droit de rester ici, avec toi, près de toi. Je n'accuse personne. Personne n'a le droit d'accuser qui que ce soit. Maman nous le disait chaque fois que nous essayions de prendre sa défense quand tu la frappais. Tu étais dur avec elle. Tu peux l'admettre. Invariablement, maman nous répondait que nous n'avions pas le droit de juger nos parents ». Gabriel sourit faiblement, se lève, il veut partir, non, il s'assoit de nouveau, regarde le jardin, les fleurs, la terrasse, ses enfants, fils et belles-filles, il sourit plus clairement, sans ironie et dit très distinctement « je n'aurais jamais dû épouser cette femme ». Couperet.

Jeanne laisse tomber la brosse par terre. Une fois encore, elle saisit les mains de sa belle-mère, les serre, les embrasse, mais elle, elle, ne dit rien, ne demande rien. Face à Jeanne, le corps de cette femme lentement s'est tassé dans les oreillers, les yeux se sont refermés, elle dort. Les médicaments, autre sieste. Jeanne s'allonge près d'elle, contre elle, ventre contre hanche. Elle ferme les yeux, elle aussi, comme pour partager un rêve, une douceur, aller qui sait au-devant de ses rêves.

Sur la route de corniche, Martine remet son casque, grimpe à l'arrière de la moto, serre le garçon par la taille. Le garçon dit « je vais être en retard, j'ai une pièce montée à terminer » « Pour eux? » « Oui, c'est pour eux » « Marrant, si tu savais... ». Vrombissement. Retour. En maillot et en casque. Martine a des aiguilles de pin accrochées dans son dos, à même la peau. Le garçon dit très fort « on reviendra? » Martine crie « oui! ».

Paulin se lève, embrasse son père sur le front, rôles renversés, Gabriel se laisse faire comme un enfant. « Tu n'as pas le droit de dire des choses comme ça, papa. » La mer. Rumeur dans la calanque encore déserte. Martin s'est endormi dans l'arbre. Paulin le rejoint, en écoutant le bruit des vagues qui viennent et reviennent, jamais les mêmes, toujours nouvelles, ce bruit, l'eau, le flot. Et derrière lui, dans cette maison, une famille qui prolifère. Sa famille. Lui.

Soubresaut, Adrienne s'éveille. Une présence près d'elle, contre elle, un contact intellectuel, et ce ventre bombé, nu, un souvenir aussi, combien de fois, déjà, ce bonheur, cette souffrance et cette attente? Confusément, elle veut se souvenir et compter, imaginer que cela a pu se réaliser en elle, puis hors d'elle. Alors, tout doucement, son geste l'étonne, sa main se lève légèrement, elle caresse le ventre de cette femme allongée comme elle, si près d'elle, le touche du bout des doigts, elle joue, elle pianote. Elle se sent bien, claire, nette, juste, en compagnie de nouveau. Et le bruit qui monte de la mer, flux et reflux brusquement la surprend et l'emmène. Elle veut dormir, de nouveau revenir, vivre encore ce moment précis de sa vie où...

19

La pluie, oblique, persistante, bat les arbres et les buissons du jardin. Je l'entends crépiter sur la pergola. La ville tout entière ruisselle depuis quatre jours, grêlons d'abord, orages ensuite, puis un vent chaud du sud a chargé le ciel de nuages noirs. Le soir de la mort de la petite Garcia, il n'y a pas eu de bal au foyer Sainte-Catherine. Les concerts du lendemain ont été annulés. Le pousse-pousse a été démonté dans la nuit, va-et-vient des camions. Les gens ne parlent que de l'enquête de police. Je n'ai pas revu Gabriel. Les jours passent. La pluie est venue au secours d'une ville consternée. Aussi, les premiers jours, fut-elle bien accueillie. Une excuse pour ne pas sortir, se montrer, interroger, s'émouvoir sur le sort de cette petite qui tout de même « ne parlait pas couramment le français, comme sa mère ». La pluie, ensuite, obstinée, criblant les toits de jour comme de nuit, creusant des ravines dans les chemins, s'engorgeant le long des trottoirs des Promenades, stagnant en de larges flaques, une pluie qui n'en finit pas, dont on se réjouit, d'abord, qui agace, irrite, puis au quatrième jour inquiète, alerte au cinquième.

Je suis là, debout, dans le salon. Madame Certain ne viendra pas pour la répétition. Elle nous a fait porter un message par le facteur. Demain, les cours reprendront au collège. Lundi de Quasimodo. Quinze heures. Enfermée dans cette maison, assignée par le mauvais temps, j'attends. Ma mère, calée dans un fauteuil, regarde le dernier feu de bois de l'année. Un ordre. Une habitude. On ne chauffe plus après Pâques. La cheminée fume un peu, l'air mouillé du dehors refoule. Depuis la mort de mon père, la dame en noir compte tout, les bûches, les bougies, le pétrole pour les lampes, elle ne veut pas de l'électricité « trop cher », c'est son excentricité. Dès ce soir, la dame en blanc fera tomber les tabliers de toutes les cheminées. Nous aurons froid. Ma mère dira non pour s'excuser mais pour se convaincre qu'il faut « vivre avec les saisons ». En cela, d'ailleurs, et pour certains de ces traits, j'aurais pu l'aimer. Et le lui dire. Elle avait raison.

Debout, j'observe la pluie battre la vitre obstinément. Le bruit court dans la ville que « tous les parvenus d'Argentine, les biens revenus de Mendoza » ont acheté trop de terres, ont remembré, coupé, fauché les haies millénaires et qu'à cause d'eux, le sol de glaise et d'argile rejette immédiatement, sans retenue, les eaux du ciel, comme un toit. Le bruit circule aussi que si la pluie continue, « un orage plus fort encore », la Verse débordera, une vague de fond emportera tout. A la Bouquerie, dans chaque maison, on empile déjà le mobilier dans les greniers, on vide les rez-de-chaussée, on a peur. Silence de notre salon, du haut de notre maison des Promenades. Je me tourne vers ma mère. Elle fait semblant de ne pas me voir. Je m'approche de la cheminée. Avec une pince je remets en place une bûche, moins de fumée, le tout s'enflamme. Ma mère se fâche « ça va brûler trop vite ». A genoux, devant elle, bras croisés, je lui pose enfin la question « parle-moi des petits nègres de Mendoza ». Elle sourit « qui t'a parlé de ça? ». Elle a dit « ça », comme « ça! », encore. Expression, rictus, le mot du rejet. Au hasard, j'accuse Adrien de la confidence. « Tu me mens. » Sourire. Elle se caresse les mains, hésite, me scrute, surprise, je lui parle, je lui pose une question précise. Elle s'enhardit, non, elle est heureuse. Elle répond « à Mendoza, nous avions des domestiques. Tous les domestiques que nous voulions. C'était même un record que d'en avoir peu. Bien entendu ils étaient noirs. Nous les logions mal, les traitions durement, mais nous les nourrissions, alors ils restaient. Ils nous adoraient. Depuis notre retour, ils me manquent ». Silence. Ma mère s'engonce dans le fauteuil, s'abandonne, était-ce si facile de lui parler? Elle attend de moi que je lui demande pourquoi. « Pourquoi, s'il vous plaît? » Je la tutoie, je la voussoie, je ne sais plus, je suis troublée, moi aussi. Elle réfléchit et me dit nettement, voix dure, comme un reproche « j'avais un petit nègre pour moi toute seule, un jeune, un enfant, toujours un petit garçon, il me suivait partout, toute la journée et il n'avait rien à faire qu'à attendre ». Silence. Un bonheur pour cette femme, la main sur la hanche, toute de travers dans le fauteuil. Brusquement, une douleur, ma seule présence et mes questions l'honorent tout en la torturant. « Attendre quoi, s'il vous plaît? » Elle murmure « mes coups ». Elle rit, petit rire de vieille femme, jeu, dérision « je le battais, il était là pour que je le claque ou que je lui donne des coups d'abanique sur la tête ». Curieux mot. « Des coups de quoi, s'il vous plaît? » Elle se tait, tourne légèrement la tête, et me montre du regard la vitrine dans laquelle sont exposés les éventails de Mendoza. « Petites claques, petits coups, jamais une larme, ou un recul, il ne fermait même pas les yeux quand je le frappais. Il avait neuf ans, dix ans. A douze, on le remplaçait. J'en ai eu toute une série. Parce que chaque dame en avait un. Voilà, j'ai répondu. » Regard oblique « satisfaite? » Le ton, brusquement est devenu pointu. « De quoi as-tu à te plaindre? » Je baisse les yeux. « A chacun son petit nègre. Embrasse-moi. » Je ne bouge pas. « Allons, embrassez-moi! » Ton faussement amusé, dérisoire. « Adrienne! » Me revoilà debout. Je me penche vers elle et l'embrasse sur les deux joues, furtivement. Elle sent la poudre, parfum qui meurt. « Tu ne seras pas mieux que les autres, tu sais, à ton âge, on y croit. Mais après! » Je m'écarte du fauteuil, les mains croisées dans le dos. « Je vais t'acheter une robe. Cela te fait plaisir? » Cela ne me fait plus plaisir. Je n'ai pas à dire merci. La dame en blanc entre dans le salon. Elle n'a pas frappé à la porte, urgence, un drame « Madame! C'est terrible! ».

Le bas du cimetière est inondé. Mes sœurs ont fait savoir qu'elles ne pouvaient pas se déplacer. Adrien est à Bordeaux « pour affaires ». Ma mère a refusé de voir « ça ». C'est donc à moi d'organiser le transport. Une petite barque, deux hommes de peine et le fossoyeur. Le long du mur, il faut faire attention de ne pas se laisser emporter par le courant de la Verse. L'allée du bas est devenue ruisseau, torrent, plus de cinquante centimètres d'eau et de boue, s'arrimer au caveau, notre caveau où notre père nous attend tous, seul, pousser la porte. Son cercueil flotte, se cogne de droite, de gauche, dernier navire, traverser l'Atlantique, tous les trois ans, onze traversées, toute une vie, pour en finir là. Le fossoyeur se moque « c'est de la faute de votre mère. Elle a voulu faire des économies. Je le lui ai bien dit qu'en bas, un jour, tout serait noyé. Encore heureux que le cercueil soit amphibie ». Je suis là, moi, la seule de la famille. Les hommes de peine, bottes de caoutchouc qui couvrent les cuisses, remontant jusqu'à l'aine, quittent la barque, crochètent le cercueil, le soulèvent. Il dégouline. « Attendez, sinon dans la barque, faudra écoper. » Ces mots, dits, cette évidence, ma présence, et la pluie, encore. Je referme mon parapluie, je serai trempée, tant pis. Devant mon père, je veux me découvrir. Goutte, à goutte, puis « ça y est on peut y aller ». Le fossoyeur et moi faisons contrepoids. Les hommes de peine font glisser le cercueil latéralement, il pivote, tombe au fond de la barque. Bruit sourd. Il ne reste plus qu'à défaire les cordes qui nous retiennent au caveau, et à nous laisser pousser « c'est plus simple que de ramer ». Le fossoyeur raconte qu'il a été à l'école avec mon père, « on l'appelait Motus, comme motus bouche cousue ».

Dans le cimetière, un rivage, comme une plage dans une allée, sauter à terre, aider les hommes à tirer la barque, bottines trempées, cheveux mouillés « vous allez attraper froid, Mademoiselle ». Je souris. Je suis presque heureuse d'être là, d'être la seule venue, présente. Et mon père revendique, me crie prudence après les premières confidences de la dame en noir, moi, prise, proie, objet de silence. Les hommes de peine encordent le cercueil et le font glisser sur la terre battue, foulée, dure, ruisselante « c'est plus lourd, quand tout est mouillé ». Nous passons devant la tombe de la petite Garcia, terre bombée, pas de dalle, une croix et des bouquets déjà fanés. Gabriel est reparti pour Paris. Demain Henriette fera semblant de m'ignorer. Tout en haut du cimetière, une chapelle. « On le laissera là, mais dites à votre mère qu'il faut qu'elle paie pour un caveau du haut. »

Dans la chapelle, je ne fais pas de signe de croix. Je ne connais pas mes prières. Je n'ai aucun souvenir des églises et des messes. Dans cette ville, mi-chemin de Bordeaux et de Toulouse, à mi-chemin de toutes les provinces, il n'y a qu'églises, couvents, monastères, grand commerce sur le chemin de Saint-Jacques-de-Compostelle. Dans cette ville, mon nombril, ma naissance, un peu de fumée, un parfum, l'encens, dans cette ville-là, je me prépare, mais je ne prie pas. Devant le cercueil de mon père, je reste seule, debout, grelottant de ce froid de Pâques, dernières bûches. La porte du caveau s'ouvre encore. Un cercueil flotte et se heurte aux murs, prisonnier. Le ciel gronde. Les nuages roulent. Le fossoyeur m'a simplement dit en repartant « rien à craindre, un cercueil, ça ne se vole pas ». Dans cette chapelle, refuge provisoire, je parle à mon père. Je lui dis les petites choses de ma vie. Je lui parle comme il ne m'a jamais parlé. Du bout du doigt, je touche le bois mouillé, la croix rouillée, les ferrures cloutées. Du bout du doigt, je voudrais pousser ce bateau, m'embarquer, et partir, navire, fuir, pour un grand voyage, pour un regard, une connivence. Un cercueil flotte dans ma tête et se cogne aux parois de mon crâne. Le grand voyage est là, au tout dedans. Il n'y a d'exemplaire que l'ordinaire et de fantastique que le quotidien. Je laisse la porte de la chapelle entrouverte. Je reviens à la maison en parlant encore à mon père, racontant ma vie, ses petits riens. Je m'adresse à lui, il pose sa main sur ma tête, pouce droit sur l'oreille droite et petit doigt sur l'oreille gauche. Je suis née de cette main, comme un cœur, pour les silences. Ma mère m'attend pour dîner. Face à face, tête-à-tête, soupière, louche en argent massif, elle attend que la dame en blanc quitte la salle à manger. Elle me regarde et sourit « c'est à toi de payer pour le caveau de ton père. Nous irons demain chez le notaire. Un peu de ta dot ira au cimetière ». Silence « il t'aimait tant ». Elle fait du bruit en mangeant sa soupe. Elle joue aux petites vieilles. Je n'accuse pas, je me souviens, c'est tout. Le petit bruit. C'était un soir de lundi de Quasimodo.

20

Cette nuit-là, en rêvant, je reviens au barrage de cristal. Lucien me tend la main, tout en haut, dernier effort et sans même prendre le temps de me regarder, son regard, l'ai-je déjà oublié, il m'entraîne. Nous sautons de rocher en rocher, pourtour du lac de retenue, eau rougeoyante, comme de sang, soleil levant, il me faut embarquer. Il n'y a qu'un cercueil, vide, creux. Je saute dedans. Lucien pousse l'embarcation. Je me retourne pour tenter d'échanger un regard avec lui, un seul, au moins un, c'est Gabriel qui me crie « n'y allez pas, Mademoiselle ». Le cercueil chavire, je m'éveille.

La chambre se met à tanguer. J'ai, un instant, l'impression que la Verse a emporté la maison et que nous voguons. Ivresse, les images se carambolent, Mendoza, un petit nègre reçoit une gifle et se terre aux pieds de ma mère comme un beauceron. Ma mère gratte la terre et la frappe de ses poings. Pousse-pousse, une nacelle s'abat sur elle, la voilà enchaînée. Vite, je tends les chaînes comme une laisse, elle veut m'échapper, je la retiens. Sous la pergola, mes sœurs aînées pouffent de rire, Adrien fait crisser ses chaussures neuves, le fauteuil de mon père est vide. Je me frotte le visage. La pendule, dans le grand couloir, sonne deux fois deux heures du matin. Je frissonne. Il ne pleut plus sur le toit. Un vent s'est levé qui s'engouffre dans la cheminée et se heurte au tablier baissé.

Pieds nus, je me lève. A tâtons. Ne pas allumer la bougie. Une couverture sur les épaules, retrouver les bottines, je m'y glisse, deux petites barques à mes pieds, deux petits cercueils de fourrure, chavirants, il me faut quitter la chambre, traverser le couloir à pas mesurés, ouvrir et fermer les portes, caresser les murs et les meubles, le salon, le piano, touches blanches, touches noires, le métronome, tac, tac, autre temps, tout visiter sauf la chambre de la dame en noir et celle de la dame en blanc, et surtout, ne pas les réveiller. Comprendre, surprendre le corps de cette maison, la pierre et le bois, le dallage, le parquet, les moulures des embrasures de portes, les poignées, le marbre des cheminées, la glace des vitres et des miroirs, la douceur de la fontaine de cuivre, dans l'entrée, l'orgueil des chandeliers d'argent, la gentillesse des parures en porcelaine de Sèvres sur la desserte de la salle à manger, le métal de la cuisinière, au centre de l'office, le bois raboté de la table de découpage, un parfum de confiture dans telle armoire, ou de linge, dans telle autre, glisser, m'insérer, interroger de nuit ce qui de jour est inerte, fonctionnel, décoratif, me dire que tout cela dans l'ombre me guette, me cerne, m'inscrit dans un cadre, une prison, un avoir. Puis sortir dans le jardin, grelotter de froid, sentir le vent s'engouffrer dans ma chemise de nuit, par le bas, vent coupant, fendant, je frôle des haies de buis, foule le gravier de l'allée centrale, je m'accroche aux épines des rosiers de la treille, je hume le parfum sec du laurier, celui du bois mort, tronc des cognassiers, deux marches, la pergola et ses sièges de métal, il me faut chasser le rêve, sauvegarder le barrage de cristal. Je serre les poings, frappe la table à m'en briser les doigts. Je quitterai cette ville, j'aimerai qui m'aimera, uniquement. Je m'en tiendrai à cet amour, un amour, un seul, et j'attendrai le temps qu'il faudra pour que le temps nous façonne à une perfection. Tout cela de la maison d'origine que je viens de caresser, visiter, ouvrir, refermer, traverser, frôler, je ne l'imiterai pas. Je ne recommencerai pas leur histoire mais je vivrai la mienne, unique, neuve. Le vent s'engouffrant peut bien me caresser le ventre, tout partira de là, brèche et faille du cristal. Tout cela se dit et redit encore en moi avec netteté. Je suis encore au tout début de tout. C'était dans la nuit d'un lundi à un mardi. J'ai quatorze ans et demi. Et demi. Demi. Je fais l'inventaire. Je claque des dents. « Les morts ici sont sans vergogne... faire de tels étuis pour de telles charognes », Baudelaire en cachette. La porte de la chapelle, entrouverte, bat le cercueil de mon père, folie du vent, fin de pluie. La Verse rentre dans son lit. Transie, je cours vers la maison.

Oublier ce que j'ai appris, perdre ce que j'ai acquis, voyager, regarder, écouter, engendrer, bâtir, qui sait, je rêve en ne rêvant plus. Cette nuit-là est douce encore. J'écoute les heures et les demi-heures, chaque fois deux fois, jusqu'au matin pour me lever alerte, décidée, nulle rancœur pour qui que ce soit, sourire, servir, être là, présente, nulle importance portée à ce qui leur paraît important, toute prête à écouter s'ils désirent partager. Je me lève idéale et fière. La maison n'est plus une prison, j'en ai fait l'inventaire. Ma mère peut agiter toutes sortes d'éventails, gifler le vide, se taire et m'ignorer pour me blesser, elle ne peut exprimer sa tendresse que par violences. Jamais elle n'aura été autant aimée, observée, dessinée et désirée, autre qu'elle ne fut, plus que par moi, paradoxe, mon affection. Cette femme de deuil, infirme de la hanche, m'a tout donné en me refusant tout. Ce matin-là, je m'offre toute ma vie pour m'échapper. Toute une vie pour être, exister, m'abandonner à ce petit monde, cachant un plus grand, siècle où l'on ne vénère que ce qui a été. Passé composé à l'extrême. Au petit déjeuner, je souris. La dame en blanc me trouve pâle « vous avez des lèvres violettes ». Je souris, souris encore. « Je dirai à Madame que vous lisez en cachette. Vous achetez des bougies, n'est-ce pas? Je sais que vous avez la clef de la bibliothèque de votre père. » Je hausse les épaules. Elle me gifle. Je la regarde, imperturbable, un regard droit, un regard de petit nègre et je murmure « merci ».

Henriette est allée chez le coiffeur. Elle aussi a les cheveux courts. C'est la mode. Comme les autres. La directrice du collège a décrété que c'était désormais autorisé. Entre les cours, mes camarades se moquent toutes de moi, Henriette en tête. Je ne me fais plus de nattes, plus d'anglaises ni de tresses, mes cheveux tombent dans mon dos, c'est tout. Elles tiraillent aussi mes jupes trop longues, et me surnomment « mi-mollet ». « C'est mi-mollet, la première partout, tu sais? » Un printemps se lève, dernier trimestre. Ma mère et moi sommes allées chez le notaire. Le caveau du bas a été mis en vente. Personne ne l'achètera. Un autre, identique, sera construit tout en haut du cimetière, avec ce qu'ils appellent ma part d'héritage. Ma mère a dit, un jour, devant Adrien « cette fois, il faudrait un déluge pour emporter votre père ». La robe neuve? Ma première robe? Ma mère n'a pas tenu sa promesse. Tant mieux. Je suis ce que je suis. Henriette et moi ne nous accompagnons plus à la sortie du collège. J'attends l'été. Je m'imagine tout un courrier. Gabriel m'écrivant de Paris des lettres d'amour, simples, dignes, si franches et si belles qu'il me faut des heures, en pensée, pour lui répondre avec autant d'intégrité, correspondance imaginaire. J'aurais dû écrire tout cela pour de vrai.

Je me le suis dit. Et puis l'oubli. Etourdie. Jamais je n'ai aussi bien travaillé. Parfois, je vais au cimetière, pour parler à mon père. Il est le seul à être au courant de tout. Bien sûr, il ne répond pas. Mais je sais qu'il me conseille de continuer. Etre est un si grand risque. Et chaque matin, de plus belle, je me brosse les cheveux, de droite, de gauche. Mon corps se sculpte, je grandis. Je ne couperai mes cheveux que si Gabriel m'épouse et m'enlève. Je finis par aimer les robes de mes sœurs aînées. Je ne serai élégante que pour lui, plus tard, quand il sera temps, temps de donner, donner. Le vent chaud, du sud, qui a charrié les nuages noirs des orages, vient de chasser le tout. Le même vent. L'été arrive. Gabriel reviendra. Il m'a retenue. Il me retient. Mais ses mains furent celles de Lucien. On aime toujours quelqu'un d'autre. On se croit deux, on est trois, ou bien mille. On y croit et on se perd. Me voilà tout entière ramenée à moi-même. Je cherche un secours, Gabriel?

21

DANS le jardin. Emmanuel est venu parlementer. Pas de spectacle sans spectateurs. Gabriel veut salle comble. Paulin montre son fils à Emmanuel « tu as déjà dormi dans un arbre, toi, quand tu avais son âge? » Emmanuel prend Paulin par le bras, geste d'aîné « reviens, papa veut parler, c'est tout ». Paulin sourit « réponds à ma question ». Emmanuel lève la tête. Martin, à cheval sur une branche, penché en avant, le tronc du chêne-liège dans les bras, le front contre l'écorce, s'est endormi. « Il fait semblant? » Paulin murmure « t'as pas changé, Manu, tu crois toujours que tout le monde fait semblant ». « Et s'il tombe? » « Qu'il tombe! » Paulin fait quelques pas vers la terrasse. Gabriel attend, là-haut, bien entouré, cercle parfait. Paulin se retourne vers son frère « eh bien, je reviens. J'y vais. Tu vas aussi me dire de me taire ». Il pointe du doigt l'arbre et son fils « il dort pour de vrai, je t'assure. S'il tombe, ça lui fera du bien, une bonne petite égratignure ». Emmanuel hausse les épaules. Paulin éclate de rire « là, je te reconnais un tout petit peu ». Emmanuel s'arrête devant son frère et le regarde droit dans les yeux, longuement, puis « laisse parler papa, c'est tout ce que je te demande. Ne l'interromps pas. Il veut prendre notre décision, c'est tout. Comme d'habitude ». Paulin répète « comme d'habitude... ». Il ne rit ni ne sourit, il se tait. Emmanuel, regard latéral « tu as beau jeu, tu sais, parce que nous pensons tous comme toi ». Quelques marches d'escalier, bientôt le haut de la terrasse et son spectacle. Paulin regarde son frère, brin d'ironie « ... ça va les affaires? » « Salaud! » « Ça veut dire quoi? Merci? » Paulin murmure « papa va encore nous réciter ce qu'il n'arrive pas à écrire ».

Sur la terrasse, Gabriel attend. Françoise et Sylvie servent des orangeades. Catherine se coiffe, puis elle embrasse Stéphane sur l'épaule et s'allonge contre lui, faire comme si, faire comme aux premiers jours d'un amour. Laurent fait remarquer qu'il n'a fumé que deux cigarettes depuis le début de la matinée. « Et Jeanne? » « Elle a choisi son arbre, elle aussi. » Sourires. Paulin prend place ni trop près, ni trop loin, sur le muret de pourtour. D'un coup d'ongle, géranium-lierre, il coupe une à une les fleurs fanées. Une habitude. Comme autrefois. Gabriel le payait pour ça. De l'argent de poche pour le petit dernier. Paulin entend les questions de ce temps-là. « Où sont les aînés? » « A la plage, Madame! » « Où sont les aînés? » « Au tennis, Monsieur, c'est l'heure du cours » « Où sont les aînés? » « Ils sont allés chez les... » Paulin, était toujours trop jeune pour « aller avec eux ». Maintenant, ils ont le même âge sans âge, le premier âge adulte. La quarantaine. En principe, aux mêmes questions, ils devraient fournir les mêmes réponses. Non. On est toujours le petit dernier de quelqu'un. Paulin vient de retrouver un geste. « Une fleur fanée coupée, et trois autres fleurissent. » La voix d'Adrienne quand elle avait encore sa voix. Gabriel se met à parler. Paulin écoute.

Pondéré. « Françoise, merci d'avoir donné de si beaux enfants à Emmanuel. Catherine, merci d'avoir donné de si beaux enfants à Stéphane. Et vous Sylvie, merci pour Laurent. J'aurais voulu remercier Jeanne, mais le cœur y est, n'est-ce pas, Paulin? » Paulin pense que le cœur n'y est pas du tout. Il répond à son père d'un regard furtif, sourire esquissé, lisse. Puis retour aux fleurs, le geste exact, précis, coup de pouce, coup d'ongle, décapiter ce qui est fané. La voix de Gabriel, hésitante, cette fois.

« Je ne pourrai pas parler si tu te fâches, Paulin. Il faut me comprendre. Je suis obligé de réfléchir pour vous féliciter, Françoise, d'être l'épouse d'Emmanuel, ou bien Catherine et Stéphane, Sylvie et Laurent. Je sais seulement avec certitude que Jeanne est l'élue de Paulin, car c'est elle que je vois le moins. Et quand j'interroge le regard de mes petits-enfants, hormis vos jumeaux, Catherine, je ne sais plus qui est de qui, je sais seulement qu'il y en a quinze en tout. » Silence. Gabriel croise les mains, caresse son menton, se penche un peu et murmure à l'adresse de Paulin « et bientôt seize ». Silence. « Je compte. » Toussotement. « La mémoire me fait défaut. » Le soupir vire à un sourire « ...n'ai-je vraiment pas su vous aimer? » Gabriel attend un « mais non Papa ». Rien ne vient.

Paulin, sur le muret, fait un petit tas de fleurs fanées, puis il avance un peu, nouvelle crête de massif. Plus de jardinier. Fernande a dit qu'il volait Monsieur. Et si Fernande a dit! Gabriel défait le bouton de col de sa chemise. Martine surgit. Stéphane lui fait signe de ne pas s'approcher et en profite pour allumer une cigarette. Catherine proteste. « Chutt... » Gabriel, la main dans l'échancrure de sa chemise, visage rejeté en arrière, regarde le ciel, puis, pantin, sa tête retombe, faire face, c'est à lui de dire, de parler, occasion extraordinaire. Laurent pense « normal, il a acheté sa salle ».

« Ne vous imaginez pas que votre mère et moi nous sommes aimés. Je n'ai jamais aimé qui m'aimait et j'ai détesté qui ne m'aimait pas. C'est ainsi. Une évidence sans laquelle la fête de ce jour n'aurait aucun autre sens que celui de l'absurde ou du travesti. J'ai choisi votre mère par étourderie. Ou bien encore pour braver Bonne Maman, ma mère, votre grand-mère. Vos enfants ont grandi si vite, il faut que je m'en aille... » Aucune protestation. Le visage de profil, le regard tourné vers la mer. Une hésitation. Emmanuel bloque Paulin, du regard. Dans le patio intérieur, on entend mettre en place les tréteaux « attention, non, un peu à gauche ». Une horloge sonne deux fois de suite trois heures de l'après-midi. Gabriel sourit. Cette heure deux fois sonnée, souvenir de la maison des Promenades, lui est étrangère. Ce n'est pas l'heure de chez lui.

« Votre mère ne m'a dit oui qu'une fois. Le jour de notre mariage. Je vous le redis aujourd'hui en m'aidant d'un sourire. C'est tellement vrai. Tellement grave. Après cet unique oui, votre mère, en cinquante ans, s'est contentée de se taire pour me répondre non, non, éternellement non. Je sais, Paulin, que tu honores ce silence. Mais votre mère était têtue. Notre union, dès le début, contrariait sa famille et la mienne, nous contrariait aussi tout en nous emportant. Passion contraire. Rien de plus. » Gabriel se redresse, prend place dans le fauteuil plus confortablement. Stéphane lève les yeux au ciel. Laurent sourit. Petit tas de fleurs fanées, Paulin avance encore un peu sur le muret. Des mètres et des mètres de géranium-lierre. Gabriel regarde ses fils, tour d'inspection.

« J'ai toujours été en retard d'un désir, d'un élan, pire encore d'une spontanéité. Mais maintenant, que faites-vous, à ma place, sinon reproduire le même passé? Même toi Paulin, quand tu commentes Camus, tu retardes de quelques décennies! » Gabriel respire profondément. Un conseil de médecin. Il boit une gorgée d'orangeade. Sylvie s'est endormie.

Voix claire. « Ici, c'est chez moi et moi seul parce qu'elle m'a laissé seul. C'est votre mère, me direz-vous? Je réponds. Je l'ai choisie, après deux ans de méfiance, elle n'avait pas dix-sept ans. Dès le premier jour de notre mariage elle s'est choisie, elle, dans le silence, obstinée, têtue, oui, têtue, comme un perpétuel reproche. Et dans la vie, plus j'avançais, plus je prenais de risques, plus je m'enthousiasmais, plus je réussissais de fantastiques échecs, plus je me remettais en cause, comme à ce jour, plus elle se taisait. Nous avons fait, ensemble, côte à côte, deux chemins inverses, et c'est encore à qui des deux, tiraillant l'autre, tombera le premier. »

« Ne me la laissez plus. Je ne veux plus la voir! » Eclat de voix. Sylvie ouvre les yeux, s'assoit en tailleur, passe les mains dans ses cheveux, observe Laurent puis son beau-père « vous savez, Père, c'est toujours la même histoire ». « Justement! » « Non, Père, injustement. » Laurent se tourne vers sa femme, étonné. Il joue, puis d'un regard, il se moque d'elle et la félicite de son audace. Paulin tourne la tête, vérifie si Martin est toujours dans l'arbre. Catherine renverse son verre d'orangeade. Françoise embrasse Emmanuel sur le front, mécaniquement, gênée, elle aussi, par les propos de Sylvie. Gabriel marmonne « pardon... ». La voix est désemparée. Le ciel crépite de soleil. Des bouffées lourdes de senteurs et de parfums montent des massifs, tombent des arbres. Dans le patio, Fernande donne des ordres à voix trop haute. On l'entend aussi compter les assiettes, le grand service qu'on a fait spécialement venir de Paris. Martine a surpris Jeanne sur le lit de Madame. Elle est ressortie de la petite maison. Elle s'est assise sur la dernière marche de l'escalier. La main dans le dos, elle retire les aiguilles de pins qui sont restées accrochées. Le rendez-vous chez le coiffeur est à seize heures trente.

Emmanuel ferme les yeux. Laurent change de position, la tête dans les mains, trop attentif. Stéphane écrase nerveusement sa cigarette, veut en allumer une autre, se ravise. Ça y est, Gabriel se met à discourir « rien de ce que j'ai construit n'a chanté. Rien de ce que j'ai conçu n'a devancé l'être dans ses désirs et dans ses exigences quotidiennes. Mon projet initial sitôt hors de moi, soumis, fut toujours rongé, élimé, ramené à l'expression de contraintes pratiques, économiques, ou politiques. Mais je me suis battu. J'y ai cru. Et j'ai perdu même si à chaque fois, je croyais enfin gagner. Je redevenais le prix de Rome, label académique, échec logique. Votre mère, pendant ce temps, m'a traité en perdant avec sa manière de se taire et de se terrer, cette discrétion qui ne fut pas honorable contrairement à ce que vous pensez tous. Il n'y a plus que de l'amour mal exprimé. Notre union ne fut qu'un divorce. Depuis cinquante ans nous n'avons fait, elle et moi, que nous redire en ne nous rien disant. Tout comme toi, Paulin, m'as accusé, de t'avoir tout donné en ne te rien donnant ». Françoise regarde Gabriel « calmez-vous, Père, les enfants pourraient entendre ». Gabriel sourit faiblement « alors, vous m'écoutez? » Du bruit dans la maison, les enfants se réveillent, fin de sieste. On leur a promis la plage. Catherine se lève discrètement pour aller les calmer.

Gabriel continue à voix plus sourde. Paulin, Sylvie, Emmanuel, Françoise, Stéphane et Laurent commencent à l'écouter avec attention, un semblant d'émotion. « Nous sommes désormais dans une moralité de l'acte. Le champ de la culture n'a plus de lieu sacré. Elle se sacre, au hasard, dans le quotidien. » Gabriel se cramponne au fauteuil, comme une douleur le traversant. Catherine revient, se met à genoux et lui prend les mains. « Merci. » Il répète « merci... » Il regarde ses fils, un à un. Il n'est plus propriétaire mais mendiant « ces cinquante années de méprise avec votre mère furent aussi les cinquante ans de méprise de notre société. Et vous êtes là, à votre tour, encore en place, pour continuer à produire, reproduire des inégalités, fabriquer mais ne plus inspirer. L'architecture, comme la culture, devrait être le lieu où toute une société découvre le sens de son expérience collective. Demeure la demande sauvage, la clameur du grand ailleurs. Chacun est le laissé-pour-marge de l'autre et la machine du progrès ne fait que tourner sur son idée du progrès. Plus rien du quotidien ni du sensible ne l'inspire ». Catherine retire ses mains, croise les bras, tête baissée. Avec un peu de chance, avant la fin, Paulin aura nettoyé le massif tout le long du muret de la terrasse. Il faudra alors nettoyer, ramasser les petits tas de fleurs fanées. Sylvie rejoint Paulin et murmure « il a peut-être raison ». Sourire échangé.

Gabriel hausse légèrement les épaules, regarde la crête des arbres, le ciel, puis Martin « mais cet enfant va tomber! » Emmanuel adresse un clin d'œil à Paulin d'un air de dire « tu vois... » Gabriel revient à son audience. Catherine lui fait signe de ne plus tarder, les enfants attendent, retenus dans leur chambre. Elle dit à mi-voix « sinon, Père, ils seront nerveux pour la soirée ».

Gabriel, mains jointes, essaie de se moquer de lui-même « alors, le temps nous manque encore une fois. Le ton, aussi, pour convaincre que l'on ne vient pas d'enfermer des mots dans des mots, toute une perpétuité. C'est vrai, je l'avoue, j'accuse votre mère de tout. En cela vous me dites violent. Mais je ne peux me battre avec elle que sur ce terrain-là. Des petits riens. Une tendresse par omission ». Il fait un signe de la main, comme pour s'interrompre. Stop.

Gabriel réfléchit, ne se moque plus, baisse un peu les yeux. « A Paris, quand on me conduit à l'aéroport, je vois de loin mes immeubles du quartier Saint-Sauveur, mon REP de Vanves, mes trois tours de Gentilly et je ferme les yeux. Comment ai-je pu concevoir de telles erreurs? Et qui vit, travaille, aime dedans? Qui et comment? Du boulevard Lannes à Orly aucun itinéraire ne pourrait m'épargner ces confrontations. J'ai fait du béton partout. Et combien sommes-nous, comme moi, à avoir bâti, finalement, dans le désordre et dans l'intérêt? Devant votre mère, aussi, je ferme les yeux. Je voudrais que tout aille plus vite, et que nous n'ayons plus le temps de nous accuser. »

Soupir « c'est ma manière de tendresse, avec vous, avec elle, à ce jour. Séparez-nous. Nous avons toujours été séparés. Tout se résume. Je suis ici. Et votre mère est là-haut. Je ne veux pas contrarier la fête. Je veux seulement lui donner une origine, un sens qui n'ait pas de sens. Il faut seulement composer avec le mal accompli, l'infléchir. Je ne trouve plus les mots ». Silence. Sylvie tourne le dos. Elle se dit que Laurent et elle, après tout, s'il n'y avait pas les enfants! Emmanuel regarde Françoise qui baisse les yeux. Stéphane veut allumer une cigarette, Catherine l'en empêche. Le téléphone sonne. Trois sonneries, Fernande va certainement répondre. Gabriel reprend son souffle, essuie comme une poussière au coin de l'œil, geste fugace « qui appelle, qui peut nous appeler? » Sourire.

Gabriel reprend position dans le fauteuil, prêt à se lever « je voudrais ce soir que nous fêtions ce qui aurait pu être, rompre avec ce qui a été. Tu n'as qu'à, Paulin, demander à tes frères ce que nous avons décidé pour votre mère. Je n'attends plus que ton accord. Et ce soir, je guetterai vos regards. Je veux être sûr que vous vous aimez ». Fernande apparaît « Monsieur, c'est votre sœur, Henriette, elle dit qu'elle ne veut pas vous déranger, mais... » Gabriel se lève.

Gabriel, debout, titube un peu, comme bu. Catherine se lève et le prend par le bras. « Je peux marcher tout seul, merci. » Il fait quelques pas, se retourne « c'est décidé n'est-ce pas? » Gabriel disparaît. Sylvie dit « ouf » et s'étire. Catherine va libérer les enfants. Stéphane écrase une cigarette dans ses doigts. Françoise retire sa djellaba, ajuste son maillot « où sont mes lunettes de soleil? » Laurent s'approche d'Emmanuel « alors? » Paulin balaie de la main chaque petit tas de fleurs fanées, ramasse le tout dans un bonnet de bain. Emmanuel répète « alors? » Paulin sourit « pourquoi ce besoin d'unanimité? » « Réponds. Oui, ou non? » « Non! » Emmanuel saisit son frère par le poignet. Paulin lâche le bonnet, geste brusque, sol jonché de fleurs fanées. « T'énerve pas, Manu. » Françoise s'interpose entre Emmanuel et Paulin. Paulin dégage sa main « maman restera ici. Pour le meilleur et pour le meilleur ». « Tu plaisantes! » « Ça va les affaires? » Françoise retient Emmanuel « vous n'allez tout de même pas vous battre ». Paulin hausse les épaules « même pas ».

Les enfants sortent de la maison en criant « ma bouée » « mon ballon » « maman, Paul ne veut pas me prêter son... » La ruée. Martin s'est réveillé, faux geste, il tombe de l'arbre. On entend « aïe ». Un de ses cousins crie « c'est bien fait! » Martin court vers son père, sans pleurer, ni crier, le genou en sang. Sylvie va au-devant de lui, essaie de le prendre dans ses bras « tu as mal? » Martin lui tire la langue, rejoint son père. Il aide Paulin à ramasser les fleurs fanées. Il se tient le genou. Paulin lui sourit, aparté « ça va? » « ouais, Pa, ça va ». Paulin embrasse le bout de ses doigts et pose sa main sur le genou blessé. Françoise entraîne Emmanuel à l'écart. Stéphane aide les jumeaux à enfiler leurs maillots. Laurent donne une claque à son fils aîné. Sylvie coiffe les filles. Quand Gabriel revient, c'est le désordre. Trois petites gouttes de sang sur la terrasse. La pierre boit. Ça fera tache.

Ce qu'a dit Henriette à son frère? Fernande a écouté du poste de la cuisine. Rien d'important. L'éternel « il fait beau, très beau, oui mais tu sais... » Les plaintes de Monsieur. Cette peur qu'il a aussi de s'exposer, un amour-propre, sa sœur, ne rien admettre avec elle. Fernande est là depuis trente et un ans. Elle aussi attend, écoute et ne partage pas. Il manque quatre verres pour que la table soit parfaite. Le service de cristal n'est plus complet. Quand Monsieur a raccroché Fernande a pensé qu'il ne fallait pas oublier de demander à Monsieur Emmanuel d'aller chercher la pièce montée. Trente francs, pour la livraison, c'est trop cher.

Gabriel regarde ses petits-enfants. Pas un seul ne vient vers lui. Où est Paulin? Gabriel se dirige vers son bureau. Il s'enferme. Sur la table, une note prise la veille, non biffée, épargnée. Il se relit à peine tant les quelques mots sont griffonnés « répétition mécanique d'un ordre conventionnel. Désordre banal ou désordre riche? » Il déchire le bout de papier. Il n'a rien dit de ce qu'il voulait dire. Il n'en souffre pas. Il en rit. Vieilli. Il se sent chiffon. Il n'a pas bâti ses rêves.

22

PREMIER août, vu du ciel, un abcès se crève, écluses, des milliers de voitures immobilisées à chaque péage de l'autoroute du sud, les radios diffusent inlassablement des messages conseillant tel ou tel itinéraire de délestage, puis c'est le tube de l'été, un enfant vomit au bord d'une route, ventes sauvages de melons et de pêches direct consommateur, le ciel, comme la terre, est quadrillé, il y a ceux qui rentrent, ceux qui partent, ceux qui surveillent, ceux qui s'en moquent et qui se trouvent, malgré eux, pris dans le mouvement, grand va-et-vient, panne sèche, boissons fraîches, le ciel bleu claque au vent, le mistral se lève, vous savez, il y en a pour trois, six ou neuf jours, nationale 7, une caravane coupée en deux par un camion, une poupée gît sur la chaussée, dernières nouvelles, les ministres ne prendront pas de vacances, trois francs, trois pièces de un franc, péage automatique, c'est le canal de quoi?, il n'y a plus de Durance, ce soir, grand concert à Salon-de-Provence, hélicoptères, motards, pare-chocs contre pare-chocs, il fera plus beau en août qu'en juillet, septembre, c'est trop tard, passe-moi un Kleenex.

La lumière du haut est pailletée, pure, le soleil n'a pas encore atteint la terre, suspens, lumière sèche et vive, frémissante, elle y croit encore quand, en bas, rumeur, on se rue vers la Côte d'Azur, l'Italie, l'Espagne, vraiment les ceintures de sécurité c'est encore plus dangereux, des Allemands, des Belges, des Suédois, c'est la nouvelle Daf, quand je pense qu'ils ne s'arrêtent même pas chez nous, je suis sûr que tu as oublié mon short kaki, celui que j'aime, tu vas trop vite, on va nous prendre notre place, mais non, je t'assure, j'ai la lettre de réservation et on a l'emplacement face mer, bout du camping, celui des Korber, l'an dernier, une guêpe, ne bougez pas les enfants, bzzz, bzzz, le plus petit crie, flèche à droite, ralentir, s'arrêter, sur le toit des voitures tout est sanglé, sandows, prudence et sécurité, ferme la radio, c'est toujours les mêmes nouvelles, il conduit en pensant qu'elle a grossi, elle distribue des biscuits aux enfants en essayant de se souvenir d'un moment heureux, à deux, quand ils ont décidé de vivre ensemble, ils ont quitté Reims, Paris, Lille ou Strasbourg tôt le matin, il faisait nuit encore, il fait éclatant dans le Midi, avec un peu de chance on arrivera pour le dîner, il et elle, par milliers, et des millions d'enfants, leurs enfants, une courroie de transmission qui claque, manquait plus que ça, un pneu qui crève, incidents, le salaud, t'as vu cette queue de poisson, dis aux enfants de ne pas donner de coups de pied à la télé, télé portative, on a bien fait, les soirs, on ne sait jamais, et l'antenne, on verra.

Ralentir, danger, mistral, le vent dominant a choisi son jour, il bouscule et pousse ceux qui descendent, les fait presque zigzaguer, heurte et gifle ceux qui remontent, caravanes tractées qui oscillent de droite, de gauche, vent du haut, d'où vient-il, source du Rhône, vent froid des glaciers, vent rude du grand couloir des vacances, les platanes du bord des routes, obliques, semblent enracinés depuis un siècle pour l'affronter, vent fou qui ne se laisse pas définir et qui est là, ce jour-là, aujourd'hui, il dégringole, nettoie le ciel, emporte les pailles du soleil, fouette les haies mitoyennes, ondoiement des bambous, vergers fruitiers, les récoltes seront bonnes et sur les collines, à flanc de craie, les vignes se terrent, torsadées, s'alignent en de longues tresses ordonnées, le Ventoux a perdu d'un coup son petit nuage, la crête du Lubéron, ligne parfaite, dix heures, douze, quinze heures d'embouteillages, circulation, spasmes, pour en arriver là, routes convergentes, cœur gorgé de sang, gonflé à l'extrême, prêt à éclater. Sur l'étang de Berre, pas une brume, le mistral sculpte et redessine tout, étrange netteté en tout point du paysage, c'est bon, ça sent les vacances, on y croit ou bien on fait semblant d'y croire, on se précipite vers le bas, vers la mer, vers l'azur, on pare au plus pressé et le vent presse encore plus tout ce monde voituré, harnaché, j'ai soif, attends, je veux faire pipi, retiens-toi, qui aime qui, vraiment, est-ce le moment, tout le monde va, descend.

Ligne du fleuve, des canaux, des voies ferrées, double trait des autoroutes, serpents des routes, croisements, carrefours, agglutinations de voitures, miroitements des chromes, carrosseries noires, blanches, rouges, vertes, alignements de fourmis, se suivant l'une l'autre, se dépassant, plus vite, toujours plus vite, bifurquer ici, à droite le Languedoc, tout droit Marignane, Marseille, à gauche, les Maures, l'Estérel, sitôt le croisement, c'est encore plus de voitures, comme si le seul fait de tourner les avait fait se multiplier. Le mistral redouble, s'écrase, tape, se faufile, remonte en chandelle vers le ciel, se délie, plane, reprend de la vitesse, plonge de nouveau, à ras de terre on le croit net, direct, invariable, quand en fait il brasse le ciel tout entier. Une colonne de fumée dérive vers la mer, incendie, canadairs, tout s'embrase, il faut cerner, juguler, maîtriser, contenir, organiser, prévoir, attention, jeu du disque mystère sur RMC, non Madame, ce n'était pas « Un petit bout de jupon dépassait », vous avez perdu, à la prochaine fois, on roule, on se tait, on rit, on montre du doigt, on s'extasie, on se fâche, chacun pense à ce qu'il aurait pu être s'il n'avait pas rencontré l'autre, pense au tiers que l'on attend toujours et qui ne vient jamais, injustement parce qu'on l'attend, et puis non, c'est très bien ainsi, je lirai l'horoscope, on ne sait jamais.

Premier août, il n'y a plus de paysage intact que celui du ciel et du vent, atmosphère, le tout début de toute chute, l'orée d'un espace que rien ne sanglera jamais vraiment, que rien ne commande, ni même ne prévoit, voler, surplomber, s'enivrer, feindre un instant d'ignorer qu'en bas tout grouille, s'impatiente, s'énerve, humer l'air du haut, le vent virevolte, se perd en lui-même, fleuve invisible, arbre du vent qui se dresse, s'écartèle, se déploie, Sainte-Baume, basilique de Saint-Maximim, puis de nouveau des monts, des gorges, des forêts, une allumette et tout flamberait, ici aussi, le rocher de Toulon, béton, Hyères, les Salins, Bormes, comme la fin d'un voyage, le tout début d'une histoire qui n'en finira pas de se poser la question de départ, question de confiance, revenir au lieu du texte et du partage, se rapprocher d'elle, elle, et de ceux qui l'entourent et ne s'entourent pas, voici la presqu'île, le Domaine, passer inaperçu, ne pas distraire ceux-là de cette famille de ce qu'ils vivent s'ils doivent le vivre, privilège, chez eux, là, tant et tant de fleurs, toutes ces essences d'arbres, cette maison carrée, patio intérieur, posée comme une pierre verte dans une végétation plus verte encore, exubérante, tout cela a été planté il y a trente ans pour un autre anniversaire de mariage, le vingtième, des gosses descendent vers la plage en criant, un ballon lancé du haut de l'escalier rebondit dans la calanque, c'est leur calanque, pas de danger, les demoiselles ont emporté de quoi nettoyer les taches de cambouis. Surprendre, survol, étreindre, partager, entrer dans, un point de chute comme un autre, plus idéal, non, plus préservé que les autres, oui, et là, écouter, s'interroger, conter, raconter, accompagner et ne surtout pas trancher, s'approcher, et pour cela, venir du ciel, porté par le vent, comme dans un rêve, et comme dans un rêve, préférer le lieu interdit, l'autre maison, plus petite, au-dessus, geôle, prison, avec son mystère, premier août. Cinquante ans, aujourd'hui.

Il manque un chien dans cette famille. Ils sont tous morts. Il manque un chat. Ils sont tous partis vivre leur vie. Il manque une fille. Chacun des fils a porté les cheveux longs jusqu'à l'entrée au lycée. Bernard le chauffeur revient avec les achats pour le dîner, langoustes, gigots. A la guérite, on lui a remis le courrier de l'après-midi. Tant et tant de manques, comme autant de pleins que rien ne pourrait délier. L'écriture de cette famille-là se veut multiforme, multipliée, et sans rature. Elle se veut, c'est tout, tout s'arrête à ce désir premier. Cette famille se biffe comme le vent, d'où elle vient, où elle va, d'où il vient, où il va? Le vent, lui, ne se répète pas. Martin regarde la tache de mercurochrome sur son genou. Il faut attendre que ça sèche. Il regarde Paulin « dis, Pa, raconte-moi une histoire ». Paulin jette les cotons dans une panière. « Ce sont toujours les mêmes. » Martin hausse les épaules « raconte quand même ».

Jeanne s'est éveillée. Tournée vers sa belle-mère, le bras gauche prisonnier sous son corps, main morte, épaule endolorie, elle n'ose pas bouger. Sur le dos, nuque cambrée, les yeux tendus, tenus clos, Adrienne essaie de parler à quelqu'un d'autre qu'à Adrienne.

Ses lèvres bougent un peu, mots esquissés, mort-nés, Jeanne sourit, s'inquiète, s'émeut, puis se ravise, se défend de toute analyse. Jeanne ne saura jamais vraiment. Un geste, un seul la retient, main potelée, vieillie, un peu déformée déjà, ongles limés à ras, veines apparentes, bleuies, marquées, peau fine et blanche, comme transparente, cette main-là de cette femme-là sur son ventre. Le bébé ne bouge pas. Pour un peu, Jeanne souhaiterait qu'il se signale, que la main s'anime, s'étonne et que, sortie du songe et de ses balbutiements, cette femme, miracle, se remette à parler. Mais Jeanne, encore, se défend. Ce désir, comme toute analyse, est excessif. Il n'y a d'excès que dans l'économie. Attendre. Accompagner. Tout des faits, au cœur battant seulement, peut surprendre, élever, proposer en partage, offertoire. Jeanne sourit. Le langage des messes. Paulin et elle n'ont pas voulu s'installer dans la maison, participer à l'envahissement, même pour une nuit, s'agglomérer au reste de la famille. Ils ont préféré le camping Calypso, dans les vignes, cent mètres avant la première des trois guérites qu'il faut franchir pour aboutir au Domaine. Emmanuel et Stéphane se sont moqués « vous êtes encore plus conformistes que nous » « et si nous étions irrémédiablement de la même souche ». Paulin a rétorqué « tout de suite les grands discours ». « C'est pour que tu nous comprennes, petit frère ».

Jeanne ne bouge pas. Tic tac d'un réveille-matin sur la table de chevet, bruit de la mer, écho des cris d'enfants dans la calanque, vrombissement de la DS noire, le chauffeur fait une marche arrière pour s'approcher au plus près de la cuisine, livraison, Fernande parle plus fort que les autres, bruit acharné du vent dans les pins, le robinet du lavabo ferme mal, clip, clop dans la salle de bains, Martine attend au dehors, Jeanne l'a entendue s'approcher de la maison, renoncer, reculer, est-ce elle qui chantonne? Ce soir, Paulin, Martin et Jeanne rentreront au camping. La deux-chevaux et une tente sous laquelle ils peuvent juste s'allonger tous les trois, côte à côte, plaisir de ne devoir leur toit et leur présence qu'à eux-mêmes, fierté qui se veut distance, cette fameuse distance qui se réclame de l'affection. Jeanne ferme les yeux. Elle ne veut plus s'interroger. Elle veut être là, pour le constat, c'est tout. Pour cette main, sur son ventre, main froide, inanimée. Tout doucement, Jeanne dégage son bras droit, remue les doigts, elle ne sent plus sa main. Elle respire doucement. Elle observe les lèvres de cette femme, voisine, qui d'un geste main à plat semble vouloir la retenir. Elle essaie de lire sur les lèvres de cette femme un mot formé, précis, un autre nom, un prénom, qui sait, un signe. Les mouvements de lèvres s'ébauchent et ne s'achèvent pas. Cette femme n'ose plus dire. A-t-elle jamais osé? Et qu'en est-il de l'amour de Jeanne pour Paulin, de l'amour de Paulin pour Jeanne, leur discours, à ce jour, tout entier greffé sur la gestation d'un second enfant, un frère ou une sœur pour Martin, une suite, à suivre. La distraction du moment. Mais quand l'enfant sera né, qu'auront-ils à se dire, puisqu'il faut attendre, attendre pour échanger? Quelles questions pourront-ils encore se poser? Il y a les jours qui tissent et se tissent, puis, si souvent, ensuite, ceux sans trame et sans fibre, Emmanuel et Françoise? Stéphane et Catherine? Laurent et Sylvie? Les enfants nés, le discours se codifie, leur discours s'est pétrifié, Jeanne a peur. Une main sur son ventre. Celle du tout début de toute cette histoire et de cette fête, réunion de ce jour, Gabriel et Adrienne. « Adrienne? » Silence. « Mamie? » Silence. « Pipou? » Abandonner cette femme à son discours. Scruter, tendre l'oreille, qui sait?

23

JE l'entends, ce bruit de bille qui roule sur le parquet. Mais quelle bille? Où? Quand? Je n'entends que le petit bruit sec, une déglutition d'abord, une éjection ensuite, petite chose ronde et dure, rejetée, qui roule, roule. Je me souviens du parfum de cire du parquet, du silence de la salle à manger, c'était donc dans cette pièce, à ce moment-là, le soir, quand je retrouvais la dame en noir, plus silencieuse que jamais. Elle me scrute, elle s'amuse secrètement de me voir grandir, elle me croit punie avec mes cheveux longs, elle sait que j'ai la clef de la bibliothèque, que je lis tout, que je lui échappe, que je suis née en lui échappant et que, Diable merci, une de ses expressions favorites, je vais bientôt me détacher d'elle à tout jamais. Une petite bille roule, roule.

Dans le regard de ma mère, droit, net, planté, dans le regard de cette femme immuablement assise en face de moi, à l'autre extrémité de la table, je lis détermination, affection par omission. Elle voudrait tant se divertir de tout ce que j'imagine avoir été sa vie, une réussite, un temps bien rempli, une alliance, des enfants, de l'argent et cette maison désormais pour régner, faire des patiences, jouer toute seule au whist. Mais comment peut-elle jouer avec elle-même, des journées entières? Je la regarde. Elle me fixe jusqu'à ce que je baisse les yeux pour prendre la cuillère en main et attendre qu'elle fasse de même, rituel, me signaler ainsi quotidiennement que je suis chez elle, qu'elle décide de tout, et qu'elle me nourrit. Rien de furtif, rien de détourné ou d'impulsif chez cette femme, nulle froideur non plus, tout juste, à me le rappeler, une rudesse et une candeur paysannes que quatre générations, et la cinquième, la sienne, de petite bourgeoisie de province n'ont pas oblitérées. Son regard camus m'étonne encore. Il est neuf, déconvenu, tout juste signale-t-il parfois l'acharnement à un gain qui est celui de la terre et de ses produits. Ma mère ne cache pas ses mains par coquetterie mais parce que là, plus encore que dans son regard, la vérité s'étale, noueuse, digitale. Les mains de ma mère laissent toujours des traces de doigts sur les bois précieux, des empreintes sur le vernis du piano, aussi ma mère touche-t-elle peu, ou bien elle se gante. D'elle une remarque. Nous partons pour la cathédrale, baptême de la troisième fille d'Adrien. Elle enfile des gants gris et je l'entends murmurer au hasard sans que cela s'adresse à qui que ce soit de l'aréopage familial « quand on met des gants, tout devient obscène ».

Et il me faut admettre que ma mère fut une femme attachante, en ceci qu'elle s'attache encore, qu'elle est là, qu'elle m'interroge, qu'elle se moque de mes espoirs et de mes attentes. Ne m'a-t-elle pas dit, de retour du cimetière, le jour de l'ultime transport du cercueil de mon père dans le caveau du haut « je t'enterrerai, tu sais. Les parents enterrent toujours leurs enfants, même s'ils meurent avant eux ». Un rien de mécanique, un ton de déjà dit m'indique alors qu'elle tient l'aveu d'un autre, d'une autre, son père, sa mère, qui sait? On ne chante juste que dans les branches de son arbre généalogique. La petite boule crachée, roule, roule sur le parquet.

Le pas pantouflé de la dame en blanc qui va et revient, sert, dessert, ma mère en premier, et moi, en second et dernier, à cette place opposée qui fut celle de mon père, je soulève mon assiette, et dis merci. Ce qui ne se fait pas. On ne doit pas remercier les domestiques. Cela « leur donne de mauvaises habitudes ». Pourtant, chaque soir, je tends à deux mains l'assiette dans laquelle je n'ai rien laissé, ce qui doit, par contre, se faire, j'attends, et invariablement, je remue les lèvres et dis merci, à blanc, silence. Roule, roule, la petite boule, à ce moment-là. Mais d'où vient ce bruit?

Ma mère m'observe, m'interroge du regard, elle est toujours là, pour cet éternel repas du soir, comme fixée à l'autre extrémité de la table. Je ne dois surtout pas regarder ses mains. Elle rompt le pain quand je me penche pour prendre mon verre ou quand je bois une gorgée d'eau. Elle découpe son aile de confit de canard quand je pique de ma fourchette les pommes sautées, une à une. Son regard est de cendre, noir, étriqué, comme le col de sa robe, impeccablement boutonné. Rien ne l'étranglera jamais vraiment. Suspendue au gibet de ses tenues de deuil, elle gigote et claudique encore. J'aime cette femme, seule et unique manière de lui dire de partir. Et elle, de toujours revenir. Chaque soir, le petit bruit. La petite bille.

Ses yeux dans mes yeux. Le regard de cette femme me dit de me méfier de tout. Sans doute a-t-elle peur pour moi quand elle n'ose plus avoir peur de ce qu'elle a vécu. Je crois à une rencontre, elle n'y croit plus. Elle relève un peu le menton. Le col de la robe la gêne? Non, elle défie, elle me sourit et pas un mot pour expliquer ce sourire. Ma mère en fait ne parle que quand il y a au moins deux autres personnes pour écouter et ne s'adresse ni à l'une ni à l'autre. Ses propos ne sont jamais dirigés. Elle jette, distribue au hasard. C'est son côté abanique et petit nègre. Mais face à moi, bout de table, tout s'arrête au coup de menton, au sourire ou au regard. Elle enterre. Et roule, roule la bille. Quelle bille? Greta!

Je la revois, elle vient vers moi, c'est une chatte grise au poil angora. Quelques jours après la mort des beaucerons, elle fait son apparition dans le hangar, contre les ruines de la chapelle, derrière la pergola. Au tout début, jamais elle ne s'approche de la maison. Bûches empilées en croix, du haut du tas de bois, elle m'observe, de loin, quand je vais faire un tour dans le jardin. Puis il m'arrive de lui apporter à manger. Chez nous, il n'y a jamais de restes. Aussi, en revenant du collège, je m'arrête chez le boucher, et j'achète des morceaux de mou. C'est d'elle le petit bruit, d'elle, la petite bille. Je l'avais oublié.

Deux étés et trois hivers sans Gabriel, le voir de loin, ou bien au hasard, nous serrer la main, mais c'est tout. Et cette correspondance qui s'accumule dans ma tête, petits paquets de lettres, rubans, faveurs, tant et tant d'aveux imaginaires. Deux étés et trois hivers, pendant lesquels je pille la bibliothèque municipale de tous les ouvrages d'architecture. Henriette me surprend, des livres sous le bras, elle me moque « mon frère ne sait même pas qui tu es. Et puis, il est à Rome. A la Villa Médicis. Il m'écrit qu'il connaît des dames, des vraies ». Le petit rire d'Henriette. La nuit, bougie sur bougie, je m'informe, Paestum, Chartres, les cabanes d'Amérique, les igloos, les villages berbères. La nuit aussi, je sors. Greta m'attend sur le tas de bois. Je lui parle de Gabriel. Je prétends qu'il vient de m'écrire. Il m'a dit cela, il m'a redit ceci. Greta écoute. J'ai choisi de l'appeler ainsi pour ses yeux, si bien dessinés et je m'amuse à penser qu'elle est là, fatale, pour me jeter un sort ou bien encore, m'instruire.

Très vite, Greta s'habitue à moi, toujours plus proche au rendez-vous, elle choisit finalement le rebord de la fenêtre de ma chambre et m'y attend. Ce qui fâche la dame en blanc « elle va faire des saletés » et ce qui convient raisonnablement à la dame en noir « elle mangera les souris ». Je sais que Greta a des amants. Je lui tâte le ventre. Elle attend encore des petits. En temps voulu, elle disparaîtra quelques jours, puis elle reviendra toute fine, toute maigre, prête à tout de nouveau. Elle me cache toujours ses chatons. Sous les bûches? Dans un buisson? Dans la ruine de la chapelle? Combien de fois ai-je pu les chercher. Greta, alors, m'accompagne, mais ne me devance pas. Elle veut que je ne trouve pas. Et quand, renonçant, je me tourne vers elle, elle se frotte à moi en ronronnant.

Les miaulements de Greta, certaines nuits, l'appel, son cri. Je pense à Gabriel. Merci. Puis le déchirement des bagarres, les roucoulements rauques de derrière les murs du jardin. Greta fait toujours « cela » ailleurs. Parfois, elle me revient ébouriffée le poil mouillé de morsures. Elle n'en finit pas de se lécher pour se refaire une beauté. Puis son ventre, de jour en jour, se met à ballonner. C'est sa vie. Je sais que de nouveau elle attend des petits car elle se remet à boire du lait. Tout cela, Gabriel ne l'a jamais su. Je le lui ai pourtant si souvent décrit, écrit, en pensée. Stendhal « Promenades dans Rome », je me promène avec Gabriel. Je me laisse apprivoiser, je suis sa Greta. Et la nuit, je m'endors sur le lit, tenant le ventre de cette chatte à deux mains. Dans un coin de la chambre, un panier, des coussins, je supplie Greta de me permettre de l'aider ce jour-là, de m'autoriser à voir ça. Le jour vient. Fenêtre fermée. Greta, prisonnière, doit mettre bas, devant moi. A genoux près du panier, je regarde ma chatte, amie, confidente. Elle fait le travail, elle pousse, elle se cambre, elle essaie de miauler, comme une plainte, et toute seule, le regard opaque, engourdie, elle met au monde cinq petits, qu'elle nettoie, indifféremment et qui trouvent instinctivement les tétons et le lait. Je m'émerveille. Je m'endors, par terre, près de cette petite famille. Au lever du jour, le froid me secoue. Je suis courbatue, je me frotte les yeux. Greta dort seule dans le panier. Ses petits? Elle les a tous mangés. Aucune trace.

Ce jour-là, j'ai envie d'aller pleurer dans les bras de ma mère, je veux lui dire qu'elle a raison de ne pas m'aimer comme on aime quand on fait semblant. J'aurais pu lui dire merci, la couvrir de baisers, lui demander pardon pour la hanche et lui promettre d'écouter tous ses conseils si enfin elle acceptait de les formuler. Je me revois, derrière la porte du salon. Je vais frapper, interrompre la partie de whist. Non, je me ravise. Je rentre dans la chambre. Je caresse Greta comme si de rien n'était. Je serai qui je suis, coûte que coûte.

Deux étés et trois hivers. Je suis reçue au bac, mention assez bien. Henriette, collée, redouble. Je boude Gabriel et ne lui écris plus en pensée. Je me dis qu'ainsi il me reviendra l'été prochain, pour me parler et m'aimer enfin. J'ai dix-sept ans. La classe de philosophie m'ennuie. J'écris des poèmes que je n'aime pas. Toujours le même poème. Une image me hante, Greta dévorant ses enfants. Adoptée par la maison, on lui ouvre désormais la porte du grenier. Elle passe ses nuits à guetter les souris. Mais je la connais trop, maligne, il ne lui faut qu'une victime par nuit. La journée, elle digère. Le soir, elle traque. Jamais une trace, comme pour les chatons. Je l'ai souvent vérifié. Même pas un petit bout de queue ou un poil de souris. Greta mange sa victime quotidienne tout entière. Puis elle s'installe dans ma chambre, le panier, la sieste, et le soir, à l'heure du dîner, l'odeur de la soupe l'attire, elle nous rejoint dans la salle à manger, s'assoit à distance, sur le parquet, se lèche les pattes consciencieusement. Ma mère arrive, prend place. Greta se met alors à suffoquer, déglutir et cracher une toute petite bille dure qui roule, roule sur le parquet ciré. C'est le reste de la souris, rejet non digestible, parfaitement rond et poli. Ma mère fait semblant de ne pas entendre le bruit. Avec une pelle et un petit balai, la dame en blanc ramasse la bille. Pour ma mère, c'est une souris de moins et Greta, un domestique en plus.

Greta qui dévore et qui crache. Greta qui attend encore des petits. Je lui pétris le ventre. C'est pour bientôt, de nouveau. Je ne veux plus de ce festin dans ma chambre. Je pose Greta sur le rebord de la fenêtre et je lui dis « adieu, va-t'en ». Elle ronronne. Je la pousse. Je referme la fenêtre violemment. Deux étés et trois hivers, bientôt un printemps. Je glisse le long du mur en sanglotant. Je ne dévorerai pas mes enfants. Petite bille qui roule, roule. Je répète « va-t'en », si doucement, tendrement « va-t'en ». Je n'enterrerai pas mes enfants.

24

« VA-T'EN... » Elle ouvre les yeux. Jeanne, éveillée en sursaut, la regarde, surprise, se met à genoux sur le lit, contre elle. Elle répète « va-t'en » main à plat sur le ventre de Jeanne. Jeanne et elle ne se sont jamais tutoyées. Puis les mots s'estompent, s'assourdissent, ne sont plus prononcés, seules les lèvres bougent. Elle a peur. Sa main glisse sur le ventre de Jeanne, inerte, de nouveau abandonnée. Elle regarde, effarée, cette étrangère, presque nue, difforme, qui se penche vers elle, lui caresse le front en répétant des mots en « ie » « Mamie » et en « oute » « Je vous écoute ». Alors, elle toussote. Jeanne la redresse un peu. Elle s'étouffe. Jeanne appelle Martine. Elle respire de plus en plus fort, elle geint. Martine surgit, aide Jeanne « ce n'est rien, il faut la mettre debout ». Jeanne et Martine la font glisser sur le lit, posent ses pieds à terre, la soulèvent par les épaules, le drap de bain tombe à terre. Nudité. Son visage tombe de l'avant. Elle suffoque. « Elle a souvent mal au cœur? » Martine fait signe que non. Puis la salle de bains, la tenir droite devant le lavabo, faire couler l'eau. Elle ne tient plus sur ses jambes. « Madame! Madame! ». Martine d'une main la soutient et de l'autre lui pince les joues, entre le pouce et l'index, comme une grimace « regardez-moi, regardez-moi ». Dans le miroir, elle se regarde. Deux femmes l'encadrent. Elle se calme. Elle tousse encore deux fois, violemment, puis elle toussote et très vite, reprend sa respiration. Martine lui fait boire un verre d'eau. Petit à petit, elle se soutient, tient sur ses jambes. Jeanne lâche le coude de sa belle-mère, s'essuie le front, s'assoit sur le rebord de la baignoire, baisse les yeux, joint les mains, croise les doigts. Martine murmure « vous savez, Madame pense à des tas de choses ». Jeanne la regarde. Martine précise « elle se dit des tas de choses, mais tout bas, tout bas ». Martine l'assoit sur un tabouret, le dos calé contre la porte, va dans la chambre, ramasse le drap de bain, le plie et revient. Jeanne l'interroge du regard. Martine répond « je suis même sûre qu'un sourd pourrait lire les mots sur ses lèvres ». Silence. « Seulement voilà, nous ne sommes pas sourds. » Martine sourit. Jeanne esquisse un sourire de réponse, gentiment. La voix de Martine devient plus claire, presque joyeuse « j'ai l'habitude. Je la connais bien, il ne faut surtout pas l'interroger. Rien n'y fait. Moi aussi, vous savez, il y a cinq mois, quand j'ai pris ce service, j'ai cru au miracle. Mais c'est comme ça. Tout ce qui se passe dans sa tête, ça la secoue, et c'est sa tranquillité. Tenez. Aidez-moi à l'habiller. C'est ce que vous pouvez faire de mieux. Vous venez avec nous chez le coiffeur? ». Martine regarde sa montre « encore trop tôt. Nous allons l'asseoir sur la terrasse. Ça lui fera du bien ». Martine regarde Jeanne, qui ne bouge pas, décroise les doigts, mains à plat l'une contre l'autre, autre geste instinctif, incantatoire. Jeanne fait une moue comme si elle se moquait d'elle-même. La voix de Martine, habituée, enjouée « votre belle-mère n'est pas un cas unique. Je dirais même que ça se répand. J'en ai soigné plusieurs comme elle, hommes, femmes. Seulement, ils avaient tous vingt, vingt-cinq ans de plus et Madame n'a que soixante-sept... » Jeanne se lève, aide Martine. La culotte, la gaine, les savates, une autre robe, unie, que Jeanne boutonne de bas en haut. Au dernier bouton, celui du col, Jeanne croise le regard de sa belle-mère. Un regard qui dit encore non. Jeanne laisse le col entrouvert.

Elle ferme les yeux, lentement, puis regarde de droite, de gauche, elle sait qu'on va la sortir. L'air, la lumière, le vent, le fauteuil et sa tubulure, le chapeau, attendre. Martine la prend par le bras et la guide. Jeanne suit les deux femmes. Martine se retourne vers Jeanne, dans le couloir, tout en marchant « ce que je trouve formidable chez elle, c'est qu'elle résiste ». Silence. La terrasse. Asseoir Madame. Jeanne tend le chapeau. Jeanne se souvient de la lettre envoyée à Paulin, comme à ses frères, par Gabriel pour inviter, réunir tout le monde proche de la famille pour la fête de ce jour et qui se terminait par « pas de cadeaux, pas de fleurs, votre affection suffit ». Jeanne se rappelle aussi un sujet d'examen, une citation de Balzac « la vie est la force qui résiste à la mort ». Jeanne voudrait tant ne plus se référer. Martine pose le chapeau sur la tête de Madame. Et elle est là, assise, calmée, les mains croisées sur son ventre, elle joue avec les boutons de sa robe. Jeanne se mordille les lèvres. Martine lui fait signe que ce n'est pas la peine de rester. Jeanne recule, Martine l'accompagne, rentre dans la petite maison « je vais ranger. Nous nous retrouverons en bas? » Jeanne fait signe que oui et murmure « merci ». « C'est mon travail vous savez. » Jeanne voudrait embrasser Martine, mais Martine s'est retournée.

Les cris des enfants, dans la calanque, sur leur plage. En bas de l'escalier, Paulin « je te cherchais ». Jeanne se laisse embrasser. Paulin lui pince gentiment les joues. Jeanne voudrait dire « non, pas ça » mais ce serait tout dévoiler, avoir à raconter, expliquer. Elle craint ce geste, répétition, grimace, elle l'évite puis se penche vers Paulin, le serre dans ses bras, début de sanglot qu'elle masque en éclat de rire. Entre Jeanne et Paulin, le ventre et l'enfant. Jeanne murmure « que serons-nous, nous? » Paulin, pitre, l'imite « nounou? » Jeanne se serre au plus près, s'incruste. Paulin murmure « nous ferons tout, je te le promets, tout, pour ne pas en arriver là ». Jeanne l'écoute, petite larme de joie au coin de l'œil que Paulin essuie comme une douceur. Les dernières marches, bonjour à Bernard, un petit signe à Fernande qui fait semblant de s'affairer et de ne rien voir. Elle traite toujours Paulin en petit dernier. Jeanne murmure « c'est le mistral? » Paulin la prend par la main « Martin est avec les autres, qui sait encore ce qui va se passer ». Jeanne essaie d'arrêter Paulin « où m'emmènes-tu? » « Là où tu me suivras... » Ils rient, deux enfants, Paulin trente-huit ans, et Jeanne trente-six. En passant sur la terrasse, regard furtif vers la porte du bureau du père. Il faut filer en cachette, les massifs, les buissons, les fleurs, les arbres « autant en profiter » « Et les autres? » « Ils sont allés faire un tour en bateau » « Je n'ai qu'une demi-heure tu sais » « Je sais ». « Et exceptionnellement, je vais en profiter pour me faire coiffer » « Tant mieux, tu leur ressembleras. On s'amusera. »

Le bout du jardin, en promontoire, une haie grillagée, des lauriers, toute une végétation ramassée sur elle-même, bouffée de chaleur et de senteurs sèches, terre, aiguilles de pin, écorces « je venais souvent ici ». Paulin lâche la main de Jeanne, caresse les feuillages, petit rire, il se moque de lui-même « je me réfugiais! » Deux coups de pied en l'air, amusés, pour retirer ses sandales. Il se met à genoux, puis s'assoit en tailleur, face à la mer. Jeanne prend place près de lui, comme lui, elle l'imite. Il pose les deux mains sur ses genoux, elle pose les deux mains sur ses genoux. Il relève le menton, elle relève le menton. Il ferme les yeux, hume l'air, elle ferme les yeux, hume, éclate de rire, puis sans broncher, l'imitant toujours, sérieuse, ou bien grave, elle ne sait plus elle-même, murmure « on a bien fait de s'installer au Calypso, ici, c'est trop beau ». Elle regarde la mer, puis visage renversé, elle cligne des yeux, mains à plat dans les aiguilles de pin, corps rejeté en arrière, elle tend les jambes, soupire. Paulin se penche, plaque l'oreille sur le ventre de Jeanne, il écoute, parle « salut, toi! Oh, tu m'entends? » D'une main, Jeanne caresse les cheveux de Paulin, elle dit, sans même se commander, un aveu sans doute, la vue, l'heure et le lieu « je suis heureuse ». Paulin veut se redresser, Jeanne l'en empêche « ... parfois... parfois... » Elle rit, hésite, couvre de sa main libre les yeux de Paulin, tout allongée, cambrée, prenant appui sur l'autre main, tremblant un peu du bras « non, ne dis rien. Tu pourras parler seulement quand j'aurai l'impression d'avoir dit très exactement ce que j'ai besoin de te dire là, maintenant, à cause d'elle, ta mère, ta maman, et à cause de nous, aussi, parce que j'ai peur de ce grillage par exemple, cette limite de propriété, facile, c'est facile, je vais essayer de trouver mieux. J'ai peur, tu sais, quand je me réveille, la nuit, je t'observe, sur le ventre, tu écrases le matelas, la tête la première dans l'oreiller, j'ai l'impression que tu veux t'étouffer. J'ai peur de moi, aussi, quand je pense que Martin est mieux que les autres enfants, ou peur de moi quand je me surprends à te jalouser lorsque tu tardes à rentrer, ou encore, et encore, peur de moi quand je me dis que nous nous sommes mariés trop tard, calculs ridicules, Martin aura vingt ans, nous en aurons cinquante, tu auras des cheveux gris, tu en as déjà... » Jeanne en arrache un. Paulin se redresse, saisit la main de Jeanne, un jeu. « Non, Paulin, ne dis rien, j'ai peur de ton regard, là, maintenant, car je n'ai pas encore dit ce que j'avais à te dire. J'ai peur aussi, parce que nous ne sommes pas venus ici, aujourd'hui, par obligation, ni même par curiosité, mais pour elle, parce que tu penses souvent, tout le temps, à elle. Tous tes silences, je les écoute. Et je me demande, exactement comme tu te le demandes, si on atteint jamais la conscience de quelqu'un. Elle parle, tu sais, mais on ne l'entend pas, on ne l'écoute plus. Sans doute parce qu'on ne l'a jamais écoutée. Son histoire pourrait être la nôtre. La tienne, la mienne, notre risque... » Silence.

Jeanne sourit, embrasse la main de Paulin, dégage sa main, souffle sur le cheveu gris, plie ses jambes, baisse la tête et se recroqueville sur elle-même « nous nous écoutons peu, Paulin, parce que nous ne nous écouterons jamais assez. Les gens disent normalement de nous, oh ces deux-là s'entendent bien. Je voudrais tant qu'ils pensent de nous que nous nous écoutons bien ». Jeanne relève la tête, envoie une bise du bout des doigts à Paulin « voilà ». Silence. Paulin fait semblant d'attraper la bise et de l'avaler. Glupp. Jeanne rit. Paulin se lève. Jeanne s'inquiète « tu vois Martin? » « Oui ». « Il se baigne? » « Non, il joue. »

25

L'OMBRE d'une famille, ombre portée, grandissante, ombre se déployant comme une grande voile sombre. Ce tissu, cette fibre-là, grands-parents, parents, fils, belles-filles, petits-enfants, domestiques, chauffeur, infirmière, silence et multiplication des familles dites grandes quand elles ne veulent pas admettre qu'elles sont ce qu'elles sont, ancrées, possessives, le cœur sur la main et des griffes pour serrer le poing, se défendre. Le cœur bat encore pour certains. Les enfants apparemment ignorent tout de leurs parents, et les parents de leurs parents. C'est à se demander quand, comment, et pourquoi l'arbre, ainsi, a pris racine. Il y a aussi les demoiselles pour enfants, au pair, pour l'été. Josyane, dix-neuf ans, responsable exclusivement des cinq enfants d'Emmanuel et de Françoise. Josyane a l'habitude. Elle est l'aînée de dix, c'est pour ça que Françoise l'a choisie. Elle vient d'être reçue à son baccalauréat. Ce sont ses premières vacances. Rien ne l'émerveille. Elle ne sait pas nager. Josyane avait rêvé une autre mer, un autre été. Elle n'a pas beaucoup à surveiller. Les enfants d'Emmanuel sont les plus calmes. On leur dit baignez-vous, ils se baignent. Sortez de l'eau, ils sont déjà sortis, assis, une serviette sur les épaules. Et puis il y a Colette, vingt-deux ans. Stéphane et Laurent, Catherine et Sylvie ont décidé de se la partager. Les jumeaux et les trois filles de Catherine, les deux aînés et les deux cadettes de Sylvie, neuf en tout, les plus turbulents. Ils n'écoutent personne. Colette a compris qu'il valait mieux les regarder, pour commander, que dire, parler, crier. Josyane lit un livre sur les Borgia. Colette surveille. Elle est la dernière, elle, par contre, de sa famille. Sylvie a précisé à Françoise, « une bonne famille ». Les jumeaux l'ont entendu. Les enfants écoutent aussi, lieu commun, évidence. Résultat, les jumeaux sont fiers de leur demoiselle. Colette n'a pas eu le droit d'emporter son transistor.

Martin, lui, exhibe son genou. La tache de mercurochrome, la petite blessure, et du coup, l'interdiction de se baigner. Si les autres l'éclaboussent, il revendique. Il mime un boxeur, coups de poing, un lutteur, croche-pied. Il provoque ses cousins « vous verrez en sortant de l'eau! » Les cadettes de Sylvie, bouée autour de la taille, clapotent en le montrant du doigt, elles chantonnent « il est puni-i, il est puni-i ». Martin donne des coups de pied dans le sable « les filles, toutes des connes! » Josyane interrompt sa lecture, baisse ses lunettes de soleil « il ne faut pas parler comme ça ». Martin hausse les épaules « t'es pas ma demoiselle, tais-toi ». Colette sourit. Martin se met à genoux, plonge dans le sable, à deux mains « pas besoin de demoiselle, moi! » Il rit. Colette rit. Martin va s'asseoir près d'elle « tu t'appelles comment? » Colette dit son nom. Martin regarde Josyane qui a repris sa lecture « et elle? » Colette répond « Josyane ». Josyane ferme son livre, se lève, quelques pas, diversion. Les pieds dans l'eau, elle hésite, il y a du cambouis, faire attention, un, deux, trois, quatre, cinq, les Emmanuel sont là, elle crie « n'allez pas trop loin ». Ils ne sont pas trop loin. Les jumeaux, par contre, ont pris d'assaut le matelas pneumatique, couchés dessus, à plat, de travers, ils essaient d'aller jusqu'au rocher qui affleure au milieu de la calanque. Josyane voudrait leur dire de revenir. Colette les laisse faire. Martin regarde Colette « t'es sympa, toi ». Il regarde Josyane « et t'es plus belle qu'elle ». Silence. Martin, à quatre pattes, comme un jeu, en cachette, au vu de Colette, rampe vers la serviette de Josyane et, en trois coups de main, recouvre de sable le livre sur les Borgia. Josyane se retourne. Martin regarde le ciel, fait l'innocent. Colette pouffe de rire. Puis, le bruit des vagues. Un après-midi comme un autre. Demain, Colette se retrouvera seule avec les enfants des Stéphane et des Laurent, première quinzaine d'août. La maison est trop petite pour tout ce monde. Demain, les Emmanuel, avec leur Josyane, repartiront pour ne revenir qu'à la seconde quinzaine d'août. Chacun son tour. Les trois Paulin, eux, iront à la montagne. Colette se demande si un jour, tout de même, Stéphane, Laurent, Catherine ou Sylvie lui proposeront de la remplacer et l'emmèneront en bateau. Les Emmanuel, les Stéphane, les Laurent, les Paulin, Colette voudrait comprendre le langage de cette famille-là. Le grand-père, hier, en les accueillant, disait à propos de sa maison « un architecte ne voit jamais assez grand ». Et cette grand-mère qu'on ne voit jamais? Et la fête de ce soir? Les jumeaux reviennent vers la plage. Pour rester sur le matelas, tous les coups sont bons. Pour essayer de les déloger, tous les cris sont inutiles. Ce soir, Josyane et Colette dormiront une seconde fois, « mais c'est très confortable » a dit Fernande, dans la salle de bains des enfants, sur des lits de camp. Josyane et Colette ne se parlent pas, à quoi bon, quarante-huit heures. On leur a seulement demandé d'apporter leur plus jolie robe, pour la fête. Martin retire son maillot et le jette en l'air « il est trop petit, il me serre ». Josyane lui demande de le remettre à cause de ses cousines. Martin tourne le dos, et s'en va. Cul nu. Fond de calanque. A l'ombre. Il n'a pas vu ses parents, au-dessus, tout en haut. Jeanne tend la main vers Paulin « viens... ».

Fernande jette les langoustes vivantes dans l'eau bouillante. Le vent dans le patio renverse une chaise. Bernard, le chauffeur, vérifie l'heure, pour le coiffeur. Gabriel vient de se salir les doigts en remplissant son stylo. Martine suspend à un des portemanteaux du couloir, la robe noire que Madame portera ce soir. Sur le bateau, Françoise fait semblant de ne pas remarquer qu'Emmanuel l'observe. Catherine, assise en proue, bien droite, creux des reins, tourne le dos à Stéphane. Sylvie s'est endormie dans la cabine. Laurent explique qu'elle a attrapé un coup de soleil. Pour rire, comme s'il commençait une longue phrase, il dit très fort « tout de même, papa... » Protestations « ah non... » « pas maintenant... » « ça suffit! » Catherine se retourne, contre-jour, contre soleil. Les autres, en la regardant, clignent des yeux. Elle dit lentement, à la cantonade « c'est simple comme chou, on n'en finit jamais de mettre au monde ses parents ». Silence. Emmanuel fait un signe négatif de la tête « tu dis des choses comme ça, maintenant? C'est digne de Paulin, pas de toi ». Des voix, au hasard « laissez Paulin tranquille » « arrêtez, sinon mon bronzage va virer ». Laurent vérifie si le bateau est bien ancré. Sylvie sort de la cabine en s'étirant « le vent j'aime ça. Vous parliez de Père? » Consternation. Silence.

Sur la plage, sortie de l'eau, distribution de billes de chocolat et de petits pains au lait. « J'ai soif. » De l'eau dans des gobelets de carton. Les jumeaux claquent des dents. Ils se sont baignés trop longtemps. Colette leur frotte le dos, les mouche avec un Kleenex. Josyane leur dit « voilà ce que c'est que de faire les fous ». Colette ne relève pas. Les jumeaux ont fait semblant de ne pas entendre. Les enfants d'Emmanuel ont écouté, par contre, comme une leçon. Sitôt secs, les jumeaux reprennent possession du matelas, sur le sable. Josyane revient à l'attaque « attendez au moins qu'il soit sec ». Les jumeaux haussent les épaules. Ils ont les lèvres barbouillées de chocolat. Ils mâchent leur pain au lait en ouvrant ostensiblement la bouche, beaucoup de bruit. Les Laurent et les Stéphane rient. Pas les Emmanuel. Josyane renonce. L'aîné des Emmanuel murmure « et Martin? »

Martin, nu, creuse un trou, dans le sable, au fond de la calanque. L'aîné des Emmanuel s'approche de lui, maillot à la main « Josyane a dit que tu pouvais revenir uniquement si tu remettais ton maillot ». Martin ne répond pas. Il creuse. « Qu'est-ce que tu fais? » « Un trou, je m'amuse » « Et tu veux pas? » Martin, un bout de carton à la main, fait voler le sable. « Ce sera ma maison... »

L'aîné des Emmanuel revient, penaud, le maillot à la main. Silence. Aucune explication. Josyane décide de se taire, une fois de plus. Colette prend une bille de chocolat, un petit pain, un gobelet d'eau, se lève, se dirige vers le fond de la calanque. Les jumeaux s'échangent un coup de coude et la suivent. Ils font quelques pas, se retournent, et menacent « le matelas... » dit l'un, « c'est à nous... » dit l'autre. Ils se mettent à courir et rattrapent Colette. « Il est fou, Martin... » « Comme oncle Paulin. Papa l'a dit » « Non c'est maman » « Ils l'ont dit ensemble ». Dans son trou, Martin disparaît déjà jusqu'à la taille. Colette s'agenouille et lui tend son goûter. « J'ai pas faim. Je veux faire un grand trou. » Un jumeau « tu pourras pas ». L'autre « t'es pas assez grand ». Colette pose le goûter sur un rocher et revient au bord de la plage, sans rien dire. Les jumeaux restent là. Ils finissent leur pain et leur bille de chocolat. Ils boivent le gobelet d'eau destiné à Martin, provocation, échangent un regard complice, ramassent d'autres bouts de carton, et à quelques mètres de Martin, se mettent à creuser leur trou « tu verras... » dit l'un, « on est les plus forts » clame l'autre. Martin s'arrête, se tourne vers eux, leur tire la langue, fait pipi dans leur direction, et se remet au travail. Sa maison.

Et elle, elle, là-haut, son discours, un berceau, des barreaux, un parc, une laisse, un kiosque, un pousse-pousse, un cercueil qui flotte, le petit marteau du barrage de cristal, Lucien ou Gabriel, la canne blanche de Madame Certain, les lettres imaginaires, correspondance amoureuse, l'humiliation d'Henriette qui redouble, Kant, Pascal, chasser Greta, la petite bille roule, roule, un printemps, va-t'en, retrouver l'image, le texte et la trame, où, quand, comment, confusément, et ce vent, cinglant, le soleil perce à l'horizon, les îles au contour si net, un oiseau que le vent emporte, Martine se penche vers elle « ça va être l'heure, Madame ».

Emmanuel, Stéphane et Laurent ont plongé, ils nagent autour du bateau. Françoise change de maillot. Catherine regarde Sylvie « et en avant pour quinze jours! » Françoise sourit « et moi quand je viens, seule? Au moins, vous deux... » Sylvie se penche et s'asperge d'eau « sinon, ce soir, je vais ressembler à une écrevisse » puis, sérieuse « pourquoi toutes ces concessions à Père, après tout? » Catherine s'allonge, met ses lunettes de soleil, de nouveau docte, ironique, « nos familles ou la leur, nous sommes tous nés d'une concession ». Sylvie soupire « quinze jours! » sans cynisme « des économies d'hôtel! »

Les jumeaux travaillent avec ardeur, dos à dos, le sable vole, le trou se creuse, ils disparaissent petit à petit. Quand ils se penchent, on ne les voit déjà plus. C'est à qui gagnera, ira au plus profond. Martin ralentit. Il n'en peut plus. Sa maison? Ça suffit! C'est tout frais au-dedans, tout mouillé, avec une pelle, il pourrait marquer les angles, dessiner l'intérieur. De temps en temps, il surveille les jumeaux qui s'entraînent « oh! » « ah! » « vas-y ». Au bord de l'eau, Josyane a repris la lecture de son livre après l'avoir cherché, secoué, tapoté, sourire obligé. Colette s'allonge et regarde le cercle des filles, autour du matelas. Les Emmanuel répètent à mi-voix leur compliment pour la fête du soir. Un canot étranger se dirige vers la plage. Un Emmanuel s'approche de Josyane et lui dit « ils n'ont pas le droit ». Josyane réfléchit, hésite, regarde Colette. Colette lui sourit. Josyane demande à l'enfant de se taire. « C'est à cause d'eux, le cambouis, regardez. » Il soulève un pied. Une tache. Josyane cherche dans son sac le flacon d'huile et le coton. Elle frotte, nettoie, murmure « ils ont le droit, laisse-les ». Le canot aborde. Débarque une autre famille, des parents, trois enfants, le parasol, le bac à glace, et un transistor. Colette est contente.

Assis sur le rebord de son trou, Martin observe les jumeaux. Il ne dit rien. Il les regarde. Cela suffit. Ils s'excitent. L'un dit « il a perdu », l'autre « il est pas fort ». Silence. Martin croise les bras. Il a un petit peu froid, fond de calanque, il a transpiré, il éternue, il rit, se lève, fait des mouvements de gymnastique comme « Pa », le matin, entre le sofa et la grande table, dans la salle de séjour, les mêmes gestes. Puis Martin, ragaillardi, amusé par l'acharnement de ses cousins, a faim. Il va chercher son goûter, revient vers son trou, s'assoit jambes ballantes, croque la bille de chocolat, éventre le petit pain au lait, en retire la mie, bombarde ses cousins de boulettes. C'est bon. On joue. On fait des trous. Martin sourit, la bouche pleine. Et ils y croient. Moi, c'était une maison, eux, c'est fou ce qu'ils peuvent dire. « Pousse-toi. » « Mais vas-y, là, tout ça. » « Jette plus loin, ça retombe. » Des minutes, l'ombre portée du rocher, des étrangers sur la plage, les filles ont pris d'assaut le matelas, elles sautent dessus en criant de joie. Les jumeaux? On ne les voit plus. Même quand ils sont debout. Martin pense qu'avec maman, cet été, on n'est plus trois, pas encore quatre, si c'est une petite sœur tant mieux, si c'est un petit frère tant mieux également, ce sera l'autre, c'est ça l'important.

Pain et chocolat, c'est un peu doux et un peu amer à la fois. Martin a soif. Les jumeaux ont bu son eau, et puis après. Maintenant ils crient, au fond de leur trou « ça y est ». Ils chantent, ensemble « on a gagné-é! il a perdu-u! » Ils sautillent, bras tendus. Martin voit leurs mains s'agiter hors de terre, tendues vers lui. Puis un des deux jumeaux veut sortir, il saute, s'agrippe au bord du trou, se rattrape avec un pied, se hisse, ça y est, sous son poids, le bord du trou s'effondre. Un cri sourd, enseveli. Le jumeau qui est sorti hurle « Mademoiselle! » Il recule. Martin crache son chocolat, bondit, se met à gratter la terre. Dégager la tête. Colette et Josyane arrivent en courant, et les enfants, derrière elles. Paulin, du promontoire, a entendu le cri. De buisson en fourré, il rejoint l'escalier, descend les marches quatre à quatre, comme autrefois, les matins, quand il voulait se baigner seul. Chasser ce souvenir. C'est qui, lequel, Martin?

Quand Paulin arrive, un cercle s'est formé autour du trou. Il y a même la famille étrangère. Témoins. Le corps de l'autre jumeau est dégagé jusqu'au buste.

Son frère se tient immobile, à l'écart, hébété. Martin, Colette et Josyane grattent, retirent le sable. Josyane répète « mon Dieu », bêtement. Elle pleure. Paulin se penche, prend l'enfant par les épaules, délicatement, puis brusquement, il le soulève, l'extirpe de terre, lui souffle au visage pour chasser le sable, puis l'allonge par terre, bras en croix et lui fait du bouche à bouche. Le gosse ouvre les yeux. Il geint, cligne des yeux. Colette les lui essuie. Silence, long silence. Puis le gosse se relève. L'aîné des Emmanuel pointe Martin du doigt « c'est lui qui a commencé! » Colette le secoue par le bras « tais-toi! » La famille étrangère retourne à son parasol. Plage maudite. Ils plient bagages. Colette regarde Paulin « je vous assure que... » Paulin essaie de sourire « ce n'est rien. La preuve. Regardez, si je le chatouille, il rit ». Paulin chatouille son neveu. Le jumeau sourit, pleure, rit. L'autre toujours à l'écart tourne le dos à tout le monde. Colette murmure « je veux repartir ». Paulin lui adresse un clin d'œil « mais non, maintenant, vous pouvez rester ».

Ils sont tous revenus vers la plage sauf Martin et l'autre jumeau. Paulin d'en bas, fait signe à Jeanne que ce n'est rien de grave. Elle peut partir. Il mime des bouclettes et Jeanne lui répond par un petit signe amusé. Paulin trempe son neveu dans l'eau. Tout ce sable. Plus de peur que de mal.

Martin regarde son cousin. Il ne bouge toujours pas. « Regarde-moi! » Le jumeau se retourne, bougon, Martin le pointe du doigt « t'aime pas ton frère! »

Paulin appelle son fils « je vais t'acheter un maillot, tu l'as gagné ». Un jumeau à l'ombre, il grelotte de peur, l'autre au soleil, tout mouillé. Ils se regardent, de loin. Martin trottine à côté de son père. L'escalier. « Tu sais, Pa... » « Je sais tout ». Paulin s'arrête, se penche, embrasse son fils sur le front « en fait non, je ne sais rien. Mais c'est idem » « Ça veut dire quoi, idem? » « Tu l'apprendras. »

26

C'EST une maison au bord d'une plage, en surplomb de tout, vertige. Martine prépare Madame. Bernard fait reluire la carrosserie de la voiture noire, peau de chamois, l'habitude des grands soirs, quand Monsieur et Madame sortaient encore. L'habit de Monsieur, les décorations, inspecter le revers, chevalier, officier, puis commandeur de la Légion d'honneur, et ce bouton de plastron, un diamant, un vrai, que Fernande oubliait toujours. Volontairement? C'est Madame « qui prenait ». Bernard sourit. Mieux vaut en sourire, seule parade, chez ces gens. Ils ont du mal à s'aimer, à communiquer, mais qui s'aime, qui communique, comme ils disent? Ils se rejettent pour mieux se jeter dans les bras les uns des autres. Bernard, en attendant, lui aussi, brique. Un coup de peau de chamois pour rien, la voiture, miroir noir, au soleil. On finit par aimer leurs cérémonies. Premier août. Bientôt quatre heures de l'après-midi.

Fernande était jolie, il y a trente ans. Pour Bernard, ce fut une gifle, à l'office, main baladeuse, et hop, un coup en revers, affaire classée. Fernande, à la réflexion, n'était pas si bien que ça. A chacun son célibat. Les chromes rutilent. De la bonne qualité. Une vraie DS présidentielle. Le vieux y croit encore. A force d'accompagner ces gens, on leur tient compagnie. A force de les entendre on finit par les écouter. On sait tout d'eux, et puis rien. Leur malheur, c'est d'être heureux, ou d'avoir tout pour. C'est tout comme. Bernard secoue la peau de chamois. Combien de fois, depuis plus de vingt ans a-t-il pu faire ce geste instinctif? Quand il conduisait les fils à l'école, les aînés montaient à l'arrière, Paulin à l'avant. Ils disaient au petit dernier « on te laisse la place du mort ». Ils riaient. Bernard mettait sa casquette pour signaler, aux feux rouges, aux autres automobilistes que ces enfants n'étaient pas ses enfants, qu'il y avait encore des chauffeurs, pour des enfants, et des enfants pour se tenir droit à l'arrière. Paulin se faisait tout petit petit. Il en faut toujours un pour avoir meilleure conscience. A la place du mort. Ils ne parlent que de ça, la mort. Ils ne pensent qu'à ça. Ils en oublient de vivre. Ils n'en finissent pas d'hériter. Ou plutôt, ils s'incrustent. Comme cette maison, au milieu des pins, on l'oublierait. Et ces arbres, essences rares, on les a rapportés. Ça pousse, quand même.

Bernard range la peau de chamois dans le coffre de la voiture. Il se moque. Fernande a désormais du poil au-dessus des lèvres. Madame Sylvie lui a conseillé de se faire faire un peeling. Bernard ferme le coffre, ajuste sa cravate, ferme les boutons de sa veste. Un peu d'apparat. Comme pour les mariages des aînés, tous très tard, qu'est-ce qu'ils ont hésité, ceux-là, ça se comprend, vu les parents, et des mariages tout de même, à la bonne trentaine, avec réceptions et tout le tralala. Bernard se dit qu'il est le seul à détenir la vérité, mais il ne la dira pas. Ce n'est pas son rôle. Il ouvre les quatre portières de la voiture. Un petit peu d'air, ça fera du bien. Il tâte le cuir des fauteuils. Brûlant. Tant pis pour Madame, Monsieur n'a qu'à faire remettre des canisses neuves sur le parking privé de sa maison. Depuis des années, on ne les remplace plus. La voiture crame lentement, bêtement. Fernande a décrété « ça coûte trop cher », pour faire plaisir à Monsieur. Fernande et ses bas de laine, même en été. Fernande qu'il faut conduire à la messe chaque dimanche matin. C'est la seule à y aller. Elle prie sans doute pour toute la famille. L'attendre au café du coin, à Paris l'hiver, à Bormes l'été, Saint-Honoré d'Eylau et Notre-Dame-des-Mers. Tu parles. Un petit coup de coude sur le dessus de la casquette pour la brosser. Bernard sourit, le sourire qui pare et qui sauve. Martine est pas mal, mais rien à faire. Et cette voiture-là on l'usera jusqu'au châssis. Le bon temps du nouveau modèle chaque année est révolu, fini, foutu. Monsieur désormais vit en roue libre. Bernard voudrait rire, mais il n'a pas le droit. Un chauffeur, ça rit intérieurement. Ça s'émeut aussi, mais au tout dedans.

Casquette, visière, éviter de regarder dans le rétroviseur, et se souvenir, là, aujourd'hui, de ce jour de janvier, il y a sept, non, huit ans, plus de huit ans déjà, grande exposition de blanc aux Galeries Lafayette. Madame, comme chaque année, veut acheter les draps, les serviettes, les torchons, pour les deux maisons. Elle ne va pas très bien, elle perd un peu la mémoire, mais le docteur a dit « il faut lui faire confiance ». Dans la voiture, elle monte devant, elle aussi, comme Paulin. Pourtant, le petit dernier n'est pas son préféré, et Paulin n'imite pas plus sa maman que les trois aînés. Madame, dans le genre gentil, est inimitable. Pas drôle. Boulevard Haussmann, ce jour-là, Madame dit à Bernard, je vous retrouve là, devant le kiosque à journaux, comme d'habitude, à cinq heures. Cinq heures? Oui, cinq heures. La suite? C'est ce jour-là que tout a commencé.

Bernard a d'abord cru à un retard. Six heures, six heures un quart. Il s'inquiète, téléphone au cabinet d'architecture, l'hôtesse, la secrétaire de Monsieur, puis Emmanuel, vaut mieux que ce soit lui, en premier. Au bout du fil, Emmanuel annonce à Laurent « on a perdu Maman ». Touchant, ridicule. Bernard se le rappelle, les mots bien sûr, mais aussi et surtout le ton. Cette manière que les aînés ont de parler, cette diction légèrement empruntée, mais empruntée à qui donc? Après tout Monsieur n'était qu'un provincial. Alors copiée sur qui, quel modèle idéal, immuable? Emmanuel et Laurent alertent Stéphane. Monsieur « n'a pas la force » de participer aux recherches. Il prend exceptionnellement un taxi et rentre directement boulevard Lannes. Un couvert vide. Fernande le sert. Il dîne quand même. Le téléphone ne sonne pas. De sept heures du soir à une heure du matin, Bernard et les trois aînés visiteront tous les coins, recoins, toilettes, cabines d'essayage des Galeries. Combien de fois entendront-ils dire par les hommes ou femmes de ménage « vous cherchez quelque chose? » Réponse « non, nous avons perdu quelqu'un ». Leur mère. Madame.

Bernard s'assoit au volant. Jeanne passe devant la voiture. Elle s'est habillée, robe de coton, froncée à la poitrine, elle a l'air encore plus volumineuse. Elle a relevé ses cheveux en un chignon, elle semble plus fragile. Elle adresse un petit signe à Bernard d'un air de dire nous arrivons. Puis Monsieur apparaît au coin de la terrasse. Il s'approche lentement, tête baissée, mains dans les poches. Bernard ne bouge pas. Fini les garde-à-vous. Monsieur contourne la voiture, se penche et s'accoude à la portière. Le regard secret, qu'a-t-il encore trouvé pour se distraire? Il murmure un « Madame n'a plus de montre n'est-ce pas? ». Bernard répond que ça fait longtemps déjà. Justement le jour où... Monsieur baisse un peu les yeux « vous croyez qu'il y a un bijoutier, à Bormes »? « Je pense, Monsieur » « Vous pourriez faire un aller et retour à Toulon. Le coiffeur, il y en a au moins pour une heure, et là, un bijoutier, c'est sûr. » Monsieur se redresse, tire d'une poche une liasse de billets. Comme une confidence, en tendant l'argent « tenez, vous choisirez la plus belle, pour ce prix, pas une montre-bijou, une montre de femme, solide, avec un verre incassable, on ne sait jamais ». Les mains dans les poches de nouveau, comme s'il allait hausser les épaules, Monsieur regarde en direction de la maison du haut. Bernard répète l'éternel « très bien Monsieur ». Bernard, dans le rétroviseur, surprend Fernande en train de les surprendre. Monsieur repart vers la terrasse. Sans doute Fernande ira-t-elle l'interroger, l'inquiéter en lui disant qu'il aurait dû aussi demander une facture. Dans la voix de Monsieur, il y avait comme un remords, ou bien une sincérité. Mais les émotions de Monsieur ne durent pas longtemps. Et dire, redire, répéter, penser Monsieur, appeler Monsieur, Monsieur c'est se défendre, rester à sa place et à leur service, ne pas s'ingérer. Bernard branche la radio.

Le soir où Madame s'est perdue, après cinq heures de recherches vaines, Emmanuel s'est chargé d'aller faire la déclaration au commissariat du quartier. Stéphane et Laurent sont rentrés chez eux. Une personne en danger, ça arrive tout le temps. Il y en a tant et tant. Bernard s'interdisait de se sentir coupable. Pourtant, il se le rappelle, comme un penchant, il a préféré chercher encore, l'Opéra, les Grands Boulevards, la rue de la Chaussée-d'Antin, la Trinité, Saint-Lazare, puis de nouveau, le kiosque à journaux, attendre, on ne sait jamais, boulevard désert. « Le feu passe dix fois au rouge, et je rentre. » Mais pourquoi rentrer? Boulevard Lannes? Fernande?

Monsieur? Rien à leur expliquer. T'as qu'à rentrer chez toi, comme les fils. Huit, neuf, dix fois, et en avant, moteur, et puis bonsoir. Au feu rouge de la place Saint-Augustin, elle est là. Assise sur un banc, elle attend. Trois heures du matin. Coup de frein, Bernard se penche et ouvre la portière « Madame! » Elle se lève. Elle n'a pas l'air inquiète ou bien étonnée. Elle monte. Bernard claque la portière un peu violemment. Elle ne bronche pas. Elle regarde l'avenue, devant. Elle a seulement les lèvres un peu pincées, comme si elle se les mordait du dedans. « Vous avez froid? » Elle ne répond pas. « Madame? » Bernard lui prend les mains et les lui frotte. « Et vos gants? » plus de gants. « Votre sac? » Plus de sac. Poignets lisses, le bracelet, la montre? Bernard se rend alors compte qu'elle ne porte plus que l'alliance et la bague de fiançailles « on vous a attaquée? » Elle regarde Bernard et dit tout doucement « je crois qu'il faut rentrer ».

Pour le coiffeur, on va être en retard. Bernard donne des coups de poing sur le volant, gentiment, une habitude. Monsieur tardait des heures, parfois, après ses conférences. Radio Monte-Carlo, les informations. Bernard n'écoute pas. Il pense à ce jour-là. Elle s'est fait tout voler, ou bien a-t-elle tout donné. Comment savoir? Pas un coup, pas une violence. Elle était assise, comme tout le monde, sur ce banc. Le lendemain, Monsieur pensait plus à faire opposition aux chèques disparus, qu'à la consoler, ou bien simplement la prendre par la main, la regarder, lui sourire, si peu la spontanéité de cet homme. Il y a huit ans. La voiture aussi a huit ans. A force de lustrer, la peinture va s'user. Madame n'a plus de montre depuis ce jour-là. Ce jour-là, tout a commencé, ou bien encore, tout s'est révélé, découvert, arrêté, quand peut-être, de tout temps de leur intimité, pour Monsieur et Madame, il en avait été de même.

Un bar avenue Wagram. Des éboueurs, avant leur travail, des chauffeurs de taxis, café croissant, nuit de janvier, tôt, si tôt le matin. Bernard a tenu à faire halte, avant de rentrer au boulevard Lannes. Il veut téléphoner à Emmanuel, d'abord et lui demander de prévenir, son père, ses frères, la police, pourquoi pas le monde entier? Il désire aussi que Madame prenne une boisson chaude, sans tarder. Mais enfin, et surtout, de retour de la cabine téléphonique, il souhaite poser des questions, obtenir des réponses, ct qui sait, savoir, faire vite, impression de dernière chance. Savoir enfin d'où elle vient, pourquoi elle a tenu tant et tant de temps à ne jamais se plaindre ni de l'autre, ni surtout de l'un, l'unique, son Gabriel.

Une table en Formica. Madame tremble un peu en portant la tasse de thé à ses lèvres. Bernard se souvient confusément des questions posées, trop nettes, sans doute, pour ravir un aveu. Des questions comme « mais Madame pourquoi ne pas nous avoir demandé de vous aider? » ou bien « nous vous aimons, vous le savez? » Bernard sentait qu'il était trop tard depuis longtemps déjà. Toujours? Ce matin-là de janvier, il a un peu harcelé cette femme. Il a même affirmé « vous auriez dû quitter Monsieur il y a... » geste en suspens. Bernard la revoit, elle ne dit rien. Son regard, clair, les yeux grands ouverts, elle tremble aussi en écrasant la rondelle de citron dans la tasse. Bernard lui verse encore un peu de thé. Tant et tant de questions. Elle parle enfin « oui, Bernard, mais maintenant, c'est trop tard ». Elle regarde de droite, de gauche, comme si elle se sentait épiée, ou bien coupable de confidence. Puis de nouveau, fixement, Bernard, les yeux dans les yeux, sa voix, comme étouffée « ... mes fils n'étaient pas mariés ». Ce n'est pas ce qu'elle veut dire. Ce n'est pas l'explication. Bernard a eu un peu honte. Cette femme, brusquement, ne le quitte plus des yeux. Et le troisième aveu à venir? Un regard fixe, c'est tout, tout un attachement. Bernard paye. Ils rentrent boulevard Lannes. Monsieur attend dans le vestibule. Il gifle Madame un coup, un seul, ponctué par le regard de Fernande. Il repart se coucher. Tant et tant de gifles.

Il y a huit ans. Pour Madame, en quelques mois seulement, les phrases sont devenues bribes, les bribes, mots, les mots simples bruits de gorge, puis plus rien, ou si peu. Un adieu indicible. Les mois sont passés. Les années. Paulin s'est marié. Pas de cérémonie à l'église. Pas de fête à Paris. Tout s'est passé à Châteauroux dans la famille de Jeanne. Madame, ce jour-là, ne parlait plus, mais était encore très curieuse de tout. Puis il y eut les baptêmes, l'enterrement du mari d'Henriette, et bientôt plus rien que l'été, et la Calanque, pour retenir la famille, la réunir un peu, supplier les Paulin. Venez. Venez!

C'est une maison au-dessus de la mer, dans un écrin de verdure. Le ciel pourrait lui appartenir, vertige. Martine aide Madame à descendre l'escalier. Jeanne les devance. Bernard sort de la voiture. C'est ainsi, c'est comme ça. Une fonction comme une autre. Martine et Madame prennent place à l'arrière. Jeanne s'installe à l'avant, bras croisés sous son ventre. Bernard ferme les portières, fait le tour de la voiture et prend place au volant. Il arrête la radio. Moteur. Dans la poche intérieure de sa veste, une liasse de billets, le prix d'un remords, qui sait? Et, elle, elle, à l'arrière, est heureuse. On va la promener.

27

JE regarde le paysage, creux et vallons, haies, mamelons, ces routes d'alentour de notre ville que je connais pour les avoir parcourues en carriole, me voici à les redécouvrir en voiture. C'est Gabriel qui conduit. Il est venu me chercher, à sa manière, impromptue, fidèle à l'image qu'il se donne depuis quelques années déjà. Tout lui est dû. Il est venu. Est-ce possible? L'ai-je donc tant et si bien appelé puisqu'il a entendu? C'est en toute fin d'une matinée, un jour de semaine, avant Pâques. Derrière la porte du salon, je l'entends demander à ma mère la permission de m'emmener, pour la journée, dans leur campagne, fêter l'anniversaire d'Henriette. Ma mère le retient un peu, lui pose des questions sur sa vie, à Rome, sur son métier, plus tard. Elle lui parle même de l'Amérique du Sud, de l'Argentine, d'un architecte français qu'elle a connu à Mendoza et qui a prospéré en construisant des villas. Puis ma mère m'appelle. Je reviens vite dans ma chambre, pieds nus, sur les pointes. Je suis prête. Je n'ai qu'à enfiler mes bottines fourrées, amies, j'ai besoin de leur compagnie, aujourd'hui, même si d'un regard on doit me moquer. J'ai peur, terriblement peur, une peur prévue, éprouvée, qui me calme. Je suis prête, car je n'ai pas à me préparer. Je serai telle quelle. Mes cheveux, je les ai brossés ce matin. Gabriel n'a pas à me voir différemment. Je devine seulement qu'il n'a pas prévenu sa mère, ni même Henriette. Il est sans doute venu me chercher, prétextant une course en ville. Il n'a pas de temps à perdre. Il n'est là que pour quelques jours. Sur les Promenades, on prépare la fête de Quasimodo. Un train-fantôme remplace le pousse-pousse. La dame en blanc frappe à la porte de ma chambre « Madame vous appelle ». Dans le salon, quand je le vois, je ne baisse pas les yeux. Je ne rougis pas. Je souris simplement, comme il m'arrivait de sourire en pensant à lui et à tous les voyages que je ferais avec lui si. Si? Il sourit, lui aussi. Il serre la main de ma mère en se cassant en deux comme un automate. Ma mère lui cogne le front en levant la main. Elle croyait à un baisemain. Adrien racontera le fait à toute la famille. Les familles de province s'adorent ennemies. Chaque famille est une province.

La voiture est décapotable. Nous traversons d'abord la ville. Les passants s'arrêtent sur notre passage. On nous reconnaît. On nous adresse des petits signes, début de liesse. Ce jugement-là, ces signes-là nous ont mariés. Il nous a suffi de nous arrêter à trois carrefours, au vu de tous, de passer devant le Café de Mille Colonnes, devant la boutique de mode Au gaspillage et devant la cathédrale Saint-Pierre pour que tout le monde nous unisse. Gabriel et moi n'avions pas encore échangé deux mots que l'empressement de ma mère et le virtuel désagrément de Madame-mère, sa mère, n'avaient plus aucune raison de contrarier. Nous étions ensemble, dans la même voiture, pour la vie.

Le paysage? J'en ai oublié le contour et la clarté. Je me suis étourdie, ce jour-là, à vivre l'événement, quasiment le rapt, en termes de quotidien et d'attendu. Ce ne pouvait pas être autrement. Il n'y avait que lui, pour moi, moi pour lui. Et je me devais de trouver Gabriel admirable. Alors je l'admirais, menton à hauteur normale, regard franc, nulle coquetterie. Je n'avais pas de chapeau. Mes cheveux flottaient au vent. « Vous serez toute décoiffée en arrivant. » C'est la première chose qu'il m'a dite. Son dernier voussoiement.

Puis la campagne, cette maison blanche aux volets grenat dont Henriette m'avait si fièrement parlé mais dans laquelle je n'avais jamais été invitée. Mon arrivée? Stupeur de Madame-mère. Henriette disparaît dans sa chambre. J'entends claquer une porte au premier étage. Il y a là une cousine et deux cousins. La table est dressée dans le jardin. Vite, on rajoute un couvert pour moi. Madame-mère regarde son fils avec insistance, elle appelle Henriette, deux, trois fois. Elle trébuche sur des mots en donnant des ordres à la gardienne « Augustine n'ubliez pas... » ou bien « voulez-vous une grenadine... » Gabriel me surveille, à distance, sans sourire. Son regard me demande de bien me tenir. Henriette apparaît. Gabriel la prend par la main et la conduit vers moi « embrassez-vous, je vous en prie ». J'embrasse Henriette sur les deux joues, deux petits bruits, presque grossiers, pour rire. Henriette se laisse faire, regarde sa mère. Anniversaire gâché. J'ai beaucoup d'assurance dans mes bottines fourrées. Et quand Madame-mère me demande si je veux aller me recoiffer avant le déjeuner, je regarde Henriette et sa cousine, elles ont les cheveux courts, la frange rectiligne, des accroche-cœurs à hauteur d'oreilles, je réponds non, gentiment, en esquissant, sans même m'en rendre compte, une révérence, celle-là même que mes sœurs répétaient dans le jardin, devant moi, autrefois. Tout cela, exquis, confus, ravi, pour la plus grande fierté de Gabriel. Il fait soleil.

A table, futilités, esquives, il n'est question que des cerises qui seront en retard cette année, et du courrier qui met tant de temps à parvenir d'Italie. Je me tiens droite, sans trop, juste au degré de perfection. Gabriel et moi évitons de nous regarder. C'est drôle. Attachant. Nous ne nous sommes encore rien dit, ou si peu, le jour de l'accident, il y aura bientôt deux ans et aujourd'hui, à cause du vent décoiffant. Attentive à tous les détails et à mon maintien, je n'en profite pas moins pour faire et refaire en moi-même l'inventaire de tout ce que j'ai pu dire et écrire d'imaginaire à Gabriel. Je jette tout cela au feu du soleil et à l'oubli. Croire à l'oubli. J'ai gagné une partie, rêve de petite fille, les pieds bien bottinés, le souvenir d'un tablier qui crisse, la main de Lucien, un seul grand voyage pour une clameur. Pour ne pas fâcher Henriette, personne ne m'interroge sur mes études de terminale. La cousine et les deux cousins ne disent rien. Il est question, diversion, de mes sœurs, de mon frère et de leurs enfants. « Combien avez-vous de nièces? » Madame-mère s'étonne, car pour répondre, je réfléchis. Je compte. « Et combien de neveux? » Même jeu. Au dessert, un gâteau, dix-huit bougies. Henriette s'y reprend à trois fois pour les souffler. Augustine dit que ça porte bonheur. Puis les cadeaux. Gabriel peut enfin me regarder. Il me fait tant de promesses. J'aime cette maison. Je m'y sens bien. Et puis, nous déjeunons dehors. L'air est vif, encore. Madame Certain, secrètement, me donne la mesure, dirige mes regards, me demande de bien regarder la musique. Je suis là, amenée, exposée, terriblement utile comme un espoir quand il naît. Et j'aurais voulu rester là, longtemps, toujours. Car ce jour-là, à cet instant-là du repas, je me suis sentie heureuse, libérée. Toute une vie pour cet instant-là, seulement. Ce fut peut-être suffisant.

Après le repas, à la demande de Gabriel, je me mets au piano. Dans le petit salon, les portes-fenêtres sont ouvertes. Les fauteuils sont encore recouverts de housses. Toile écrue. Parfum du café. Un plateau d'argent circule avec des friandises. Je joue la septième sonatine de Diabelli, ma préférée. Une des punitions de Madame Certain. Henriette regarde au loin, le jardin. Les cousins m'écoutent, obligés, un peu guindés. La cousine resserre un à un tous les rubans de sa robe charleston. Je joue. Madame-mère écoute et raisonne en même temps le choix de son fils, la surprise du jour. En jouant bien, peut-être, d'une émotion, arriverai-je à la convaincre quand la ville, déjà, a fait son choix. Gabriel, lui, en fait, n'écoute pas. Il n'attend qu'une chose, la promenade, avec moi, jusqu'aux bords de la Verse, les allées, franchir les haies, me perdre avec lui. Je joue, un métronome à la place du cœur. Je n'ai, dans ce salon, croisé qu'un seul regard vrai, celui d'Augustine quand elle a collecté les tasses de café et le plateau de friandises, un regard qui disait « méfie-toi ». Et cela n'a fait que me pousser encore plus avant, tendre erreur de ce jour, paradoxe de cette maison où je me sentais accueillie quand je ne l'étais pas. J'arrête de jouer. Madame-mère dit « merci ». Elle se lève. Elle sort. Pas un mot de plus.

La promenade ne fut pas un bouleversement. Je l'avais déjà imaginée, répétée, vécue. Sans doute, décontenancé et enhardi par mon peu de surprise, invitation au partage, Gabriel s'arrête à l'orée d'un bois, me prend les mains, les embrasse et me serre contre lui en murmurant « Pi-pou ». Je me souviens de son menton, posé sur ma tête, la taille de Gabriel, et moi, plus petite, dans ses bras, à m'émouvoir parce qu'il n'a pas oublié la remarque d'Adrien. Pipou, brusquement, comme la sonatine de Diabelli, devient prédilection. Combien de temps sommes-nous restés ainsi, debout, l'un contre l'autre? Gabriel me serre un peu trop fort. Je recule. Il me caresse les cheveux. Je me remets à marcher. Il me tient par la chevelure. C'est un jeu. Nous avons ri. Et alors seulement, nous avons parlé. Il a parlé.

En revenant de Rome, Gabriel s'est arrêté quelques jours à Venise. Il parle, parle. Rien plus ne l'arrête. Les canaux, les palais, les ponts, les églises, il me décrit tout. Et ce n'est que lorsque je me mets à ponctuer son discours de noms de monuments et de nom de familles qu'il me regarde, surpris. « Tu y es allée. » Je ne réponds pas. « Dis-moi. » Je fais quelques pas, il m'attrape par le bras, me saisit par la nuque et m'embrasse. Merci les livres.

Amandiers et aubépines. Pour ce premier baiser, il sait et je ne sais pas. Seulement, après, je baisse les yeux, je rougis. Je ne m'appartiens plus. De la maison des Promenades à sa campagne, je n'aurai donc vécu libre que quelques heures. La passion n'est qu'un troc, revers d'une aversion. Illusion? Nous marchons, main dans la main, et lui toujours en avance d'un pas. Il a un peu honte. Moi pas. Ou bien a-t-il peur, et moi, trop. J'en suis encore plus calme, sereine, décidée. Sa voix change, plus grave, il parle au-devant de lui, il m'entraîne « alors, nous n'irons jamais à Venise! » Il réfléchit. Il rit, puis de nouveau sérieux « c'est une ville où l'on se rend pour ne plus s'aimer ». Il me tire un peu par le bras « c'est une ville qui sépare ceux qui s'aiment ». Il marche plus vite « d'ailleurs c'est une ville qui n'existe pas! » Il s'arrête, m'embrasse les mains « pardon ». Clin d'œil « c'est vrai, je n'aime pas cette ville. Je t'en parlais parce que je ne savais pas que toi aussi l'avais rêvée ». Il rit « j'y suis resté quatre jours. Il a plu sans discontinuer. Il y a un trou dans le ciel au-dessus de Venise. Et un trou dans notre tête quand nous en parlons. C'est un mirage ». Second baiser. J'apprends.

J'apprends la jalousie. Qui donc a-t-il quitté là-bas? Ce sentiment-là, aussi, je ne l'aurai jamais connu qu'une fois, avec lui, à ce moment-là, ce jour-là. Il m'embrasse le front, les joues, le bout du nez, le menton. Il se penche pour être à ma hauteur. Il prend mes cheveux à pleine main. Il répète « Pipou... » Jalousie oubliée.

Nous regagnons la maison. Venise encore. Il plaisante « ce ne sont pas des canaux. Il pleut tellement, les rues sont recouvertes d'eau, c'est tout. Ce n'est qu'une ville continuellement inondée! » Je ne l'aime pas quand il parle comme ça. Et je l'aime encore plus car je me surprends déjà à ne pas l'aimer. Il répète « Venise n'existe pas. Nous n'irons jamais ». Dernier arrêt. Nous nous cachons derrière un arbre « je tiens trop à toi ». Troisième baiser.

Henriette est dans sa chambre. « Elle ne se sent pas très bien. Tu devrais aller la voir. » Gabriel obéit à sa mère. Les cousins sont repartis. Me voici seule avec l'autre dame en noir. La lumière faiblit, fin d'après-midi. Combien de temps nous sommes-nous promenés? J'ai sur mes lèvres une triple empreinte. Est-ce visible? Sur la terrasse, devant le petit salon, Madame-mère me fait signe de prendre place dans un fauteuil de jardin. Face à face. « Parlons. » Augustine apporte un châle que Madame-mère d'un geste économique, enroule autour de ses épaules. Le regard d'Augustine, encore, et cette fois pour me dire « trop tard ». J'invente peut-être, mais Augustine comprend, c'est sûr. Elle connaît ses gens. Augustine rentre dans la maison. Petit vent frôlant. Je remets mes cheveux, bien en place, sur mes épaules puis, les mains sur les genoux, j'écoute. « Avez-vous écrit à Gabriel depuis deux ans? » « Mais non, Madame... » « Alors, il vous a écrit? » « Non, Madame, je vous assure... » « Vous l'avez revu, l'été dernier, en cachette? » Je ne réponds pas. Mon silence m'accuse, tant pis. Je lève les yeux, regarde les fenêtres du premier étage. Je supplie Gabriel de revenir au plus vite. Je reçois chaque question, tactique, comme un coup. Je regarde Madame-mère droit dans les yeux. Pire encore, elle me croit effrontée. Je me pince les lèvres. Je ne veux pas avoir honte. Mais que fait-il, là-haut, avec Henriette? C'est l'épreuve, il le sait. Et me voilà penser déjà que le seul fait qu'il ne reparaisse pas assez vite est aussi une tendresse. Obstinément, je réponds « non, Madame » à toutes les questions. Puis un long silence. Fin de salves. Madame-mère soupire « alors, comment est-ce possible? » Elle essaie de se plaindre « il ne m'a même pas prévenue ». Je réponds « moi non plus, Madame ».

Elle revient à l'attaque « et vous aimez votre mère? » Je dis, très distinctement « oui, Madame. Beaucoup ». Le seul oui, premier mensonge, première réponse à laquelle elle croit. Gabriel réapparaît. Madame-mère se tourne vers lui, changement d'expression, sourire câlin, le dépit de cette femme. Gabriel me regarde « Henriette me charge de t'embrasser ». Il s'approche, se penche vers moi, et m'embrasse sur le front, devant sa mère. Provocation. Désormais tout est inscrit, inévitable. Sans doute Gabriel a-t-il imaginé cette bise. Il se redresse, se tient droit, une main sur le dossier de mon fauteuil. « De quoi parliez-vous? » Madame-mère ne répond pas, elle regarde, un peu au-dessus de mes yeux, sur le front, le lieu de la bise, un affront. Elle respire profondément, hausse légèrement les épaules, se lève et rentre dans la maison sans mot dire. Gabriel murmure « je te raccompagne ».

Gabriel est pressé de tout, touchant parce qu'il est faible. Je veux prendre congé de sa mère. Il me répond « ce n'est pas la peine ». Je prends sur moi d'aller à l'office pour remercier Augustine. Elle s'essuie les mains à son tablier. Elle prépare le dîner. « A bientôt Mademoiselle. » Son à bientôt, une complicité. Gabriel m'entraîne jusqu'à la voiture. Allée de graviers. Je manque de me tordre le pied. Les bottines revendiquent aussi comme les domestiques. Je ne les porterai plus. Gabriel m'explique que nous avons « largement le temps » de faire un tour, avant la nuit. « Tu as peur du froid? » Je murmure non. Je grelotte déjà.

Je regarde le paysage, soleil couchant, lambeaux de brumes qui se lèvent des prés, respiration. Le vent me fouette en plein visage. Gabriel fait exprès de conduire vite. Il regarde droit, devant lui, l'air détaché. Tout cela est à la fois absurde, inévitable, troublant. De route en route, nous faisons le tour de la ville. Plus vite, plus vite encore, comme si Gabriel avait peur que la nuit nous prenne de vitesse. Je m'abandonne. Je me blottis contre lui. Je lui prends le bras, ma tête roule sur son épaule.

28

TÊTE qui roule, Martine redresse Madame. Jeanne se retourne « elle s'est endormie? » « Non, ça lui arrive souvent, surtout en voiture. Quand nous sommes descendues de Paris, elle a dormi tout le temps sur mon épaule. » Bernard ralentit. Troisième guérite. Petit signe au gardien. Puis, cent mètres plus loin, à gauche, le camping Calypso. Voitures et caravanes font la queue. A l'entrée, deux hommes se battent. Bernard murmure « ça commence. C'est tout-Août! » Il rit de lui-même. Tout seul. Jeanne regarde. Derrière le grillage, leur tente est toujours là. Leur place. Pour ce soir. Cette nuit. Après la fête. Madame ouvre les yeux. Martine lui essuie les lèvres avec un mouchoir. Sur la route en sens inverse, flot de voitures multicolores, bardées, harnachées, bondées, l'exaspération de l'arrivée. Bernard hausse les épaules « qu'est-ce que ça va être, quand on reviendra. » Jeanne regarde le bas-côté, poubellettes en plastique, quelques vignes, de larges panneaux publicitaires pour la nouvelle Marina et pour l'ensemble immobilier Commodora 2000. Toujours le même objectif : 2000. Martin aura vingt ans.

Ville de vacances. Stations-service, supermarchés, « acheter, c'est économiser », « prix écrasés, pulvérisés, inouïs », puis les boutiques de cartes postales, les présentoirs de crèmes à bronzer, sens interdit, il faut faire le tour par le port, Zoom-zoom, la boîte de nuit, l'embarcadère pour les îles, on roule pare-choc contre pare-choc. Jeanne baisse la vitre, Martine défait un bouton de son corsage. La voiture passe devant la pâtisserie. La moto de Robert est là devant la vitrine. Rendez-vous ce soir, à minuit. Dans l'arrière-boutique, Robert termine le socle de la pièce montée. Parfum de nougatine. Il travaille torse nu. Il prendra ses vacances en hiver. Il n'aime que le ski et la poudreuse. Il a déjà été emporté dans une avalanche. Il y pense chaque fois qu'il fait une pièce montée. Il pense à Martine. Ça se terminera par un « tu m'écriras? » « oui, je t'écrirai ».

La boutique du coiffeur, dans la vieille ville. Les voitures stationnent des deux côtés de la rue. Bernard s'arrête, bloque la circulation. Coups de klaxon. Bras d'honneur. Faire vite. Ouvrir la portière, extraire Madame, aider Jeanne du même geste, une courtoisie. Puis vite, vite, laisser ces dames sur le trottoir. « Je viendrai vous reprendre dans une heure. » En avant pour Toulon.

Chez le coiffeur, désordre, chaleur, torpeur. « Vous avez pris rendez-vous? » Tout le monde est pressé. « Loïc, les deux dames, c'est pour vous! » Jeanne murmure « merci ». En place. Fauteuils. Revues. Jeanne suggère à Martine d'aller se promener « de toutes les façons, il ne peut rien se passer de grave ». Martine aide le coiffeur à passer la blouse à Madame. Martine pense camisole de force, rien, une pensée, comme ça, faire signe à Jeanne, et filer sur le port, voir, boire, marcher, se mêler, regarder, attendre, un peu de soleil. Jeanne prend la revue que Loïc vient de donner à sa belle-mère « ce n'est pas la peine ». Loïc, pantalon blanc, déhanché, chemise ouverte jusqu'au nombril, brandit peigne et ciseaux, coiffe un peu, interroge « ni court ni long? » Il donne un petit coup de brosse « c'est déjà court. Une teinture? » Jeanne fait signe que non. A mi-voix « faites pour le mieux, s'il vous plaît ». Loïc se penche vers elle « pardon? » Jeanne répète « pour le mieux ». Loïc se redresse « et vous? » Jeanne sourit « court, très court ». Loïc pivote sur ses sabots, fait signe à la shampouineuse « à vous de jouer pour deux merveilles ».

Au volant de la voiture, sur l'autoroute de Toulon, Bernard chasse les souvenirs. Il voudrait tout effacer. Recommencer tout d'un coup, d'un seul. Mais quel moment de sa vie choisir? A quel moment s'est-il choisi? Tout s'est passé comme en un seul jour, du matin au soir, toute une vie, si peu de temps en somme. Bernard ne se reconnaît pas à se poser ainsi des questions. Il va acheter une montre, c'est tout. Chez un bon bijoutier et de bonne qualité. Avec facture. Sacrée Fernande.

Fernande prépare les quatre gigots. Un sans sel et sans ail pour Monsieur, et trois autres bien piqués, lardés, poivrés, avec feuilles de laurier. Dans quelques minutes, il faudra préparer le thé pour Monsieur. Elle retire son tablier. Elle a quelques minutes pour aller vérifier si la maison du haut est bien rangée, si l'infirmière a tout préparé pour Madame. En passant, elle fouillera discrètement dans les affaires de cette Martine qui se prend pour une divine. Elle veut simplement savoir si ce sont ses parents qui écrivent si souvent, ou bien quelqu'un d'autre. L'autre. On vit toujours l'amour des autres. Fernande aime que tout soit en ordre, su, connu. « Sinon c'est le drame. » Elle parle toute seule. Sinon, à qui parler?

Gabriel, dans son bureau, écrit à sa sœur. « Chère

Henriette. Je te remercie de tout cœur, franc et net, de m'avoir téléphoné tout à l'heure. Je t'entendais si mal. Je n'ai pas très bien compris ce que tu m'as dit, mais le seul fait de ta voix m'a comblé. Cinquante ans, comme un an, un seul, si peu de temps. Et pourtant, tant et tant d'histoires, tant et tant d'erreurs pour battre en brèche ce qui aurait pu être un bonheur plus évident. Te voilà seule, veuve, toi qui t'étais accomplie, et moi, toujours avec elle, quand nous n'avons sans doute jamais su être véritablement ensemble. C'est injuste. Et il m'est une tendresse que de te l'écrire. Sans doute, maman et toi, aviez raison. Mais rien ne se décide vraiment. Je me sens bien piètre, à te l'avouer. J'essaierai, qui sait, ce soir, peut-être un peu, de croire mieux à cette alliance. Mais c'est sans espoir. Je n'ai jamais su, en fait, que lui parler et elle, elle, m'écoutait trop et si mal, jamais dans le sens que je voulais lui imposer, seule responsabilité que je veuille bien endosser. Je... » Fernande frappe à la porte. Le plateau, le thé, les médicaments. Gabriel fait de la place sur le bureau. Fernande ressort comme elle est entrée. Sans rien dire. Gabriel se dit qu'il a oublié de demander la facture à Bernard.

Sur la plage, les jumeaux sont de nouveau ensemble, mais ils ne se parlent pas. Le clan des filles a pris possession du matelas. Josyane ferme son livre, regarde Colette « tu ne lis jamais? » « Non, mais je vais au cinéma. » C'est tout. L'aîné des Emmanuel demande à Colette « qui va annoncer l'accident, aux parents? » Silence. Bientôt, la calanque sera entièrement à l'ombre. Diversion. « Mettez vos tee-shirts les enfants. » L'aîné des Emmanuel s'approche de Josyane « elle n'a pas répondu. C'est qui? » Josyane, agacée « toi! Et si tu le fais, gare à toi! » Les jumeaux s'échangent enfin un regard complice, ils rient. Coups de poing. Tout recommence. Ils chassent les filles du matelas. Des cris. Colette sourit à Josyane « merci ».

Sur le bateau, Stéphane embrasse Catherine dans le cou. « Mais qu'est-ce qui te prend » « Je t'aime » « C'est une vieille histoire » « Justement... »

Dans la deux-chevaux décapotée, Martin se tient debout sur le fauteuil avant, mains cramponnées à l'armature. Paulin plaisante « et si je freine, boum la bosse? » « J'sais me tenir, Pa... ». Paulin freine. Martin se cogne sur le pare-brise. Il rit en se frottant le front et s'assoit. Paulin remarque des gendarmes à l'entrée du Calypso. Un homme blessé saigne de la bouche. « Quand est-ce qu'on arrive, Pa? » Sur le port, zone bleue. Paulin met le disque de stationnement et prend son fils, nu, dans ses bras. Martin lui montre les traces du maillot. « Ça partira? » Paulin n'écoute plus son fils. Il pense foule, fête, ballons, cris, voitures, coups de frein, bagarre, syndicat d'initiative, magasins, fric, beignets, glace à la pistache. « J'en veux une, Pa! » Paulin cherche un magasin, à l'écart. Une mercerie, qui sait, dans la vieille ville. Paulin se moque de lui-même. Aller ailleurs. Conformisme. Mais il l'admet. Il aime ça. Dans deux jours, ils coucheront au refuge du Grand Plan, au-dessus de Névache. La montagne. Et personne. Préparer les cours de la rentrée. Péguy revient au programme. Ressortir vivant de cette journée. Sortir vivant de chaque jour. Modifier. Se modifier. Paulin sourit. Une rue déserte. Une vieille boutique. « On est toujours le trottoir de quelqu'un » « Qu'est-ce que tu dis, Pa? »

Sur le bateau Sylvie s'approche de Laurent. « Si tu parlais, toi, à Paulin et à Jeanne. Après tout, ils ne sont pas mieux que nous. » Laurent caresse la joue de Sylvie « je pensais la même chose... » « C'est bon signe » « Qui sait? » Ils rient.

Martine caresse la moto, puis elle passe par la petite cour, derrière la pâtisserie. Robert lui fait signe d'entrer. Petite bise sur l'épaule « tu pourrais prévenir ». « Je te dérange? » « Tu m'excites! » Robert serre le tablier autour de sa taille, se farine les mains, cale un cône de tôle entre son ventre et la table, la pointe vers le bas. Sur la table, des choux à la crème, bien alignés. « Tu vas voir comment on s'y prend, en coulisses. » Un chou, il crache dessus, et le place au fond du cône « Ce sera le sommet ». Un chou, un crachat, un chou, un crachat, mise en place, cercles concentriques. Martine s'étonne « tu le fais exprès? » « Non, c'est comme ça » « Ça sert à quoi? » « A rien, mais comme ça, ça tient. Un coup de caramel, et bravo le chef pâtissier. » Robert sourit, lèvres mouillées. Il tend un chou vers Martine qui veut le manger « non, aide-moi, crache dessus ». Martine ne veut pas. Elle recule. « T'as tort, c'est tout ce qu'ils méritent. » Robert rit, chou, crache, chou, crache encore, mise en place rapide, parfaite. « En fait, c'est tout ce que tout le monde mérite. » Robert regarde Martine. « Alors, minuit? » Martine fait signe que oui « t'attendras si? » « J'attendrai. »

Sur le bateau, Françoise s'allonge tout contre Emmanuel. Elle lui pose un doigt sur les lèvres et le regarde d'un air de dire, ne dis rien. Une surprise.

Cheveux mouillés, fin de shampooing. Les fauteuils pivotent. Jeanne et sa belle-mère se retrouvent côte à côte. Loïc revient « alors, grand jeu, par qui je commence? » Jeanne murmure « par elle, s'il vous plaît ».

Et elle, elle, se regarde dans le miroir. On lui a mal essuyé le front. Une goutte coule sur son nez. Elle voit des ciseaux, éclat, rumeur, moiteur.

29

Je me regarde dans le miroir. Ce lieu m'est étranger. Le parfum de citronnelle, les vitrines garnies de flacons multicolores, le cuir du fauteuil, les brosses en ivoire, bien alignées, de chaque côté du lavabo, et le murmure des dames qui m'entourent. Elles savent que demain, je vais me marier. Le magasin de coiffure jouxte la boutique Au Gaspillage. Nous sommes au cœur de la ville. C'est ma première visite chez le coiffeur. La dame en blanc, assise, dans mon dos, sac sur les genoux, regarde faire. Elle me sourit, elle qui depuis dix-sept ans me fait « pointes et mèches » à la maison, sans joie, toujours obligée. Là, j'échappe à ses doigts. Elle a l'air béate, presque heureuse.

Le coiffeur a un gros bouton sur le nez. Il est âgé. Il porte des binocles de myope. C'est le patron. Les futures mariées sont pour lui. Il me brosse les cheveux. Pour cela, il se penche, derrière le fauteuil. Il dit en riant « c'est dommage ». Il me donne conseil « faudra les garder, mademoiselle, pour vous faire des chignons. Je vous les préparerai ». Il se tourne vers la dame en blanc « c'est sa couleur naturelle, évidemment? » La dame en blanc fait signe que oui. Le coiffeur me dit « alors, je vous en ferai un tressé, un autre bombé... » Il écarte mes cheveux, les laisse retomber derrière le dossier, je me cramponne, il est fier de lui « ... et même peut-être trois! » Il prend des ciseaux, se penche « ... le troisième, ce sera la surprise ». Je ferme les yeux. Les ciseaux crissent. L'oreille gauche à nu, brusquement. Puis la nuque. J'entends des « faites bien attention » « non, bien à plat, sur le papier de soie, mademoiselle Léonne, s'il vous plaît ». Puis, l'oreille droite dégagée, j'ouvre les yeux. Je ne me reconnais pas. Je suis comme les autres. Cheveux courts. « Souriez, Mademoiselle. » J'essaie de sourire. J'ai les yeux qui piquent. La voix du coiffeur se fait plus lointaine « demain, vous serez merveilleuse ».

Bigoudis, odeur âcre de l'ammoniaque. « Il faut un peu souffrir. » La porte du magasin est ouverte. Un ventilateur plafonnier brasse un air que les silences rendent encore plus pesant. Dernier jour de juillet. Le coiffeur rit, pour être gentil. Il sait à quoi je pense. « Vous voulez les voir? » Bruit de papier de soie. Je ferme les yeux. Une petite larme coule qui m'étonne. La dame en blanc se lève pour m'essuyer la joue. M'a-t-elle donc aimée? Trop tard. Tout est convenu, annoncé, prévu. Je pourrais, si je le voulais, réciter les lettres imaginaires écrites à Gabriel depuis des années, et les réponses reçues, dictées par moi-même, pondérées, douces, juste les réponses que j'attendais. Tout cet amour, vécu d'avance, je le connais par cœur. Mais les lettres reçues de Rome, depuis Pâques, je les ai déjà oubliées. Et les réponses, envoyées à Rome, depuis Pâques, je ne les connais plus. Mots fous, se chassant l'un l'autre, quête d'un autre langage, pressant, ardent, factice, qui ne veut dire qu'un éblouissement. Presque un caprice, à deux. Comme une peur, dans le train-fantôme, le lundi de Quasimodo, veille du départ de mon Gabriel. Ces lettres frénétiques, si peu notre amour, un jeu?

J'ai été reçue, sans mention, au bac de philo. Mais reçue quand même. Gabriel et moi nous marions sous le régime de la communauté. Ma part du bien de Mendoza désormais lui appartient. Chez le notaire, hier, nos mères, derrière nous, jouaient à celle qui serait plus grande dame que l'autre. La dame en noir agitait son plus bel éventail. Tout cet argent! Pour eux! Pendant la lecture des actes notariés, j'aurais voulu que Gabriel me regarde et me dise, d'un regard, un mot tendre. Nos lettres de fiançailles ont été si peu conformes à mon attente, trop exaltées. Je me suis prise au piège. J'ai, pour répondre, utilisé les mêmes mots, rubans et festons. La passion n'est que dans les murmures et dans les soupirs. Elle ne supporte ni l'excès, ni la feinte. Nous avons donc, Gabriel et moi, beaucoup à apprendre l'un de l'autre. En bas des actes notariés, je signe et tremble un peu. Gabriel ne le remarque même pas. C'est sa force. Et j'y crois.

Sous le casque, on me chauffe, on me brûle. Bouton-sur-le-nez se penche et me crie « si c'est trop chaud, faut le dire ». J'ai des cotons plaqués sur les oreilles et des filets pour maintenir les bigoudis. J'étouffe un peu. Je respire par la bouche. La dame en blanc me tend un petit mouchoir aspergé d'eau de Cologne. Tant de douceurs, brusquement. Le départ? En quinze jours, ma mère a fait installer l'électricité, « ... une excentricité », dans toute la maison et même dans le jardin. Les festivités auront lieu chez nous, mais les frais seront partagés. Le mobilier de la pergola a été repeint. Un lunch est prévu. Deux cents invités. L'événement de l'été. La photo de mariage sera prise dans le salon, avec le piano pour décor, et sur le piano, un châle de Mendoza déjà en place, et les chandeliers de la salle à manger, qui brillent, argent massif, fierté. Tout est prêt, terriblement prêt.

Vont-ils me brûler les cheveux? Je fais un petit signe. Ils s'étonnent « c'est trop chaud? » Je refais le même petit signe. Bouton-sur-le-nez s'étonne en riant « il faut souffrir, Mademoiselle, pour être belle! »

Depuis deux jours ma mère passe ses nuits dans la maison. Elle allume, éteint, allume de nouveau. « C'est une autre maison » dit-elle émerveillée par l'électrification des lustres, par l'éclat des appliques « c'est mon cadeau, pour ton départ ». Et elle allume, et elle éteint. Elle fait claquer les portes. Je l'entends même rire dans sa chambre. Un rire jamais entendu, neuf, tranchant. Son rire. Une découverte. Dans ma chambre, jusqu'à ce soir, dernière nuit, je n'allumerai pas la lumière. Je veux garder le souvenir des bougies.

Frappe, frappe, c'est ainsi. Tape du pied, gentiment, sous le fauteuil. Tes genoux tremblent sous ta jupe neuve, fi les vêtements de tes sœurs, la couturière n'a eu qu'un mois pour confectionner une garde-robe « sans folie... » à la demande de ta mère « et c'est ma fille qui paie... » L'avarice des êtres n'est qu'une manière de générosité. Ils veulent ainsi, parfois, signaler à l'autre qu'il doit mesurer, compter. Dans la maison des Promenades, les tabliers des cheminées sont tombés deux fois depuis la mort de la petite Garcia. Les pièces sont froides, mais l'air du dehors, par courants, est parfumé. Il s'infiltre. Il embaume. Depuis Pâques, tu ne l'as jamais senti aussi florissant, aubépine, seringa, magnolia, hortensia et déjà l'odeur persistante du figuier sous lequel, en parc ou en laisse, tu t'es cognée. Toutes ces senteurs, tu voudrais les emporter avec toi, autre garde-robe, comme un herbier. Tout cela, délicat, te distrait à peine d'une évidence. Tu n'as pas pris le temps de regarder Gabriel. Tu ne lui as pas vraiment serré la main. Tu ne sais rien de ses doigts, de sa peau, ni même de ses lèvres, baisers arrachés, furtifs, toujours volés, jamais donnés, baisers pressés et quand Gabriel t'embrasse, il ferme les yeux. Ne pense-t-il qu'à lui? T'a-t-il vraiment parlé? Venise? Et si la femme abandonnée là-bas, par lui, n'était que la ville, elle-même, coupable de trop de beauté?

Gabriel décide de tout. Mais comment, et pourquoi? Toujours deux pas devant toi, quand vous vous promenez, il te tire par le bras. Il ouvre les yeux mais c'est pour regarder au-dessus de ta tête. Il ne se penche vers toi que pour s'émouvoir comme on s'émeut dans les histoires de convention. De qui a-t-il peur? De toi, quand tu sais et quand il croit être le seul à savoir? De toi quand tu souris, un sourire, un vrai, pas celui des courtoisies ou bien l'autre, blet, des jaloux? Un amour ne peut-il être bâti que sur du vide, l'un se réservant, l'autre oubliant d'observer, comme ces clowns qui se tendent la main, fondent l'un vers l'autre, dix fois, vingt fois, et ne se les serrent jamais? Les enfants du Foyer Sainte-Catherine riaient toujours à ces facéties d'Arbre de Noël. Toujours les mêmes clowns, venus d'ailleurs, qui se disaient vedettes nationales, pitres de nos amours. On passe, on repasse, on se croise, on se frôle, on s'appelle, on veut s'étreindre, aujourd'hui, veille du grand départ, tu ne sais rien de Gabriel. Hormis ce que tu as lu dans les livres, tu ne sais du monde d'ailleurs que la clameur d'une éclipse. Tu as entendu battre le cœur de Lucien. Pas encore celui de Gabriel. Il n'en a peut-être pas. Tu souris et te moques de toi. Le petit sourire de convenance, le sourire salon de coiffure et veille d'épousailles. Tu te dis qu'il en va ainsi de tout début de grand amour. Pour Lucien, c'était trop tôt, ou trop vite. Pour Gabriel, il ne sera jamais trop tard.

Bouton-sur-le-nez se penche vers moi « c'est fini! »

On retire le casque. Fin de supplice. La dame en blanc me tend un panaché « bien frais, pour vous et sans mousse... » qu'elle est allée chercher au café des Mille Colonnes. « Et un panaché pour la future mariée! » Elle imite le patron du café. Il paraît que tout le monde a ri. Je bois à petites gorgées. Léonne retire les cotons, les filets et un à un les bigoudis. Bouton-sur-le-nez brosse, démêle, met en plis. Il me dit que son fils lui aussi a été reçu en philo, mais à Bordeaux. « Vous aviez quoi, comme sujet, vous? » J'hésite. Il insiste « dites quand même ». Je réfléchis, puis doctement, comme un défi, je cite le sujet choisi « la publicité de la misère ne se distingue pas de sa suppression ». Bouton-sur-le-nez me regarde ébahi « et vous avez écrit des pages là-dessus? » « Oui, des pages. » Frange en place, mèches, le cheveu court, raide, n'est plus soyeux. Je veux me décoiffer un peu. « Et l'autre sujet? Il y en avait deux. Dites-moi celui que vous n'avez pas choisi. » La dame en blanc sommeille. Léonne ramasse les épingles autour de mon fauteuil. Je regarde mes cheveux blonds, tendrement couchés dans du papier de soie. Je dis sans même m'en rendre compte. « Le second sujet, c'était... c'était, la France a fait la révolution, elle ne fait plus que l'involution. » Bouton-sur-le-nez me fait répéter « l'in-quoi? » « L'involution, le contraire de révolution. Tout comme imploser est le contraire d'exploser. » Bouton-sur-le-nez coupe encore quelques cheveux autour de mes oreilles « ni l'un ni l'autre. Et encore, votre truc de publicité de la misère, mais le second, pardon! C'est pour ça que mon fils est allé à Bordeaux. Les sujets de notre académie sont toujours difficiles ».

Difficile? Qu'ai-je mis, dit, exprimé dans ma dissertation? Comment ne pas distinguer la publicité de la misère de sa suppression? J'ai dit, écrit, construit, un texte voulu, prévu, calibré, sans surprise, à base de références sûres, bien apprises, rien de nouveau, si peu mon cœur et mon esprit. Comme les lettres à Gabriel. Un autre discours, celui d'une situation. Mais pas le discours tout court, du hasard, quand l'autre surprend l'un ou l'autre pour mieux connaître, sonder, aller. Je veux partir. Coûte que coûte.

Léonne retire la serviette de mon cou et la secoue. Puis elle tire sur les manches de la blouse. Je me lève. J'ai des fourmis dans les jambes et d'autres dans les doigts. Je demande à la dame en blanc de payer à ma place. Avec mon argent. Bouton-sur-le-nez invite des passants à venir admirer ma coiffure. Je regarde ailleurs, au-dessus, si loin, comme Gabriel quand il ne m'écoute pas. Il m'écoutera. Ou bien il ne m'écoute déjà plus, mystère et charme de nos noces. Je suis à lui. Cheveux coupés, tondue. Comme les autres. Je ne suis plus celle qu'il a cru choisir. Mais je me battrai et il me choisira. Comme sur le coussin, orné d'une frise de feuilles de lierre, toujours placé à la tête de mon lit, un coussin de Mendoza sur lequel est inscrit « je vis où je m'attache ». Ma mère n'a jamais voulu m'avouer que c'était elle qui l'avait brodé. « Une broderie de jeune femme qui ne savait plus très bien ce qu'elle faisait, ce qu'elle voulait. Un coussin, c'est tout. »

Bouton-sur-le-nez me baise la main « je suis le premier, faudra vous habituer. Vous allez en voir du beau monde et vous allez voyager ». Je veux rentrer à la maison. Il me dit de loin « et les chignons, vous les aurez demain, à l'aurore ». J'ai entendu « à l'horreur ».

30

CE miroir, pour m'interroger. Ils me quittent, ils me laissent, ils m'abandonnent. Ils s'occupent d'une autre femme, à côté de moi qui partage le même miroir, image fixe, destins identiques, à quoi bon revendiquer, nous sommes liées, coupées en deux, je saigne. Elle ou moi, ou toutes, ou bien moi seule, à m'interroger encore. Attendre. Ils me parent. Je me veux toute droite, debout, de nouveau. Où suis-je? Revenir en arrière, souvenirs qui devancent. Par eux, j'avance.

Ce matin-là du premier août je me réveille en sursaut. Je crois être en retard. Suis-je restée trop longtemps au bord du barrage de cristal? Là-haut, tant de brumes, une surface d'eau opaque, nulle embarcation et le brusque silence des monts quand ils sont étouffés de nuages. De rocher en rocher, cette nuit-là, veille de mes noces, je rampe. Je cherche mes cheveux autour de ma tête. Je m'agrippe aux rochers, je veux embarquer, brandir le petit marteau, entendre ma voix se répercuter en échos, crier ma peur, comme une confiance. Sur les rochers, je signe encore de mon nom des actes notariés. Je suis désormais inscrite, répertoriée, Madame X, née Y, je vais quitter mon nom, endosser le sien, mettre cette cagoule-là.

Gabriel a imposé la date du mariage. Personne n'a songé m'interroger. Ni sa mère, ni la mienne, aucune femme d'entourage pour s'inquiéter de savoir si cette date, pour moi, est critique. Elle l'est. Ce soir, je donnerai tout à Gabriel, y compris le risque ou l'assurance, d'emblée, d'une conception. Déchirement. Et nue, devant le miroir de ma chambre, à peine descendue des monts et des brumes, frileuse, frustrée de n'avoir pu me déplacer sur le lac, ramer avec mes bras, tout à l'avant de la barque, moi, Pipou la proue, je suis heureuse, ou bien me dis-je de l'être. Je m'interdis de penser à quoi que ce soit de fatal. J'aurai dix-huit ans au mois de décembre. Les bagages sont faits. Je me récite un poème, à voix haute, lumière du jour qui se lève,

« *La chevelure vol d'une flamme à l'extrême*
Occident de désir pour la tout déployer
Se pose (je dirais mourir un diadème)
Vers le front couronné son ancien foyer... »

La suite? J'hésite. Je connais pourtant ce poème par cœur. Je me le suis récité tant de fois, autre musique. La fin? Je me souviens,

« *... Une nudité de héros tendre diffame*
Celle qui ne mouvant astre ni feux au doigt
Rien qu'à simplifier avec gloire la femme
Accomplit par son chef fulgurante l'exploit... »

Jusqu'au bout? Dans le cabinet de toilette sous le tub, je m'asperge d'eau froide, je retiens ma respiration, puis je me renverse un broc entier sur la tête, cheveux mouillés, tant pis pour la mise en plis. Je dégouline, j'éclabousse, je ris de peur et de pleurs. Je me savonne le ventre, les cuisses, les seins, le cou, puis délicatement chaque pied, un à un. Je me veux fraîche et toute neuve, surprise de la journée. L'horloge de l'entrée sonne deux fois quatre heures du matin. Je me suis donc levée avant toute la maisonnée. J'entends crier les oiseaux. Ils ne chantent pas, ils piaillent à l'aigu, unisson. Entrecuisse, cotons, inspection, rire, tant pis, puis de nouveau un broc tout entier sur la tête. L'eau du barrage de cristal. J'y suis encore. Les deux derniers vers, du poème, brusquement, je me les rappelle, pauvre Mallarmé, secoué par ma mémoire,

« De semer de rubis le doute qu'elle écorche
Ainsi qu'une joyeuse et tutélaire torche... »

De l'eau partout. Je m'ébroue, petite bête, je me crois sauvage. J'ai inondé le sol. Je me drape dans une large serviette blanche aux initiales de ma mère. Mes cheveux sécheront tout seuls. Je les brosserai au dernier moment. Un seul poème importe, désormais, celui de mon corps, livré, et de ce corps à corps qui nous délivrera peut-être. Quelle étourderie.

Lors de son dernier cours, Madame Certain m'a dit « avez-vous bien réfléchi? » Je souris. Elle m'attrape la main et la serre très fort « je ne vous vois plus très bien, Pipou ». Elle cligne des yeux « tout cela est si vite décidé. J'ai donné des cours pendant six mois à votre future belle-sœur. Savez-vous qu'on me faisait entrer chez eux par la porte de service? » Puis elle m'embrasse les mains, excès, en murmurant « chez eux, je me perdais. Je n'ai jamais compris leurs couloirs et leurs portes ». Puis elle se redresse, cherche à me saisir le menton pour le pincer, gentiment « je serai à la cathédrale, au premier rang. Je regarde mieux que quiconque. Et chaque fois, dans votre vie de femme, que la musique vous aidera, pensez un peu à moi. La musique suffit ». Je réponds

« oui, Madame... », un peu émue. Elle cherche sa canne blanche pour se lever, et me quitter.

Et ce matin, elle est là, de l'autre côté du miroir. Elle m'observe. Autre mère. La vraie. L'aveugle. Dans mes bagages de mariée, il y a mes partitions préférées. Madame Certain, de son écriture large et folle, au crayon, toujours dans le coin des pages, en haut, à gauche, point de repère, pour ne pas se tromper, les a toutes annotées d'un vigoureux « regardez la musique ». Je souris, secoue la tête. Gouttes d'eau sur le miroir. Puis je vais vers la fenêtre, tire les rideaux. Greta est là, couchée, comme un sphynx, les pattes bien repliées sous son poitrail. Elle me regarde. Elle veut que je la caresse. Elle est encore pleine. Elle ferme les yeux en me regardant. Elle ronronne. J'esquisse un geste, elle tend déjà la tête, moustaches relevées, son dos se hérisse. Comme un frisson tout le long de l'échine jusqu'au bout de la queue, brusquement relevée. Elle frémit comme si elle était en chasse quand, en fait, elle est à quelques jours de mettre bas. Dévorer. Je recule d'un pas et murmure gentiment « va-t'en... » Elle ferme les yeux, regarde au-dehors, feint l'indifférence, se lèche une patte de devant, puis se couche sur le flanc, exhibe son ventre. Je répète « va-t'en, va-t'en... » Elle se redresse, s'étire, fait le gros dos, bâille, puis s'assoit face à moi. Je ferme la fenêtre, les rideaux. Sur la toile, son ombre portée. Je dis à voix plus haute « va-t'en! » Elle ne bouge pas. On frappe à la porte. La dame en blanc « il est l'heure Mademoiselle! » J'ouvre la porte. Elle entre. « Mais vous êtes toute mouillée. Votre coiffure! » Je me tourne vers la fenêtre. Greta est partie.

Babil de la dame en blanc. Je ne comprends plus rien de ce qu'elle dit. En me mariant, elle se marie. En me préparant, elle se prépare. Elle range mes vêtements et sous-vêtements. Elle vide la panière du cabinet de toilette, s'étonne, me regarde « je m'en doutais, Mademoiselle, il fallait le dire ». Je la regarde « à qui? » Elle baisse les yeux, ne répond pas. Elle me sèche les cheveux avec une serviette. Elle murmure « mon Dieu, mon Dieu... » Assise sur une chaise, mains sur les genoux, je me laisse faire. J'essaie de me remémorer la première visite de Gabriel, la traversée de la ville en voiture, l'arrivée à la campagne, le déjeuner, la promenade et surtout chacun des trois et uniques baisers reçus à ce jour. Gabriel a-t-il un regard? Lequel? Ce soir nous passerons notre nuit de noces à Toulouse. Demain nous serons à Marseille. Puis nous embarquerons pour Gênes, la Sicile, la Crète, l'Egypte. Je vais vivre les livres. Et cette ville, ma ville, comment s'appelle-t-elle déjà? L'ai-je oubliée, à ce point déjà délaissée? « Mademoiselle! » La dame en blanc me demande de me tenir droite « vous permettez? » Elle me masse la nuque, le cou et les épaules avec une crème, parfum subtil, si peu le mien, étranger. Elle joue avec moi. Avec elle?

Puis le dessous des bras, les hanches. La dame en blanc s'agenouille devant moi, ses mains glissent, effleurent, pétrissent ma poitrine et mon ventre. Je me scrute, dans le miroir, au-dessus de sa tête. De quel droit me touche-t-elle ainsi de partout? Puis, visite de ma mère. Elle se penche en se tenant la hanche, et m'embrasse sur le front. Cette bise-là, je n'ai jamais pu l'effacer.

Les heures du matin passent vite. Dans le salon, j'attends. L'horloge sonne deux fois neuf heures. Couronnée d'oranger, je porte une robe de dentelle blanche, courte, retenue au-dessous de la taille par une large ceinture de soie flanquée d'un énorme nœud qui pend et caresse mon genou gauche quand je marche. Robe courte, blousante, tellement à la mode. Tout autour de moi prend un air de gaieté. Adrien est fier car j'entrerai dans la cathédrale à son bras. Bouquets, corbeilles, gerbes, vasques, je fais semblant de m'émerveiller. Neveux et nièces, le cortège se forme, sœurs et beaux-frères, j'éclate de rire, ils me croient heureuse, je les vois en fait pour la première fois terriblement tels qu'ils sont. Et telle que je serai. Nous ne sommes rien. Rien que l'idée que nous nous renvoyons de nous-mêmes nous situe, moins que certains et plus que d'autres, et pour la famille de Gabriel, une mésalliance, mais l'argent. Ils me disent tous que je suis « plus belle que jamais ». C'est une poupée qu'ils saluent. Un mensonge. Leur misère? Publicité? Suppression? Le tout enrubanné, pomponné. Pour la première fois, je vois ma mère vêtue de gris, un gris pigeon qui vire au rose. Une robe longue, légère, sur laquelle elle n'en finit pas de draper et redraper son plus beau châle « pouvez-vous m'aider? »

Puis c'est le départ pour la mairie. En montant dans la voiture, je me tourne et regarde dans la direction du cimetière. Mon père. Silence du ciel. Toutes les fleurs sont pour lui, blanches. Neuves. Comme les draps d'un grand lit. L'oubli. La voiture démarre. On me remet un paquet. Les chignons. Adrien les trouve su-blimes. Ma mère me dit « comme tu es gâtée aujourd'hui ». Cheveux coupés. « Arrange ta coiffure, hier c'était mieux. » Je souris. Leur sourire.

31

TOULOUSE, la plus belle chambre d'un hôtel, lieu de passage, matin d'une première nuit. Gabriel vient de me reprocher de ne pas avoir relevé assez haut le drap du lit, pour me cacher, quand l'employée d'étage a porté le petit déjeuner. En posant le plateau, sur une table basse, entre deux fauteuils, cette femme nous a regardés, l'air coquin, pour dire comme à une accoutumée « tous mes vœux de bonheur, Monsieur et Madame ». Puis, la porte refermée, ce fut le reproche de Gabriel, accompagné d'un baiser sur le front. Une dureté suivie d'une douceur. Sa technique. Gabriel est passé dans la salle de bain, serrant fort la ceinture de son peignoir, une violence à lui-même cette fois. Seule dans le lit, j'entends le bruit de la ville, omnibus, voitures, les cris des gens, les clients de l'hôtel qui s'interpellent dans le couloir, le fracas de l'eau dans la baignoire. Gabriel se fait couler un bain. De qui veut-il se laver? La pureté est une tache. Je me souris. Je me cambre et m'étire. Les mains à la tête, je cherche mes cheveux longs. Nous sommes arrivés tard dans la nuit. Gabriel me retient devant la chambre. Il faut attendre que le groom dépose nos bagages et s'en aille. Gabriel alors m'arrache de terre, me tient dans ses bras, nous entrons. D'un coup de pied dans le dos il fait claquer la porte, il me dépose sur le lit, quatrième baiser, et la suite, étreintes, lentement déshabillée, et lui, vêtements épars, jetés dans la nuit de la chambre. Il n'a pas allumé la lumière, nous sommes deux aveugles à faire l'inventaire, lui de moi et moi de lui. Il n'y a de tendre que la violence, et de violent que la tendresse, quand on la vit, furtive, cri, un instant. Et je crois un long moment, lit découvert, drap de dessus arraché, oreillers et traversin par terre, un beau désordre deviné, je crois, plaquée sur ce lit, et lui, Gabriel, incrusté, que tout amour peut naître d'autre chose que d'un divorce ou d'une méfiance. Je crois, à ce moment premier, que nous sommes vraiment, chanson, refrain, seuls au monde. Mais dans cette nuit, moi, Pipou, donnée, visitée, pétrie, j'écoute mon Gabriel. Il geint. Il veut parler. Au plus fort de notre étreinte, son étreinte, il décide, et me jette un « pense à toi, je pense à toi! »

Et ce matin, tout étonnée de découvrir enfin le décor de notre première nuit, papier peint à fleurs, mobilier vernissé, doubles rideaux de voile, une rose blanche dans un vase avec, sur bristol gravé, les compliments de la direction de l'hôtel, je me redis la phrase étrange, cette voix rauque, inhabituelle, pour dire « pense à toi, je pense à toi! » Exclamation. Gabriel ne pense qu'à lui. Je souris. Je me mordille les doigts. L'idée des nuits à venir l'emporte. Le drap est taché. Gabriel ne l'a remarqué qu'au réveil. Nous prenons le train dans deux heures. Gabriel m'appelle, de la salle de bains. Le café refroidit. Je vole en passant un croissant. Nous le mangerons ensemble.

Dans la baignoire, avec lui, l'eau déborde. Il ne faut pas bouger, pas faire de vagues. Un jeu. Gabriel ferme les yeux. Il veut plaisanter, se distraire d'une idée ou d'une évidence. Il tend les bras vers moi, et ses mains, à tâtons sur mes épaules « qui êtes-vous? Que faites-vous là? Avec moi? Dans mon bain! » Je ris. Il me croit insouciante. Peut-être est-il franchement heureux. Puis ses mains plongent. Il place mes cuisses contre les siennes. Je suis toute tassée au-dedans de lui. Il me serre très fort. Si je recule, je touche la robinetterie, brûlante, dans mon dos. Gabriel a la bonne place. Les yeux toujours fermés, il me caresse. Sur le rebord du lavabo, le croissant. Doucement, je demande à Gabriel d'ouvrir la bouche. « Tiens! » Il croque le croissant, il mime un ogre, grands mouvements de mâchoires. Il marmonne « c'est bon ». Puis il ouvre les yeux, enfin, et me dit « c'est bon de t'avoir pour moi tout seul ».

Marseille. Autre hôtel. Autre chambre. Gabriel monte sur une chaise pour tirer les rideaux sur les fenêtres ouvertes. Chaleur, moiteur, cris, crépuscule, vrombissement de cette ville que j'ai voulu visiter un peu. Gabriel a décrété « elle n'a aucun intérêt », dureté, puis « tu es ma ville », douceur, petite bise dans le cou, « nous dînerons dans notre chambre ». Quand je veux lui parler, Gabriel regarde ailleurs, si légèrement au-dessus de ma tête. Il organise, surveille, vérifie. Il me tient. Je murmure « et la mer? » « Tu la verras demain », dureté, puis « ce sera ton baptême », douceur. Un chariot pour le dîner, plats, réchauffe-plats, serviettes amidonnées, vaisselle ornée de tritons, champagne « bois, que la tête te tourne un peu ». Puis, c'est de nouveau le désordre, lit arraché. Un oubli. Rien ne me ressaisit. Gabriel geint mais, cette fois, se tait. La petite phrase trotte dans ma tête « pense à toi, je pense à toi ». Un baiser, il ferme les yeux. Un recul, il me caresse du bout du doigt, ferme encore les yeux. Il ne les ouvre que pour regarder le plafond ou distraitement la table de chevet. Et moi, tout étonnée, je le regarde pour bientôt m'interdire de m'émerveiller puisque mon regard le traque. Je m'entraîne à fermer aussi les yeux. Je me dis qu'à ce moment-là il les ouvre.

Rien ne concorde vraiment. Les jours nous rapprocheront.

A la première lueur du jour, je quitte le lit et le laisse endormi. Il me tourne le dos. Sur la pointe des pieds, je me réfugie dans la salle de bains. Dans le miroir, une fraction de seconde, j'ai l'impression de ne pas me voir. Suis-je en train de rêver? Un peu d'eau fraîche sur le visage. Je me souris. Je m'envoie une bise, puis deux. Je me dis adieu. Je pense aux livres, aux poèmes, aux lectures, aux traités d'architecture, aux partitions de piano. Je suis si loin déjà, en partance, comblée. Le texte qui se tisse de jour en jour n'est jamais celui que l'on trame en soi. Le texte appartient aux personnes qui l'animent, non aux personnages, à ceux qui le lisent, non à ceux qui écrivent. Gabriel m'a prise en main mais ne me regarde pas. Je reste longtemps, là. Devant le lavabo. Nue. Je respire profondément. De plus en plus profondément, vertige quand j'expire. Puis je rejoins Gabriel. Il n'a pas bougé. Il ne saura pas que je me suis levée. Je pourrai donc lui échapper, parfois. Et en cela, écart, me rapprocher de lui.

Sur le bateau. Le large. Les îles. Je porte une robe de mousseline. Le vent virevolte « c'est le mistral ». Le vent me moule. Gabriel me serre dans ses bras, comme pour me protéger des regards « tu es indécente », dureté, puis, il pointe du doigt la côte « un jour, je construirai une maison, là-bas, en surplomb, face à nous maintenant » douceur. Je me dis que Gabriel est capable de m'aimer, qu'il m'aime. Je me mets sur la pointe des pieds. Je veux l'embrasser. Il s'esquive, me pince le menton « pas ici ».

Dans la cabine, au milieu de la nuit, j'ai mal au cœur. La tête par le hublot, dans le vide, les mains pelotonnées sous le menton, je respire, je ne veux pas être malade, je ne veux pas. Puis, spasmes, je tousse, bave, crache. Je me retiens, de toutes mes forces, la tête au-dehors. Je ne sens plus mes jambes. Je veux revenir chez moi, je ne veux pas, je ne veux plus. Puis petit à petit l'air me ravive. Je reprends mon équilibre. Dans le cabinet de toilette je me douche longuement, j'ouvre la bouche, sous l'eau. Je fais des glouglous. Je ris de nouveau. Comment ai-je pu vouloir revenir au point de départ? Trop tard. Trop beau. Je me sèche. Je reviens auprès de Gabriel. La couchette est étroite. Gabriel me fait une petite place. Voix endormie « ça va mieux? » Le front contre la cloison, me serrant dans mes bras, et Gabriel dans mon dos, tout du long, je me love et m'endors, première de cordée. J'appelle au secours le rêve du barrage de cristal. Mais les rêves ne viennent pas sur commande. Baisers interdits. Laver les parois du paquebot.

A Gênes. Après-midi d'escale. Nous flânons. Les rues, les boutiques, la foule. Je vois enfin une ville, bariolée, grouillante. Gabriel porte un costume blanc. La robe de mousseline m'est interdite. Je porte un tailleur strict, garde-robe étrangère. Froisser, lisser les tissus. M'habituer à ces tenues de dame. Les pavés, les trottoirs, faire attention aux voitures en traversant. Gabriel me tient si fort que j'ai mal à la main gauche. Je le lui fais remarquer. Il répond « normal, je ne veux pas te perdre ». Devant la vitrine d'une bijouterie, il s'arrête. Il me fait signe de regarder, les bagues, les clips, les colliers. Il me lâche, main endolorie, et me serre par la taille « je vais t'offrir une montre! » « Mais... » « Mais je veux! » Et il me pousse dans le magasin, au-devant de lui, salutations, courbettes, on me tend un petit fauteuil, on m'assoit. Gabriel se tient droit derrière moi, les pouces dans les poches de son gilet, geste de mon père que j'avais oublié. Devant moi, des plateaux de velours, des montres-bracelets, des dizaines de montres. Gabriel répète « no me piace... » « altro modelo per favore... » « piu simplice... » Puis il choisit. Il me tient par la nuque. « Elle te plaît? » Je murmure « oui » en tendant le poignet. Le vendeur place la montre et brandit un petit miroir pour que je puisse admirer de tous côtés. Cette montre comme une menotte. La voix de Gabriel, lointaine. Il vient de payer, il me fait un baisemain, embrasse la montre « c'est pour toute une vie. Le temps commence avec moi. Tu comprends? » Je souris « tu es fou ». Il resserre d'un cran le bracelet « non, je t'aime ». Ensuite, nous nous sommes perdus dans les rues. Trouver une pharmacie ouverte. Acheter un médicament contre le mal de mer. « Tu m'as volé une nuit », reproche, puis « tu me dois toutes les autres ». Il rit. Il reprend ma main gauche, celle, désormais, de la montre. Une montre avec une trotteuse centrale « pour mieux compter les secondes ». L'amour des autres n'est jamais reçu comme il est donné. Gabriel me devance « nous allons être en retard ». Je ne t'en veux pas Gabriel. Je m'en veux de devenir quelqu'un que je n'aime pas. Sur la passerelle du bateau, tu m'embrasses devant tout le monde, surprise « je t'adore, Pipou ». Pendant le dîner, tu veux que je tende le bras vers toi au-dessus de la table. Tu veux écouter le tic tac de ta montre. Ton cadeau. Tu veux!

Traversée. De Gênes à Palerme, lecture parallèle de tout un pays, Gabriel me raconte Pise, Sienne, Urbino, Rome où nous nous arrêterons de retour de noces pour reprendre tous ses dossiers, tous ses projets, et dire adieu « aux amis de la Villa Médicis ». Puis les descriptions de Naples, Capri, Amalfi, Paestum. Gabriel, allongé sur un transat, à côté de moi, décrit, dénonce. Je m'interdis de l'interrompre comme je le fis le premier jour pour Venise. Je l'écoute. Je l'abandonne à son rôle. Je sens poindre en lui une amertume, un mépris pour l'expérience des siècles, rêve confus, obstiné, d'un avenir. Tout pour lui est « si beau... » « trop beau... » Le mot « inutile... » revient souvent, couperet. Je lui prends alors la main, suggère que nous allions à tribord, face au soleil et au large. Le ciel, alors, interdit Gabriel. Il se tait, et s'endort. Et moi, tout ensuquée par les médicaments contre le mal de mer, je l'observe. Devant nous, le ballet des autres voyageurs, ils passent, repassent, salutations distinguées, intriguées, ou bien amusées. Nous sommes les jeunes mariés qui ne parlent à personne. Ce soir, nous dînerons à la table du commandant de bord. Gabriel choisira ma robe. Je porterai le chignon tressé, premier fétiche d'un passé. Entre Gabriel et moi, les barres des transats. A ces moments de silence j'appelle déjà Gabriel, Gaby, mais en moi seulement. Je suis sa ville. Qu'a-t-il voulu dire?

Depuis trois jours, tête lourde et le soir cette impression oppressante d'être seule, seule avec lui quand du dehors, tout nous allie. Personne à qui parler. Un regard ou un geste croisé vraîment, avec lui, serait l'essentiel. Quels sont les dossiers, les projets de Gaby? Bientôt les Etats-Unis. « Tout se passe là-bas. ». En octobre, nous serons à Philadelphie.

A Palerme, escale. Sur le port, à la terrasse d'un café, Gabriel se moque de lui « prix de Rome, prix de merde! J'ai encore tout à apprendre ». Il se mord les lèvres, regarde les passants « et il faut que tu m'aides ». Je lui demande comment. Il hésite, réfléchit. « Je ne sais pas. Tu t'occuperas des enfants ». J'aurais voulu pouvoir dire « mais... » Je veux parler. Il m'interrompt « c'est tout ce que je te demande. Réussir nos enfants ».

Le soir, à l'Opéra, nous assistons à une représentation de « Tosca ». Premier rang de loge, premier balcon, de face. Gabriel a loué des jumelles. Assis de trois quarts, il ne regarde ni n'écoute le spectacle. Il m'observe, ou bien pense-t-il à autre chose, un autre être, comme un espoir, mon aventure, ou la nôtre, ou bien la sienne uniquement, une ambition. De temps en temps, je porte les jumelles à mes yeux, pour justifier la location. Pour ne pas le distraire aussi dans son regard tourné vers moi, en moi, ou bien au-delà. Noces, voyage, privilège, romance, curieuse croisière, enfermée avec lui sur ce bateau, à me décrire de loin ce que nous aurions pu vivre d'étape en étape, à s'inscrire, en moi-même, étonnement de nos étreintes, direction, décision, nulle soumission ni de l'un ni de l'autre. Amour doublement circonspect. Dans la salle, il y a presque tous nos compagnons de croisière. Le bateau lève l'ancre à une heure du matin. Dans la calèche qui nous conduit au port, toute chargée de pompons et de festons, je prends place en face de Gabriel et lui saisis les mains « à quoi pensais-tu tout le temps, dis-le moi Gaby ». Gaby m'a échappé. Il n'aime pas ce diminutif, reproche, puis il m'explique que sa mère l'appelait ainsi quand il était petit, douceur. Il essaie de dégager ses mains de mon emprise. J'insiste « à quoi pensais-tu? » Il rit « à Corbu! » « Quoi? » « Non, qui! Le Corbusier, Dermée, Ozenfant, l'Esprit Nouveau, tu connais cette revue? » « Non Gabriel, mais... » « Tu vois, tu ne sais pas tout? » Il dégage ses mains, me pince le menton, m'attire vers lui « je t'expliquerai, sur le bateau. Si tu y tiens, évidemment ». « C'est évi... » Il m'embrasse. Il coupe mes mots.

Bagages distincts. Ses valises et mes valises. Des heures et des heures, au soleil, sur le pont avant, tout en proue, nos deux transats, déjà une habitude. « N'avoir personne devant soi... » Dans sa valise, des revues, la Revue, avec en frontispice « une grande époque vient de commencer, il existe un esprit nouveau ». Lecture à voix haute. Des passages entiers. Gabriel, en fait, relit pour lui. Interruptions. Maussade ou moqueur, il tourne ce qu'il vient de lire en dérision. Il parle de crise de la ville, de déviation de cet esprit nouveau, d'un élan véritable du fonctionnalisme et d'une responsabilité qui doit être à tous les niveaux. Puis il dénonce, corruption, démission ou incompétence, caractère apolitique de tout bord. Gabriel répète souvent les deux mots de « rêve humanitaire... » Lunettes de soleil, boissons fraîches. Gabriel veut se convaincre d'un rêve en s'imaginant qu'il me le fait partager. Je le partage. Il n'y croit pas. Phrases étranges, quasiment clamées, citations de son Le Corbusier « l'architecture est dans l'appareil téléphonique, dans le Parthénon, comme elle serait à l'aise dans la maison ». Gabriel parle de fonction avant le style. Il répète le mot « avant ». Il tend le bras en arrière, vers l'Italie. « L'esprit nouveau, c'est tout de même notre Renaissance. » Il se penche vers moi et murmure « pardon... ». Pourquoi pardon? Je découvre Gabriel. Il se sent épié. Son pardon est une parade. Je me tais. Comment le convaincre?

Le troisième chignon, surprise de Bouton-sur-le-nez, deux anglaises, de droite, de gauche, qui se fondent dans ma chevelure. Je coiffe la frange et me fais une raie au milieu. Dernier soir avant la Crète. Quand je sors du cabinet de toilette, Gabriel me regarde. Je suis prête. Il fronce les sourcils. Puis à deux mains, geste vif, il arrache les postiches. Je pousse un cri. Il me prend dans ses bras, me secoue « je t'aime comme ça, sans rien! » Il sourit, me pince les lobes des oreilles, fait les gros yeux, jeu amoureux « ce n'est rien. Ça te fait du bien. Je serai le seul à te remarquer ».

Heraklion. Devant les fresques du musée, distrait, blasé, il ne lit pas la Revue, il la récite. Il parle d'un « homme-standard désormais » qui risque de devenir un « homme-robot ». Des visiteurs font « chutt... ». Gabriel s'en amuse « ils ne savent pas ce qui les attend ». Homme dur, amant, mari, je commence à le choisir. Je commence un peu à l'aimer vraiment. Pour et par une erreur. Pour et par son peu de confiance en lui-même, cette extraordinaire ambition qui assure sa voix, guide son propos quand il parle de son métier. « A Philadelphie, chez Bronson, je saurai la vérité. A Paris, on ne construira jamais que de la Vieille Europe. » J'ai envie de me vernir les ongles des doigts de pieds, en blanc, comme les personnages des fresques, en cortège, une pureté. « Je ne veux pas que tu te maquilles. Plus tard, quand il le faudra, pour que je te reconnaisse, oui, mais pas maintenant. » Il rit « j'ai appris mon métier en copiant des tombeaux. Je ne supporte plus les musées. Filons! »

Sur le bateau. Nous voguons vers Alexandrie. Soirée de fête, cotillons, serpentins. Gabriel me fait danser le tango, pas le charleston « c'est une danse qui sépare... » En onze jours, nous ne nous sommes faits aucun ami. Ni courtois, ni cassant, Gabriel ne veut personne d'autre, « ils n'ont rien à nous dire, je n'ai rien à répondre ». Il les appelle les « demi-zones » ou les « demi-fesses ». Il rit. Ou bien, sérieux, il statue « ils ont été nourris mais pas élevés ».

Dernier matin. Deviner la côte à l'horizon, le soleil dans les yeux. Nos transats. En proue. Gabriel avec fierté me montre la marque blanche de son maillot, sur sa peau. Nous sommes bronzés. Je veux faire de même, bretelle, compétition, il me retient. Il prend la Revue, l'ouvre, se met à l'ombre derrière elle. Il lit. La reconstruction Loucheur « 500 000 logements à bon marché. C'est une circonstance exceptionnelle dans les annales de la construction, circonstance qui requiert également des moyens exceptionnels. Or, tout est à faire, rien n'est prêt pour la réalisation de ce programme immense. L'état d'esprit n'existe pas. Il faut créer l'état d'esprit de la série ». Gabriel plaisante « ta série, ce sont les enfants que tu vas me donner ». Puis de nouveau, il lit, au hasard « ... on arrivera à la maison-outil mais non en série, saine, et moralement aussi, belle de l'esthétique des outils de travail qui accompagnent notre existence. Belle aussi de l'animation que le sens artiste peut apporter à ces stricts et purs organes ». 17 août 1928. Carnet de voyage, ma mémoire. C'était quand notre mariage, déjà? Et les dix-sept premières années de ma vie? Sur le quai du port d'Alexandrie, un aveugle agite sa canne blanche. Il vend des billets de tombola.

Sur la route du Caire, voiture de louage. Gabriel observe le paysage. J'essaie de regarder dans la même direction. Rien ne le surprend vraiment. Il pense à lui, c'est tout. Le bras sur mon épaule, il me tient contre lui et moi, tout oblique, sur la banquette, je prends appui à deux mains sur ses genoux. Son paysage n'est pas le mien. Il parle, il parle encore « puisque tu veux tout savoir! » Mais à qui parle-t-il? Lui-même, toujours lui. En cela il me touche et me confond. Je ne le quitterai jamais. Il a besoin de moi, pour lui-même. Plantations de coton, ânes chargés de cannes à sucre, coups de frein, coups de klaxon, le chauffeur jure en riant aux éclats. Dans le rétroviseur, furtivement, il cherche d'un regard notre approbation ou notre émerveillement. Il ne connaît que le mot « beautiful ». Gabriel poursuit son discours et murmure « je me méfie des optimistes » petite bise « et de leurs verdicts » il me serre au plus près de lui. « Corbu est de cette race-là. Il croit en un progrès que rien ne saurait enrayer, en une histoire que tout promet à son achèvement, à un âge d'or futur inscrit dans la nécessité. » Gabriel sourit, puis rit. Le chauffeur répète son « beautiful? » Nous longeons le Nil, les faubourgs du Caire. Midi. Gabriel, à mi-voix « à quoi bon dénoncer. On ne croit que ceux qui annoncent. » Quand je descends de la voiture, tout tangue. Comme sur le bateau. Le Caire, ville flottante.

Ne pas voir les villes, ne pas voir les musées, filer, fuir. Louksor. Je me perds dans les alignements du temple de Karnak. De colonne en colonne, de travée en travée, je cherche Gabriel, je l'appelle, il a disparu. Je l'attends un long moment à l'entrée du champ de fouilles. Puis je rentre à pied au Winter Palace. Même pas un sou pour une calèche. Gabriel garde l'argent. Le portier me dit « Monsieur est monté ». Premier étage, le couloir, si large, tangue encore. Je frôle les murs. La porte de notre chambre est fermée à clef. Je frappe. J'appelle, prénom répété, jusqu'à ce que ma voix devienne plainte « Gabriel, ouvre-moi, je t'en supplie... » La porte s'ouvre brusquement. Une main me happe, me voilà bousculée, renversée à ses genoux. La porte claque. Gabriel me gifle. Deux fois. Puis une troisième. Je veux parler. Il me relève, me cogne le menton du dessus de la main « ferme ta bouche ». Langue mordue. J'ai mal. Il me plaque au mur « ne recommence jamais, tu entends? » Il me secoue. Puis il sourit « j'ai eu encore plus peur que toi ». Il veut m'embrasser, je me dérobe. Il insiste, je m'abandonne.

Remontée du Nil. Felouque. Le mât, incliné de l'avant, comme pour indiquer la fin du voyage. Abou Simbel. Nous campons. Nous avons laissé l'essentiel de nos bagages à Assouan. Les revues aussi. Gabriel ne parle plus. Je me tiens fidèlement près de lui. Chaque fois que je lève les yeux vers les statues, j'ai peur de le perdre et de me retrouver seule. Quatre baisers et trois gifles. Entre les deux, pas même des fiançailles, si vite notre noce, ce voyage, cette dernière étape, et après, une vie? Gabriel répète au guide qui nous presse de tout voir, « nous avons tout le temps ». Le guide demande à Gabriel si je suis sa sœur. Gabriel prend ma main, remet bien en place mon alliance. Puis il écoute la montre. Pas de tic tac. Elle s'est arrêtée. « Tu oublies toujours de la remonter. »

Le soleil se couche. Nous nous baignons dans le fleuve. Gabriel m'asperge, coups de pied dans l'eau, puis il me pousse, m'entraîne, m'immerge, me soulève, me porte toute ruisselante, et m'allonge sur une natte. Il prend un petit miroir dans mon sac, et le tourne vers moi « regarde-toi, c'est cette image de toi que j'aime ».

32

Elle se regarde fixement dans le miroir. Une manucure s'occupe de sa main gauche. Les doigts de sa main droite trempent dans un petit bol d'eau tiède crocheté au fauteuil. Sèche-cheveux brandi, Loïc se penche vers Jeanne « elle ne parle jamais? » Un regard pour répondre non. « C'est votre mère? » Un regard pour répondre oui, mensonge, mais c'est ainsi. « Et elle n'entend même pas ce qu'on lui dit? » Jeanne sourit à Loïc, manière de demander de ne plus poser de questions. Martine est revenue. Elle feuillette des magazines de beauté. Puis elle se lève, s'approche, se tient légèrement à l'écart de Loïc pour ne pas le gêner, s'adresse à Jeanne, dans le miroir « vos cheveux, pourquoi les avoir fait couper? » Jeanne murmure « c'est l'été... » sans bouger, à voix enjouée « une surprise pour Paulin ».

Martine s'approche de Madame, regarde la manucure « elle ne bouge pas au moins? » « Pas du tout. » Loïc demande quelqu'un pour balayer autour du fauteuil de Jeanne « autrefois, les cheveux, on les gardait ». Dernier coup de peigne. Un coup de laque. « Aujourd'hui, on en importe de Chine. » Dernier regard, tenant la tête de Jeanne de dos, par la nuque « ça vous plaît? » Jeanne regarde sa belle-mère dans le miroir, même miroir, elle souhaiterait un regard croisé. Jeanne répond sans même s'en rendre compte « c'est parfait ».

La calanque est entièrement à l'ombre. Le soleil tombe, rayons obliques. Les enfants ont froid. « Allons, les jumeaux, habillez-vous! » Josyane ramasse pelles, bouées, poupées « et ça, c'est à qui? » Colette, au fond de la calanque, bouche les deux trous, à genoux et à deux mains, d'abord, puis debout, du bout du pied, ensuite. Sable remué, mouillé, comme une trace, une tache, ou bien encore une peur. Les enfants doivent aller accueillir leurs parents, sur le port. C'est convenu. Parleront-ils?

Gabriel se fait couler un bain. De l'eau bouillante dans un premier temps, vapeur, fracas de l'eau, une grande baignoire dans laquelle on peut s'immerger de la tête aux pieds, une baignoire comme on n'en fait plus, profonde, immense. Et dans un second temps, l'eau glacée. Tâter du doigt, puis de la main, régler la température, assis sur le rebord carrelé, tout un rituel. Attendre. Nu. Ne pas s'interroger sur la nature vieillie du corps. La peau lasse. Le poil blanchi. Les plis. Les cicatrices de face, appendicite, rate, de dos, rein gauche, et celle plus profonde, ablation d'un poumon. Etre là, encore en vie. Prendre son bain un peu plus tôt qu'à l'ordinaire. Ne rien mettre dans l'eau du bain, aucun sel, aucun parfum, aucune mousse, rien de gai, un bain transparent. Gabriel se souvient d'une de ses belles-filles, laquelle?, déclarant « quand je ne mets rien dans l'eau de mon bain, j'ai l'impression que la baignoire est vide ». Autre génération. Leurs rêves. Gadgets. Et puis non, mêmes générations qui se reproduisent dans leurs différences. Toutes les feintes sont bonnes.

Il y a deux lavabos dans cette salle de bains. Gabriel

les regarde. A gauche celui d'Adrienne. Celui de droite demeure le sien. Adrienne revendique, chassée, ailleurs, au-dessus, dans sa maison désormais, additif, clapier, séparation, comme une preuve d'affection quand celle-ci atteint le degré suprême de l'union, l'exaspération. Gabriel, à mesurer la température du bain, voudrait trouver des raisons à ce jour et à cette situation. Ce piano, mort-né, désaccordé, au milieu du salon, et cette horloge qui sonne deux fois les heures, héritage de la maison des Promenades, l'autre maison, celle de Pipou avant qu'elle ne devienne Adrienne, puis Madame, femme, épouse, mère de tous ses enfants. Gabriel coupe l'eau froide. Fernande frappe à la porte de la salle de bains « les serviettes propres, Monsieur, je les pose par terre ». Gabriel murmure « merci... » Puis une jambe, l'autre, le voici debout dans l'eau. Il se voit nu trois fois, de face, de dos, et de profil, des miroirs partout. Les plantes vertes du décor initial sont toutes mortes. Ne restent que les images que l'on porte en soi, celles que l'on voit, et ce que l'on est. Gabriel se dit qu'il était beau, dur et peut-être désirable. Il prend précautionneusement appui sur les rebords de la baignoire et se glisse dans l'eau jusqu'au menton de tout son long, en expirant, nuque calée, repos. Il remarque les patères vides, au mur. Autrefois, les peignoirs, les robes de chambre et les chemises de nuit d'Adrienne, étaient là, suspendus. Combien de temps se sont-ils donc aimés? Toujours? Ils s'aiment encore. Gabriel s'interdit d'avoir à se convaincre. Gabriel ferme les yeux. Qui comprendrait?

De petite route en petite route, Bernard a choisi de passer par les salines pour éviter les embouteillages de la nationale et de l'autoroute. Il sera à l'heure. Sur la banquette, à côté de lui, un paquet-cadeau, enrubanné. La bijoutière a demandé « comme pour les fêtes de fin d'année? » Bernard a pensé « la fin de cinquante années ». A côté du paquet, une enveloppe, la facture, et le bon de garantie. L'air réjoui de la bijoutière, tamponnant le bon et le datant « cinq ans, pièces et main-d'œuvre, c'est ce que nous vendons de plus beau. D'ailleurs, ça ne se fait plus. Trop solide. Les gens désormais achètent des montres pour les jeter ».

Sur le port, Paulin vient d'acheter une barbe-à-papa à Martin qui plonge la tête dedans en riant. Maillot et sandales neuves, et un tee-shirt avec une ancre marine. Erudition. Lycée. Dissertation. Paulin se souvient d'une phrase de Maupassant qui commence par « si le système nerveux n'est pas sensible jusqu'à la douleur ou jusqu'à l'extase... » La suite? Peu importe, la douleur ou l'extase. Pensée furtive. Un hasard ou si peu un hasard, qui sait? Une mère qui ne parle plus. Martin regarde son père, la bouche barbouillée, il se lèche les lèvres et bredouille « c'est pas bon, je peux la jeter? » Puis « dis, Pa, les jumeaux, c'est fait pour se tuer? »

Sur le bateau, en direction du port, Stéphane dit à Catherine « on t'a sortie de moi, on m'a tiré de toi ». Elle répond « ne récite pas des chansons ». Stéphane prend les autres à témoin « on ne peut plus dire son amour? » Sylvie propose « en se taisant, oui ». Laurent hausse les épaules « c'est gentil pour Maman ». Stéphane murmure « justement... » Silence. Emmanuel est au gouvernail. Françoise prend place à côté de lui. Catherine repousse Stéphane qui veut l'embrasser. Stéphane la chatouille. Catherine rit « arrête, tu sais que je ne supporte pas ça! » Emmanuel se fâche « attention, je ne vois pas très bien à l'avant ». Chahut. Laurent pince la joue de Sylvie. Catherine pose sa tête sur l'épaule d'Emmanuel « tu me gênes » « Non, je t'aime. » Sylvie les regarde « beau programme ». Elle saute sur la cabine, s'accroche au mât « notre programme commun! » Voix au hasard « pas de politique! », « tous de gauche et en fait tous de droite », « c'est mieux que l'extrême droite en gants d'extrême gauche », « faudrait en parler à Paulin, sa seule présence sur un bateau, et tout chavire à bâbord », « pas drôle », « non, pas drôle ». Silence. Sylvie pointe du doigt le port privé « les enfants nous attendent ». Autre silence, vrai, creux. Trois couples sur un bateau. Sylvie crie « c'est fou ce que nous sommes bronzés... » Elle rit « brrrr ronzés! » Personne ne réagit. Emmanuel dit « quelqu'un à l'avant, s'il vous plaît ». S'il vous plaît. Poliment.

Fernande compte les couverts, vingt-sept. Trois serviettes ont été rajoutées. Trousseau. Il n'y en avait plus que vingt-quatre brodées aux initiales entrelacées A. & G. Madame, à leur sujet, parlait toujours du « coup d'épingle des bonnes sœurs du Foyer Sainte-Catherine ». Les portes qui donnent sur le patio intérieur sont coulissantes. En laisser une ouverte, et le vent s'engouffre. Fernande vérifie les loquets, patio clos, puis elle donne les dernières instructions à Isabel et à Maria « aqui, la Señora... » Table en forme de U majuscule. Madame à une extrémité supérieure et Monsieur à l'autre. Un vide entre les deux, pour le service. Table qui fuira devant chacun des deux, se courbera, se relèvera et rejoindra l'autre. « Es una orden del Señor... » Pour rester maîtresse, gouverner, Fernande a appris l'espagnol des cuisines. Dans moins de trois heures, le dîner. « Podeïs descansar un poquito... » Qu'Isabel et Maria se reposent un moment « Donde? » demande l'une. Fernande montre un coin, à l'ombre, dans le patio. Et elle se dirige vers la cuisine. Bouffée de vent dans ses jupes, trois jupes, comme autrefois, été comme hiver. Elle fait coulisser, claquer la baie vitrée, un couloir, la cuisine, chez elle, tout est prêt.

Une fierté. Madame partira. C'est ce qui peut arriver de mieux pour elle. Faire une remarque à Paulin s'il ne s'habille pas aussi bien que ses frères pour le dîner. Et puis non, le regarder, reproche, c'est tout. Comme d'habitude. Ce soir, pas de plateau pour Madame. Quelle heure est-il? Ils sont en retard. Emmanuel doit aller chercher la pièce montée. Le lui rappeler.

Robert crache une dernière fois à la base du couple de mariés en nougatine qu'il place dans un petit temple d'amour, tout en haut de la pièce montée. Trois points de caramel tiède. Le motif décoratif est fixé, vite fait, bien fait. Meilleur ouvrier de France. Où est passé le diplôme? Il ne reste plus, sur la base de la pièce montée, qu'à écrire à la crème, en lettres larges et déliées « Gabriel ct Adrienne ». Le prénom masculin avant le féminin, enfin, c'était ainsi sur la commande. Robert s'essuie les lèvres, s'éponge le front, relève le tablier sur son buste et se frotte. Fini. A bientôt minuit.

Sur le port, les jumeaux se jettent dans les bras de Catherine « tu sais maman on a fait des trous » dit l'un, « Martin a voulu nous ensevelir » dit l'autre, coupable. L'aîné des Emmanuel s'approche « c'est vrai, j'ai tout vu ». Josyane les retient, regarde ses patrons, puis Stéphane, Sylvie et les autres. Elle rougit « il ne faut pas... » Colette se tient à l'écart. Catherine se met à genoux devant les jumeaux « dites-moi la vérité ». Ils se taisent. « Colette, que s'est-il passé? » « Je peux partir, Madame, tout de suite, si vous le désirez. » Laurent intervient « ce n'est pas grave, ils sont tous là... » Sylvie se redresse, caresse la tête, les cheveux d'un des jumeaux, la victime « tu as encore plein de sable. Tu me raconteras tout, sous la douche ». Baisser de voile, rangement de la cabine, port privé, affaire de famille. « Et

Martin? » « Il est avec oncle Paulin qui lui fait plein de cadeaux. » Colette a envie de pousser tous ces enfants à l'eau.

Rue bloquée, voitures, portières ouvertes. Cette fois, Jeanne prend place à l'arrière avec sa belle-mère. Martine, à l'avant, manque de s'asseoir sur le paquet. Bernard sourit « attention, c'est fragile ». Moteur. Rentrer. Bernard murmure « plus de temps à perdre! » Distraitement, Jeanne plaque la main droite de sa belle-mère sur son ventre. Le bébé bouge. Comme sous la main de Paulin. Il naîtra, ou elle naîtra, en montagne, qui sait? Bernard annonce « on va prendre les petites routes. Regardez le ciel! » Ciel rouge, propre, le ciel du mistral.

33

JE me tâte le ventre. Premiers vomissements. La croisière, cette fois, est en moi, tout tangue au-dedans, voyageur clandestin. « Tu es pâle, je t'aime éclatante, réagis » dureté, Gabriel me tient à me rompre le poignet, main de la montre, puis « c'était pour rire, je t'aime comme tu es », douceur, baise-main. Il faut paraître, nous sommes à Rome, Villa Médicis. Nous n'avons défait nos bagages que pour en faire d'autres. Dans tous les restaurants où nous allons, on nous montre un puits où les Borgia jetaient leurs victimes. Gabriel sans cesse moque la ville « un Pape sur un cimetière » et m'interdit de prendre part aux conversations avec ses camarades d'une année ou de deux ans, ou encore avec ceux qui arrivent, celui-lui précisément qui attend que nous déménagions. Prix de Rome de l'année « un boutonneux qui ne fera que copier ». Je n'ai qu'une mission, celle des cartes postales à sa mère, qui doivent commencer par « chère Bonne Maman », et à Henriette qui entre en philo à Bordeaux, chez les bonnes sœurs. Rarement un mot pour ma mère. Quand une carte lui est destinée, Gabriel signe de son prénom, illisible, un graffiti. Parfois, je m'échappe, je dévale l'escalier de la Piazza di Spagnia, je remonte en courant par la Via Babuino jusqu'à la Piazza del Popolo, les escaliers du Pincio, un regard me retient, de loin, je reviens, coupable. Si Gabriel est là, la gifle est devenue habituelle. Une sanction pour une fuite. Nul renoncement de ma part. Personne vers qui me tourner que moi-même. Je guette les miroirs et devant eux, je me parle. Nul sentiment d'erreur ou de souffrance. Ni bourreau, ni victime. A recevoir coups et caresses, mêmes mains, mêmes gestes, à être toujours là, prête à recevoir, je serai le bourreau du bourreau, et nous vivrons longtemps ensemble. A me taire devant ses amis, dîners obligés « que ta femme est jolie, mais pourquoi ne parlez-vous pas? » à ne pas prononcer les noms de Corbusier, Esprit Nouveau ou bien encore ceux de Bronson, Philadelphie, les Etats-Unis, je n'en regarde pas moins ceux-là ambitieux, primés, diplômés, qui jouent le jeu d'un avenir dont ils parlent avec assurance. Le doute de Gabriel, comme ses gifles, me rapprochent de lui et me lient. Je ne me suis pas attachée, je m'attache, de jour en jour. Il a besoin de moi, ainsi. Je suis son doute. Au plus sourd de nos nuits, je lui livre tout de ma vie. Quarante-septième jour. Rome. Mi-septembre. Une visite en cachette, chez un médecin me le confirme. Je suis enceinte. Je me sens affreusement et magnifiquement seule. Habitée.

Dans le train-couchettes qui nous mène à Paris, je guette les gares, je veux voir celle de Florence en pleine nuit, celle de Milan au petit jour, celle de Turin, j'ai soif d'un café crème, celle de Lyon-Perrache, vue du wagon-restaurant et en fin de journée Paris. Nous n'y resterons que trois jours afin de « tout reclasser », de « n'emporter que ce qui nous sera utile » et de « régler des problèmes de visas et de banque ». Ma dot. Notre argent de poche et de fous. Dans le taxi qui nous conduit à l'hôtel, Gabriel me dit de Paris, avenues, boulevards, esplanades, « c'est une pute qui écarte les cuisses de partout ».

Combien de fois me suis-je dit au fond de moi-même que j'aimais Gaby « pour des trucs comme ça », dénonciations, pirouettes. Paris-bagages, Paris-la-fuite. Une escapade au Louvre, à Notre-Dame, tellement plus petite que je l'imaginais, et au premier étage de la tour Eiffel, vertige. Puis les travaux forcés des cartes postales « chère Bonne Maman » « chère Henriette » et « chère Maman ». La bonne et la mauvaise? Des phrases pour ne rien dire qu'une joie conforme à celle que ces femmes imaginent au plus fort de leurs jalousies ou de leurs indifférences respectives. A chacun son parcours. Le couple isole, et l'un et l'autre. Le troisième soir, Gabriel m'emmène dans un restaurant connu de lui. Il a exigé la robe de mousseline. Il me pousse gentiment devant lui. Il salue des amis, de loin, petit geste, en souriant un peu. Il me montre.

Sur le Normandie. Nous quittons la rade du Havre. Dernier jour de septembre. Deux mois et l'automne déjà, avec ses brumes. De longs coups de sirènes, comme des coups donnés du dedans. Le corps vibre. Je me love contre Gabriel. Il me caresse les cheveux, les oreilles, le menton. Petit bise « tu me caches quelque chose... » Il sourit « dis-le... » Il joue à celui qui se fâche « je sais tout... » Il m'enlace, son menton sur ma tête, calé « et tu le sais depuis Rome! » Gabriel m'a volé ma réplique. Je suis déçue, charmée, amère. Il me pince la joue « tu avais donc si peur que je ne t'emmène pas avec moi? » Il me tient à bout de bras, devant lui « te prendre de court, c'est aussi de l'amour ». Sérieux « nous ne resterons que six mois aux Etats-Unis, cet enfant naîtra à Paris ». Silence « c'est pour quand?... » « Au printemps Gaby, pardon... Gabriel. » Il m'embrasse. Derniers coups de sirène. Pleurer? Je ne peux plus. On pleure pour les autres. Il n'y a plus d'autre. Porteuse d'oubli. Je porte, pour lui.

Tout noter de cette traversée. J'achète un petit cahier, relié de cuir rouge, frappé de deux mots d'or « Honeymoon Diary ». J'attends la nuit, et quand Gabriel dort, j'écris, je note, au hasard « porteuse d'oubli... » « je porte pour lui... » « plus rien ne se déroule, tout s'enroule... » Là seulement, lit des pages, je l'appelle « mon Gaby... » Toulouse, Marseille, Gênes, Naples, Palerme, puis Rome, Florence, Milan, Turin, Lyon, Paris, je n'ai rien vu que lui. Gaby. Il me devance en tout. Il vient de me charger. Quand j'écris, au plus avancé de la nuit, furtivement, le cahier sur mes genoux, devant la coiffeuse, il dort profondément. Ou bien fait-il semblant.

New York. L'été indien. Deux jours. Une grande première pour tous les deux, découverte partagée. Une innocence trouvée enfin, qui nous rapproche. Comme une stupeur. Nous marchons main dans la main, comme des enfants. Il s'arrête, je m'arrête, il lève la tête et regarde, je regarde comme lui. Aucun commentaire. Rien dans son regard de narquois ou d'admiratif. Nul recours à la réflexion. Une impulsion, une évidence. J'ai dû noter « ce qui se soumet en soi s'est déjà soumis autour de moi. Il n'y a que l'esprit de province pour nous animer encore et nous faire rêver de capitales, ou dans les capitales. Comme si nous pouvions renouveler, inspirer ».

Philadelphie. Ville vide. Résidence Rosamond, 173 Grosvenor Boulevard. Gabriel me quitte tôt le matin et me retrouve tard le soir. Il neige et le vent qui souffle immuablement n'a qu'un tranchant, le coupant. J'attends, dans cet appartement qui n'est que de passage. Un living, une chambre, des baies vitrées sur le parc central, vision fixe des arbres noirs et de ce lac qui sert de patinoire. A l'horizon, des immeubles, au carré. Où sont les pics, les monts, le barrage,

Saint-Christau, le promontoire, l'éclipse? Derrière la baie, les mains croisées sur mon ventre, je pense à Greta, derrière la fenêtre de ma chambre, se léchant le ventre. Je lis les journaux, prohibition, trade-unions, guerre des syndicats. Wall Street à la une, chaque jour. Gabriel m'offre une paire de bottines fourrées, d'une autre qualité, belles, douces, luxueuses, sans histoires. Il me les a offertes avec un manteau de lapin, et l'interdiction de trop sortir. « Tu n'as qu'à lire. » Je brode. Un coussin. Celui de ma chambre. J'en copie de mémoire le dessin, feuilles de lierre entrelacées en frise et au centre, le texte « je vis où je m'attache ».

Fin décembre, mon anniversaire. J'ai dix-huit ans. Dans l'après-midi, on me livre un piano droit. Je signe le bordereau de location. Lcs livrcurs me remettent une enveloppe, un mot de Gabriel, ni en-tête, ni date, ni « Chère Pipou » ou « Chère Adrienne », petit mot décapité de mon nom avec seulement « joue par cœur, mon cœur » signature illisible, comme pour ma mère, un graffiti. Je souris. Je prépare le dîner, confectionne un gâteau. Dans le livre de recettes acheté quelques jours auparavant, je me perds dans les pounds et ounces de farine et de beurrc. Jc fais des divisions et des soustractions. C'est le gâteau un peu raté d'un dictionnaire. A huit heures, je me prépare. Devant ma coiffeuse, j'ose un peu de rouge à lèvres pour la première fois. Puis je m'installe au piano. Je joue. La *Sonatine* de Diabelli d'abord, Debussy, Ravel, quelques souvenirs des classiques favoris, le *Gai Laboureur,* la *Lettre à Elise,* et ce *Nocturne* de Fauré. Soirs d'étés. Rumeurs sous la pergola. Je m'arrête. Tac tac d'une horloge électrique dans l'entrée, le parfum du gâteau s'estompe, la table est mise. Je regarde autour de moi. Curieux décor. Je n'aime ni la vaisselle, ni les meubles, ni la moquette, encore moins les tableaux, scènes de golf et retours de chasse dans des auberges anglaises, appartement de fonction. La tête me tourne un peu. Gabriel tarde. Je me poste derrière la baie. Patinoire illuminée, sapins luminescents avec éclairages multicolores clignotants à tant et tant de fenêtres, buildings de pourtour du parc. Un Noël, bientôt. Cinquième étage. Gabriel en visitant l'appartement pour la première fois a ironisé « ce n'est pas trop haut pour toi? » Je guette sa voiture. Une Ford bleu métallisé, à deux portes, avec spider. Un prêt du cabinet Bronson. Tout ici nous est prêté. Je ne suis pas chez moi, si peu avec Gabriel. Le temps passe. Il faut que je sois au piano quand il rentrera. Je m'y remets. Je m'étourdis. Dix heures du soir. Onze heures moins le quart. La *Sonatine* du premier jour, Henriette, autre anniversaire. Je la joue, rejoue et par elle, j'appelle. Puis le bruit de la clef dans la serrure. Gabriel retire son manteau. Il se tient immobile dans l'embrasure de la porte. Il regarde la table. Il se tourne vers moi. Je penche un peu la tête, charmante. Je l'évite. Il s'approche de moi, m'embrasse dans le cou « j'avais beaucoup de travail aujourd'hui ». Il me retient de jouer, me soulève « eh bien... » Rouge à lèvres. Il ne m'embrasse pas. « Je ne t'aime pas avec des lèvres de sang... » Il ne me gifle pas. J'attends un enfant. Gâteau amer. « Tu as encore beaucoup de progrès à faire. » Dans mon journal, je note « lui aussi ».

Jour de l'An. Niagara Falls. Un voyage pour « me distraire ». Froid, givre, verglas, tant de kilomètres, étapes, motels, boissons chaudes, « c'est le voyage de tout le monde », ironies, câlineries, indifférences. Gabriel conduit trop vite. Il s'amuse à prendre des risques, coup de frein, la voiture dérape un peu « tu as peur? » Voyage de neige, de blanc et de mort. C'est la première fois que j'écris le mot « mort » sur mon carnet rouge, journal de lune de miel. Dans l'hôtel, à proximité des chutes, il n'y a que couples et amoureux transis, le bout du nez rouge, frimas, pull-overs, manteaux de fourrure. Je ne suis pas sûre que Gabriel ait vraiment souhaité m'emmener là. Je me dis même qu'il a voulu par ce trajet, embuches, frimas, me donner une leçon, me convaincre d'un lieu commun, me démontrer que rien du désir ne peut être guidé, me perdre à ce jeu, lassitude, fragilité, me dominer et m'emporter pour toujours. Notre passion est absurde. Je le lui dis, un soir, audace, parce qu'il me fait danser. Il me répond « nous sommes absurdes, mais différents... » Je n'ose pas plus avant. Il me serre si fort contre lui. La chambre et la nuit. Son corps pour me surprendre. Et notre voracité. Je ne trouve que ce mot-là pour remplacer celui de fidélité, mot contrit, qui ne peut pas exprimer notre abandon. Je ne serai donc jamais jalouse de Gabriel, de moi, de nous, de lui. Il me laisse à cet enfant que je porte et ne m'en parle jamais. C'est chose naturelle de notre désarroi. Nous ne sommes et l'un, et l'autre, qu'un égal défi. Je le pense, je l'écris. Mon ventre se durcit.

Sur la route du retour, moment de prudence, Gabriel freine, la voiture glisse sur la chaussée, lente et longue courbe, nous tournons une fois, deux, nous heurtons une borne, la voiture bondit sous le choc, capote sur le toit, glisse encore et verse dans un fossé. Pas un cri, pas un geste, nous ne pouvons pas mourir. Gabriel s'extrait de la voiture en premier. Odeur d'essence, puis il me tire, au-dehors. Rase campagne à perte de vue, désert de neige, ciel de glace. Un camion surgit enfin à l'horizon. Brusquement, notre voiture s'embrase. Pas un mot, nous n'avons pas dit un mot. Ni l'un ni l'autre. Le Honeymoon Diary a flambé, avec la Ford bleu métallisé. Du bleu, du feu, la neige, et ce camion qui nous emmène vers la plus proche ville.

Une lettre de ma mère, m'annonce la mort de Madame Certain « happée par une voiture, près du Mille Colonnes, là où le trottoir est si étroit. Il y avait peu de monde, à l'enterrement. J'y suis allée pour toi ». Piano. Je joue pour Madame Canne blanche. Métronome. Février. Fonte des neiges, boues. Le soleil de Philadelphie ne réchauffe pas. Gabriel dit qu'il apprend « beaucoup, et tout le temps », il sourit « surtout ce qu'il ne faut pas faire ». Les lettres d'Henriette commencent par « Mon Gabriel et très chère belle-sœur ». Mon prénom n'apparaît pas. Bonne Maman, elle, n'écrit jamais. Une nuit, je rêve qu'on m'arrache toutes les dents et que je ne peux plus ni manger ni parler. Pourtant, je veux chanter. Gabriel me tire du cauchemar. Je tremble, grelotte. Il m'allonge, tire drap et couverture au-dessus de nos têtes, et dans la nuit de notre lit, je souris, il me réchauffe. Où est le rêve? Quel versant? J'ai terriblement peur. En six mois, à Philadelphie, nous n'avons jamais invité qui que ce soit chez nous, enfin là, dans ce lieu. Au début du printemps, nous repartons. Le bébé en moi grandit, enfant de Philadelphie, comme un printemps. Le coussin est terminé. « Cette phrase ne te ressemble pas. » Le dernier mois, j'ai lu des livres pour futures mamans, une bibliothèque complète. Je suis fin prête. A New York, des gens fous, une misère, un ville excédée. Nous embarquons de nouveau sur le Normandie, comme des voleurs. Sirènes. La statue de la Liberté. Un sourire de Gabriel. Il hausse les épaules. Tenir jusqu'à Paris. « Et si le bébé naît sur le bateau? » « Il choisira sa nationalité. » « Pourquoi il? » Gabriel sourit.

Sitôt arrivée à Paris, pas même une nuit à l'hôtel, premières douleurs, clinique. On me traite en urgente parce qu'on ne m'a ni prévue ni inscrite. Où suis-je, quel quartier, quelle rue? Je ne connais pas cette ville. L'enfant naît un peu après trois heures du matin. Dans la salle d'accouchement il y a aussi une horloge électrique, tac, tac, répétition du même bruit sec, impersonnel, temps indifférent, le temps de la Résidence Rosamond. Quand je m'éveille, le matin suivant, Gabriel est assis à côté de mon lit. Il somnole, tassé sur lui-même. L'infirmière me tend le bébé et me dit de lui qu'il est beau, grand et gros, qu'il ressemblera à son père. Sottises admises. C'est un garçon. Une raison. Gabriel comme secoué d'un mauvais rêve, se redresse, rapproche la chaise du lit, me prend la main « et ta montre? » D'un regard, je lui indique qu'elle est sur la table de chevet. « Tu iras mieux très vite. » C'est tout ce qu'il trouve à me dire. « Où sommes-nous, par rapport à Notre-Dame et par rapport à la tour Eiffel? » C'est tout ce que je trouve à lui demander. « A mi-chemin des deux... » Je me sens encore plus perdue. Nous sommes trois. La mémoire ni n'accuse ni n'excuse, elle invite.

Mémoire, ma mémoire de sourde, de muette, mémoire d'enfant, mémoire sanglée, tiraillée, égratignée, si peu une mémoire collective, et pourtant. Très vite, je donne le sein à Emmanuel. La sensation est étrange. Ce petit être, aussi, veut me dévorer. Fragile, informe, il attaque déjà, les yeux fermés. Je ne cesse d'admirer ses mains, ses doigts si fins. L'infirmière le replace bien en vue, dans mes bras. Gabriel nous photographie pour sa mère. Je me dis que j'ai choisi de me taire dès que je me suis mise à parler. Un sourire, je ris. Non pas pour la photo, mais pour cette pensée. Je ne suis donc venue au monde que pour me taire et me terrer. Une mère, radieuse, son bébé dans les bras, le mari photographie. La photo sera belle. A quoi pense la mère à ce moment-là? Je viens brusquement de me rendre compte que depuis le jour de notre mariage, Gabriel et moi ne nous sommes jamais photographiés ou fait photographier. Ce voyage, ces neuf premiers mois, étourdis, nous ne les avons donc vécus que pour nous-mêmes, histoire parallèle des cartes postales envoyés à la famille, et histoire vraie, profonde, la nôtre, images réfléchies, mêlées, regards que rien n'aura profilé, inscrit, daté. En cela, sans doute, sommes-nous sincères. « A quoi penses-tu Pipou? » L'infirmière reprend le bébé pour le langer. Gabriel explique qu'on lui a prêté l'appareil photo. Un ami des Beaux-Arts. Autre prêt. Puis il m'annonce qu'il doit me quitter pour visiter trois appartements dont un « très beau, et très grand, boulevard Lannes... » « C'est où, par rapport à Notre-Dame et par rapport à la tour Eiffel? » « Ne recommence pas... » Il me pince le menton, bise furtive sur les lèvres. Il s'en va. Je ne sais toujours pas où je suis, où j'en suis. Je demande à l'infirmière de m'acheter un plan de Paris. A son regard étonné je comprends qu'on ne me comprendra jamais très bien.

L'appartement du boulevard Lannes est immense lumineux, vide. Cinq chambres, plus la nôtre, trois pièces de séjour, sans compter deux chambres de service. J'interroge Gabriel « mais pourquoi? » « Tu verras! » Plombiers, électriciens, peintres, on livre des meubles que je n'ai pas choisis, on pose des rideaux, doubles rideaux, dont je n'ai pas décidé le dessin, la fibre, la couleur. Rien de cela ne m'inquiète. Gabriel veut jouer tous les rôles. J'y vois une attention. J'y vis son affection. Souvent, je vais passer l'après-midi au bois de Boulogne. Emmanuel, dans son landau, est calme et gentil. Il me regarde fixement. Il ne dort jamais quand je le promène. Gabriel vient de s'associer avec Karlak, un de ses anciens professeurs dont il reprendra le cabinet d'architecture. Au téléphone, tard le soir, je ne l'entends parler que de béton, poutrelles, plans masse, éléments standard. Sa voix résonne et traîne dans les couloirs de l'appartement. Parquets cirés. Une soubrette, Pierrette, veut à tout prix son samedi soir pour aller danser, le seul soir que Gabriel pourrait me consacrer. Tant pis. Je reste à la maison. Il en profite pour revenir, seul, au bureau « c'est trop important, tout démarre ». Tout m'échappe. L'appartement se meuble, se pare, s'assourdit. Gabriel achète une voiture. Nous descendrons passer trois semaines dans « sa campagne » pour « revoir tout le monde » et « nous reposer un peu ». Emmanuel a trois mois. Nous fuyons Paris, très tôt le matin, dernier dimanche de juillet. Pierrette, elle, nous a quittés la veille « l'appartement est trop grand et je m'ennuie... »

Bonne Maman et Henriette sont restées en ville. Nous avons « la campagne » pour nous seuls et Augustine pour nous servir. Ma mère prétexte des douleurs de hanche pour ne pas nous rendre visite, et puis, dit-elle « je n'aime pas aller chez l'étrangère ». Elle nous attend « quand nous voulons ». Je la retrouve heureuse. La dame en blanc, comme elle désormais, s'habille de gris. Elles ressemblent à deux vieilles sœurs. La dame en blanc a appris à jouer au whist. Ma mère précise « elle perd, sauf si je m'endors ». Quand Bonne Maman s'adresse à moi, toutes ses phrases commencent par « ma petite... » et le ton est celui d'un exemple. Lequel? Augustine me confie « ne l'écoutez pas, elle n'aime que ce qu'elle déchire ». Avec l'accent. Et son regard. Ni poudres ni crèmes vertes, Augustine lange Emmanuel « tout comme j'ai langé son père, mais celui-ci, je le veux plus aimable... » Les premiers jours, les visites sont fréquentes. Henriette, à qui Gabriel fait remarquer qu'elle ne m'embrasse pas « du fond du cœur... » hausse les épaules. Elle a été recalée en philo, et en plus à Bordeaux! Son frère la moque. Le soir de notre premier anniversaire de mariage, nous soupons sur la terrasse, lieu du premier interrogatoire. Augustine, au dessert, pose un petit gâteau, sur la table, avec une bougie. Gabriel regarde Augustine et lui dit avec assurance, « nous vous emmenons à Paris... » Augustine me sourit. C'est oui. Gabriel apporte une troisième chaise. Augustine retire son tablier et prend place avec nous. Partage du gâteau. Nous soufflons tous trois la bougie d'un coup. Augustine se tourne vers moi et murmure « je peux vous appeler Pipou? »

Augustine et le piano. L'appartement du boulevard Lannes se met à vivre. Les premiers jours d'octobre, vomissements. Je ne suis surprise que du retard. Je le savais déjà. Je n'ai une seconde fois pas à l'annoncer à Gabriel. Ce soir-là, nous revenons d'un souper chez Karlak. Un feu rouge. Gabriel se tourne vers moi, petite moue fière, tendre ou moqueuse, comment savoir « c'est pour quand? » « En mai, comme Emmanuel. »

Même clinique. Autre infirmière. Pas de photo. Augustine me rend visite et m'annonce les premiers pas d'Emmanuel. Elle dit de Stéphane qu'il me ressemble, mais elle rougit, et ne le pense pas « deux garçons, c'est mieux, ils vont se défendre... » « Contre qui? » Augustine ne répond pas. « Alors, contre quoi? » Elle sourit et me regarde. Son regard. Celui du premier jour. On pense toujours le bonheur ailleurs. Il est là. Augustine.

Gabriel écrit des articles pour des revues spécialisées. Il fait tout autant parler de lui par ses propos que par ses réalisations. Je souligne parfois des phrases de sa plume, étranges, terriblement familières. « Le progrès matériel n'a fait que supprimer la servitude. C'est peut-être d'ailleurs un des dangers du monde d'aujourd'hui, cet excès de commodités, de conforts, finit par créer une image dérisoire et fausse du bonheur... » Augustine, c'est un peu de province avec moi. Gabriel, en impasse, parle dans le désert, construit au hasard. Inspiré, il n'inspirera pas « ... ma recherche est d'ordre psychologique. Je serais désolé que d'autres architectes imitent ma manière. C'est pourtant un état d'esprit qu'il faudrait nous donner et non des formes déjà existantes ». Gabriel parle déjà en vieux, toute jeunesse rejetée. Le meilleur moyen de taire quelqu'un est de prétendre qu'on parle beaucoup de lui. Et quand celui-ci parle, de ne pas écouter, feindre et jouer au plus pressé. Dans le sillage de Gabriel je me tais pour, droite, debout, curieuse, être là le jour où il flanchera. Mais rien ne l'atteindra. C'est un ambitieux. Brut. Rien ne nous atteindra. Corps étranger. Union. Si peu une passion. En pur gain.

Trois hivers, trois grossesses, deux fils en mai, le troisième un juin. Emmanuel, Stéphane, Laurent, ni parcs, ni laisses, je vis avec eux, tout le temps, c'est beaucoup. Le troisième été, vacances, la campagne. Je rends visite à ma mère « la chatte est morte hier, sur le rebord de ta fenêtre ». Vieille, aveugle, pleine, sale, je vais caresser Greta dans la poubelle, sans dégoût. Petites billes qui roulent. En me relevant, je me sens faible. Vertige. Je me tiens le ventre. De retour à la maison, Augustine me dit sans cérémonie, son impromptu « il faut arrêter, sinon Monsieur va vous tuer ». Elle ne l'appelle plus Gabriel.

34

ALLÉE privée. Marche arrière. Stop. Bernard tire sur le frein à main. Fernande ouvre la portière arrière « vous êtes en retard ». Elle regarde Jeanne « je vous préfère ainsi coiffée ». Jeanne répond, même voix, même ton « moi aussi, merci ». Jeanne fait signe à Fernande de s'écarter « je peux sortir toute seule ». Jeanne descend. Bernard ouvre l'autre portière. Martine fait le tour de la voiture. Aider Madame. Jeanne et Fernande se regardent. « Si vous le souhaitez vraiment, Fernande, nous pouvons tous repartir, tout de suite, moi, Paulin, Bernard, Martine et surtout Madame! Que voulez-vous au juste? » Jeanne fait claquer la portière. Fernande recule, bras croisés, un peu étonnée. « Mais je croyais vous faire plaisir... » « Non Fernande, si vous me préférez ainsi coiffée, c'est que vous ne m'aimiez pas avant. » Jeanne esquisse un geste, comme si elle voulait tendre la main à Fernande, puis elle fait le tour de la voiture. Entre Martine et Bernard, Adrienne écoute, elle regarde. Elle comprend. Qui sait? Fernande murmure « Madame n'est pas si folle que ça ». Jeanne prend sa belle-mère par le coude « venez Mamie ». Deux pas, puis l'escalier. Martine les suit. Bernard remet le paquet-cadeau à Fernande. Sans commentaire. Avec l'enveloppe, monnaie, facture, garantie. Jeanne ne s'aime pas en colère. Le vent, le vent, et le ciel, en haut de l'escalier, un silence retrouvé. Jeanne pense à cette main, sur son ventre, pendant le parcours du retour. Main qui se crispait un peu, animée, par instant, cherchant à se cramponner. Le bébé bougeait. Jeanne pense aux gens qui se battaient encore à l'entrée du camping. Une ambulance. Et ce coup de klaxon strident que Bernard a donné pour doubler la longue file des voitures et caravanes en attente. Ici, la Calanque, camping de luxe. Coffre-fort de verdure. En haut de l'escalier, Jeanne embrasse sa belle-mère sur le front, baiser de mère « à tout à l'heure Mamie » et très vite, elle redescend. Sans regarder Martine. Rejoindre Paulin, Martin, et surtout ne plus s'ingérer. Abandonner et l'abandonner. Elle.

Toute province oubliée? La deux-chevaux et Martin qui se tient debout sur la banquette avant. Il crie « Man! » Paulin place sa voiture derrière la DS et demande à Bernard s'il peut la laisser là. « Avec la clef dessus, oui... » Martin court vers sa mère « t'as perdu tes cheveux? T'es belle! » Jeanne se dit que son fils parle trop beau. Puis l'idée lui revient de toute province oubliée. Paulin s'approche « c'est vrai, tu es belle, encore plus belle ». Une province, la leur, leur choix, quand ils ont décidé de quitter Paris. « Vous allez vous enterrer » disait Stéphane. « Ça fera encore plus gauche-chic » avait ironisé Françoise. Ils s'étaient tous moqués d'eux. Dans l'entrée du F4 dernier étage, terrasse, loué à la sortie de la ville, près du parc de loisirs et du supermarché, Paulin avait inscrit au-dessus du téléphone, au crayon, sur le papier mural, une phrase de Mauriac « L'horreur de la province tient dans l'assurance où nous sommes de n'y pas trouver qui parle notre langue, mais en revanche, de n'y passer une seule seconde inaperçu ». En commentaire, en dessous, Paulin avait ajouté d'un trait plus fin « ce qui s'efface reste ». Depuis bientôt cinq ans, l'inscription est là. « A quoi penses-tu ? » Jeanne prend la main de Paulin, puis celle de Martin qui répète « regarde, regarde... » en montrant ses vêtements. Paulin murmure « je n'aurai plus à cacher ma main pour te caresser la nuque ». Ils se dirigent tous trois vers le port. « Allons au moins à leur rencontre. »

Et elle, elle, est assise, même fauteuil, fin de journée, tubulure tiède, même terrasse, même vue, le toit de la maison du bas, le creux du patio, les arbres du pourtour, puis les rochers en surplomb de la calanque, la mer frangée d'écume sous le mistral, comme un frisson qui va en s'amplifiant vers le large. Un bateau de liaison, il revient, quelques voiliers, un hors-bord, et les îles nettes, dessinées, décapées par le vent, caricatures d'elles-mêmes. Elle regarde. Elle fronce les sourcils, cligne des yeux. Martine l'observe et lui prend la main, à genoux devant le fauteuil « Madame... » Elle regarde au loin, très loin, quelque chose d'extraordinaire à l'horizon. Passage ? Martine tourne la tête dans la même direction. Rien. Pourtant il y a, dans le regard de cette femme, un émerveillement, une inquiétude. Martine se relève. Et elle, elle, essaie de lever la main, de tendre un doigt et de montrer, là-bas, tout droit, devant, au sud. Martine se penche, visage contre visage « dites-moi Madame ce que vous voyez... » Madame regarde le ciel. A quoi bon inventer. Elle ne regarde plus rien. Martine lui croise les mains sur le ventre, même geste, même posture, même attente. Puis elle boutonne le col de la robe « je vais me préparer, et après je vous ferai belle ». Martine rentre dans la maison. Quand Jeanne a parlé, Madame a vraiment regardé Fernande, puis maintenant le ciel, pareillement, et ce geste esquissé. Rien, ce n'est rien, une illusion. Sous la douche, Martine préfère penser à Robert. Moto. Minuit. Vivre sa vie et laisser aux autres soin et souffrance de vivre la leur. Robert, c'est peut-être plus sérieux que d'ordinaire.

Peignoir blanc, propre, plis aux manches et plis devant, symétriquement. Repassage maison. Gabriel serre très fort la ceinture. Il a failli s'endormir dans le bain. Fernande a frappé à la porte de la salle de bains. « Monsieur? Ce n'est pas bon longtemps! » Le revoilà debout, sec, tout neuf, rasé de près, un brin d'eau de toilette. Il enfile ses mules, passe dans le bureau, pousse les volets. C'est l'heure des fleurs et de leurs senteurs. Mais aujourd'hui le vent chasse et emporte vers le large. Des couleurs, c'est tout. De la porte-fenêtre du bureau, Gabriel observe ce jardin envahi, sauvage, que plus rien ne dompte, floraisons excessives. L'altéa ibuscus va mourir de ne plus être tenu à l'écart des autres plantes. Un abandon. Gabriel serre encore plus fort la ceinture du peignoir, puis il remet en place le col, bien à plat, et lisse les manches pour chasser les plis. Devant ses enfants, il n'a rien dit de ce qu'il avait à dire. L'essentiel? Sur le bureau, le magnétophone, noter, dicter encore, tenter, émettre un message. Mais qui le recueillera, ou bien non, pur gain, pure perte, un discours, au hasard, enregistrer ce qu'il a pensé l'instant auparavant, formulé en se rasant, veillant à ne pas se couper. Il appuie sur le bouton Start, parle « il ne faut pas que l'architecture soit visible. Il faut qu'elle soit fondue dans le mode de vie, qu'elle s'en tienne à l'échelle humaine, au point que personne ne s'en étonne ni ne la remarque... » Gabriel appuie sur le bouton Stop, respire profondément. Silence. Bouton flèche à gauche, retour en arrière. Bouton flèche à droite, il écoute ce qu'il vient de dire. A quoi bon s'exprimer ainsi. Utopie. Tout ce qu'il a construit se voit trop. Il ferme les yeux. Vertige. Il s'assoit à son bureau, la tête entre les mains. « ... s'en tienne à l'échelle humaine, au point que personne ne s'en étonne ni ne la remarque ». Et elle, elle? Si elle était sa réussite, seule, vraie, elle, là-haut? La bande du magnétophone tourne lentement, bande vierge, discours à venir. A quoi bon? Ne plus rien dicter.

Gabriel ne veut pas se souvenir du jour où il a dit « tu es ma ville » à Adrienne. Il l'appelait alors Pipou, petit nom rapporté, revenu à ce jour pour annoncer de nouveau et, par l'insouciance de Martin, troubler encore. Chassez une image, elle revient. Jouez avec cette image, elle dira une vérité, pas la sacro-sainte vérité des doctes, mais celle hasardeuse que dicte le cœur. Le magnétophone tourne à vide. Le bout de la bande fouette le capot, régulièrement. Gabriel appuie sur le bouton Stop et se redresse dans son fauteuil. Il étouffe, défait le nœud de la ceinture du peignoir. L'horloge sonne deux fois six heures. L'horloge de la maison des Promenades. Première visite. Pourquoi avoir choisi cette femme? Pourquoi s'être arrêté à elle? Cinquante ans avec elle et nulle autre, jamais, est-ce possible, quasiment ridicule, et pourtant? Une force est de l'admettre, tout le contraire d'un conformisme une immense contrariété ou bien une joie qui n'a jamais voulu s'avouer telle. Et elle, nul autre aussi, c'est sûr, d'ailleurs pourquoi, quand donc auraient-ils pu penser ou l'un ou l'autre à qui que ce soit de tiers pour rompre ce qui est encore tout de front absurde et parfait, violent et tenace? Adrienne était belle, oui très belle. Et plus encore que sa beauté, son silence. Sa présence obstinée. Gabriel répète à voix haute « au point que personne ne s'en étonne ni ne la remarque ». L'image est là. Une évidence. L'amour est risible, parce qu'il se casse. Combien de fois ont-ils ri, ensemble, au théâtre, les portes claquaient sur scène, quiproquos, placards, théâtre de boulevard, futile, pour le rire, le rire des autres. Pas le leur. Une passion ne se brise pas. Gabriel pense à l'altéa du jardin qui meurt lui aussi de ne plus être tenu à l'écart des autres plantes. Et tout le ramène à l'aveu, au lien, au coussin moqué, avant le départ de Philadelphie, avec cette étrange phrase qui l'avait fâché, lui, le maître, et qui pourtant, aussi, annonçait. Et l'autre théâtre, tragique, tragi-comique, ou bien encore celui des idées, « je le préfère » disait Adrienne. Ils y allaient. Mais lui, Gabriel, n'écoutait pas, ou bien les idées éveillaient-elles en lui d'autres idées, pour lui, sa pensée. Il bâtissait encore en silence, dans son fauteuil. A la fin du spectacle, le public applaudissait et le surprenait. Adrienne disait « merci, j'ai beaucoup aimé cette pièce ». Quelle pièce? Gabriel pose les mains à plat sur son bureau. L'alliance est comme incrustée dans son doigt. Elle est le doigt. Il faudrait une pince pour la retirer. Gabriel sourit. Fernande frappe à la porte. « C'est le cadeau pour Madame... » Elle entre. Gabriel croit qu'il va oublier ce qu'il vient de penser.

Les femmes et les enfants devant, les quatre frères derrière. C'est Emmanuel qui ralentit, s'arrête et s'assoit sur le parapet, dernier virage avant le port privé. Un signe aux femmes « ne nous attendez pas ». Martin veut rester avec son père. Jeanne l'emmène de force. Sylvie demande à Jeanne « c'est pour quand le bébé? » « Si ça continue, c'est pour ce soir. » Françoise la regarde « tu plaisantes? » « Bien sûr. » Un des jumeaux s'approche de Martin et lui envoie un coup de pied dans le ventre. Coup de poing de Martin, en retour, et en plein visage. Hurlement du jumeau. « Arrêtez! » Josyane conseille aux Emmanuel de marcher en bordure de route. Colette réunit les siens. Une voiture passe. L'aîné des Emmanuel dit « c'est le ministre! » Françoise lui ordonne de se taire.

Les quatre fils assis sur le parapet. Silence. Puis

regards, et sourires. Paulin éclate de rire « vraiment... » « Vraiment quoi? » « Encore un drame pour rien. » Silence de nouveau. Emmanuel regarde Laurent, Stéphane, aucun échange, l'esquive, puis il observe Paulin, de profil, les pieds sur le parapet, mains croisées sur les genoux. Paulin se tourne vers ses frères « nous en reparlerons l'hiver prochain, comme d'habitude, pour Noël... » Stéphane murmure « ça va Paulin, tu as gagné » « Gagné quoi? » « Pour maman... » « Mais gagné quoi? » Silence. Emmanuel se lève « après tout... » Il rentre seul. Laurent sourit à Paulin, Paulin adresse un clin d'œil à Stéphane. Stéphane murmure « si on retire l'un, l'autre meurt... » Silence. Le vent. Dans le virage, un peu plus haut, Emmanuel manque de se faire heurter par une voiture. « Toujours distrait Manu! »

Martine ouvre un placard. Un petit paquet tombe du haut de la dernière étagère. Placards pleins à craquer. Souvenirs. Elle veut remettre le paquet en place, papier de soie, rubans, mais il lui faudrait l'escabeau. Elle renonce. Elle ouvre le paquet. Trois chignons, tout aplatis, cheveux desséchés, raidis par le temps. Odeur de naphtaline. Elle froisse le paquet, petite boule qu'elle jette dans la panière de la salle de bains.

Stéphane se lève à son tour, s'étire, se frotte les bras, début de bronzage « allez venez, c'est ça, on en reparlera l'hiver prochain... »

Laurent reste avec Paulin. Il sourit « tu te souviens? » « Quoi? » « C'était hier... » « Quoi hier? » « On y croyait... » « A quoi, dis-le! » Laurent s'allonge sur le parapet, mains croisées sur le front. « On croyait à tout, et à eux, les parents. Maman nous disait tout le temps, vous n'avez pas le droit de critiquer vos parents... » Paulin se lève, croise les bras, regarde son frère « Tu as quel âge maintenant? » « Tu devrais le savoir! » Sourire. « Je veux en être sûr! » Laurent redresse un peu la tête, mains derrière la nuque « eh bien justement, quarante-sept ans. Et quand on jouait, c'était hier. On y croyait... » Paulin se tait. Laurent dit à mi-voix, petite moue « on se disait qu'on ne ferait pas comme eux... »

Et elle, elle, écoute le vent. Le vent et les loups.

35

Je me promène dans les rues de Mendoza, tôt le matin. J'ai rendez-vous à midi, devant la poste principale. Des amis argentins de Gabriel me raccompagneront à Buenos Aires pour le dîner. Je ne sais pas conduire. Gabriel n'a jamais voulu que j'apprenne. L'idée même de ce permis l'irrite « tu n'en as pas besoin ». Je demeure tributaire des autres, tributaire de lui, lui seul. J'ai toute la matinée. Escapade de deux jours autorisée, impromptue, cet architecte « Mendoza? Justement, ma femme et moi devons faire l'aller et retour dans la région, nous vous emmenons... » Gabriel n'a même pas eu le temps de dire non. Le congrès d'architecture s'achève ce soir. Nous n'irons pas au dîner de clôture, mais nous dînerons ensemble, dixième anniversaire de notre mariage, premier août, notre date. Gabriel a seulement dit « nous irons souper chez les loups... »

Nos trois fils sont restés avec Augustine, pour l'été. Brésil, Bolivie, Mexique, nous ne serons de retour qu'à la fin du mois. Et ce matin, je suis là, je cherche la maison où ma famille a vécu, la véranda, un toit pointu, maison de pierre et de bois, comme une verrue, aperçue en photos, dans des albums, mes sœurs au berceau, Adrien et son cerceau, la nourrice noire, ma mère et cet enfant à côté d'elle, son petit nègre. Je marche. Je n'ai pour tout renseignement que des choses entendues, photos entrevues, sans commentaire, aucun nom de rue. Mendoza, c'est tout. C'est là. Petite ville au pied des Andes et tout autour, à flanc de collines, vergers et vignes, bien alignés, paysage tressé, sec. Un air vif. L'hiver au mois d'août. Une rue, une place, une avenue, un jardin public, de façade en façade, j'interroge, je me ravis, je m'inquiète. Cette ville est banale, morte, silencieuse. J'imagine mon père, jeune, promenant ses enfants, ou bien ma mère agitant son éventail, remettant en place son châle, insistant auprès d'une domestique pour qu'elle lui serre son corset, taille de jeune femme, cambrure. J'essaie d'imaginer qu'ils ont vécu vingt-six ans dans cette ville-là, saga exotique, amours passionnées, rires de mes sœurs aînées, en robes blanches, brodées, images devinées. Mais cette ville ne me livre aucun secret. Quelques maisons qu'on devine de maîtres « j'ai connu un architecte qui a fait fortune là-bas... », des terrains vagues, carcasse d'un autobus, une fontaine qui ne coule plus, une plaque sur une porte « Consulat de France ». Je sonne. Personne. C'est fermé. J'ai froid. Transie. Eduardo et sa femme m'ont prévenue « c'est la montagne... » Dans la seule boutique de mode de la rue principale, je demande un châle. On me répond qu'on n'en fait plus depuis longtemps. J'insiste. Conversations d'arrière-boutique. Au bout de quelques minutes on apporte un grand carton, on me demande si c'est ça que je veux. Il n'en reste que trois. Je les achète. Ils ne savent plus le prix. Ils rient. Ils me prennent pour une folle. J'aurais donné tout mon argent. Je l'ai donné. Un châle sur les épaules, et deux sur le bras. Surtout pas de paquet.

Au café El Colonial, je rédige une carte postale pour ma mère, une autre pour mes enfants. Puis je reprends la marche, onze heures, onze heures et quart. La maison des photos est nulle part. A chaque croisement de rue, mon cœur bat très fort, une surprise, là, peut-être, enfin. Non. Rien. Des maisons sans style, volets fermés. Les passants me remarquent, étonnés. Il doit y avoir de l'admiration dans mon regard. Je presse le pas. Je remonte un peu vers le nord de la ville, mais il n'y a plus là de chaussée, allées de terre battue, baraques de fortune. Demi-tour. Arrivée la veille, bout du monde, un peu de mon histoire, je n'aurai donc rien vu. Je passe à l'hôtel reprendre ma valise. Midi moins dix. Poste principale. Je n'oublie pas d'envoyer les cartes postales. Je n'ai pas voulu intéresser qui que ce soit à mes recherches. J'ai désiré trouver toute seule. Une intimité. Résultat, rien. Dans la voiture, Eduardo me demande si je suis déçue. Je veux répondre non, puis franchement j'avoue que oui. A ce moment précis, sortie de la ville, derrière une haie de palmiers, j'entrevois une maison, la maison, leur, notre maison, qui sait, ces clochetons de bois? Mais je n'ose plus rien dire. La route est longue. Nous ne devons pas être en retard. La femme d'Eduardo s'allonge sur la banquette arrière. Je regarde ce paysage comme ceux-là de ma famille ont dû le regarder, avant moi. C'est si bon d'entrevoir. Une joie.

Gabriel ne fait aucun commentaire sur sa communication de l'après-midi. Chambre d'hôtel. Sur la table de chevet une photo d'Emmanuel, Stéphane et Laurent, neuf, huit et sept ans. Qui sont-ils? Je n'en sais rien. Ils m'aiment bien et je m'occupe d'eux. Je ne fais que trop pour eux. Pour Gabriel, juge en dernier recours des bulletins trimestriels, déjà, c'est toujours trop peu. Je fais ce que je peux. Je respecte leurs mensonges d'enfant, leurs jeux, leur clan. Ils vont au lycée. Gabriel a décidé qu'ils seraient ingénieurs, pour ensuite et seulement, après, faire les Beaux-

Arts, tous trois, comme lui, architectes. Sur la table de chevet, cette photo. Les enfants me regardent. Et ce regard est celui, innocent, qu'ils me portent, aux repas, boulevard Lannes, lorsque leur père me dit un mot dur, ou bien frappe la table de son poing. Gabriel est aussi président de l'Association des parents d'élèves du lycée. Enseignement gratuit. « Le meilleur. Tu n'as qu'à en plus leur faire donner des petits cours. » Cours supplémentaires, payants, faveurs des professeurs, jeu parallèle, fierté, Paris, gagner, réussir nos fils. Gabriel sort de la salle de bains, reproche « tu n'es pas prête? » Nœud de cravate, geste bref, menton relevé « je t'emmène chez les loups... » Il rit en mettant en place le col de sa chemise. Je me lève. Je pense à la maison de Mendoza, à ces deux jours là-bas. On aime toujours ce que l'on a cru renier. J'entre dans la salle de bains. Gabriel m'arrête, gentiment, un geste qui me surprend, puis « tu devrais te maquiller un peu ». Il m'embrasse dans le cou et me regarde en jouant à l'étonné « dix ans? »

Lui, je le vois comme au premier jour. Dans la voiture qui nous conduit au restaurant, il me tient la main, sur la banquette. Le grand reproche est et sera toujours de n'avoir rien à nous reprocher. « Ces congrès ne servent à rien. » Je l'écoute. Il regarde la ville, les avenues, les trottoirs, les gens, il tourne la tête, serre ma main dans la sienne « ils n'écoutaient pas cet après-midi. Il y en a même un qui m'a dit, après, que je parlais toujours trop tôt... » Petit rire « trop tôt de tout... » Il joue avec mon alliance, comme s'il voulait la retirer. Il se tourne vers moi « je ne sais pas vraiment où nous allons souper. Un restaurant à la mode, en dehors de la ville, avec un spectacle... » Je dégage ma main et la pose sur la sienne, geste à l'envers, cette fois, je le tiens. Il sourit. Inhabitude. « C'était comment Mendoza? » Je rougis en bredouillant « rien... » puis « j'y suis allée, c'est l'important... » Il me prend dans ses bras. Comme il y a dix ans, en route pour le Caire, deux amoureux. Beautiful. Sa voix hésite un peu « ce châle te va très bien... »

Un portail surmonté d'une grande enseigne. La Reserva. Une allée de graviers, les pneus du taxi crissent, virage, un perron surmonté d'une marquise, un groom pour nous ouvrir la porte. Je descends. Il n'y a d'ancien que le perron et la marquise, grande bâtisse de béton, haut mur aveugle, croissant de lune se recourbant de droite et de gauche, vers la nuit et une odeur forte, à la fois végétale et animale. Gabriel descend à son tour et me prend par le bras, nous entrons. Courbettes, moquette, faux décor Louis XV, appliques aux ampoules multicolores, consoles en métal façon bois doré. D'entrée, je n'aime pas cet endroit. Je me cache derrière un sourire. Gabriel aussi, même expression. Nous nous surprenons l'un l'autre, et nous en rions. On nous appelle Señora, Señor, on nous guide, on nous entoure. L'intérieur du croissant n'est qu'un vaste couloir en demi-cercle, enfilade de tables contre une baie vitrée. A l'extérieur, une haie grillagée, hérissée de fil de fer barbelé peint en doré pour faire plus élégant, au centre, une pelouse, plus loin dans une semi-obscurité, un talus, l'orée d'un bois, un bois, la nuit. Gabriel veut repartir. Mais nous avons pris place. On nous entoure. On nous sert. Boisson de bienvenue. Menus parcheminés. Une petite lampe sur chaque table. Quelques couples. Je vois les serveurs en deuil. Nous trinquons, nous buvons, nous jouons à être heureux. Gabriel dodeline de la tête, regarde vers l'extérieur, le grillage, la pelouse, la nuit. « Nous aurions dû rester à l'hôtel. Nous ne sommes pas faits pour... » Phrase en suspens. Il croise les avant-bras sur la table, mains à plat sur les assiettes et la serviette, se penche vers moi « embrasse-moi, je le veux... » Pire qu'un jeu. Je me penche. Je l'embrasse. Il le veut.

Chacun derrière son menu. Je pense au boulevard Lannes. Aux visites de Bonne Maman, chaque année, la première quinzaine de novembre. A table, elle préside en face de Gabriel. Elle dit et répète toujours, à sa manière, un rire un peu pincé « vous m'avez volé Augustine... » Toutes ses phrases commencent par « vous... » « Vous devriez... » « Vous seriez... » « Vous n'avez pas... » Le vous est tantôt collectif, Gabriel et moi, tantôt personnel, tout dirigé vers moi, une flèche « vous ne saurez jamais, ma petite, cuisiner correctement... » Gabriel se penche, écarte le menu « à quoi penses-tu? » Je réponds « à nous » instinctivement. « Qu'est-ce que tu as choisi? » « Ce que tu choisiras... » Je ferme le menu. Où le poser, il est presque aussi grand que la table. Un serveur m'en délivre. Le maître d'hôtel s'approche. Gabriel passe commande en anglais. Je regarde le grillage, la pelouse, la nuit. Et le bois. Ombre plus sombre encore. Des loups? Une réserve?

Un amour se brise facilement. Si peu une passion. Jamais. Elle fait des racines partout, tout le temps. Le corps et l'esprit, envahis. Et la plus vivace des passions s'appelle divorce. Je me serre dans le châle. « Tu as froid, chérie?... » Chérie. Pour la première fois. Factice. Il le sait. Je frissonne. « Tu ne bois pas? » Je fais signe que non. Je l'observe, les yeux dans les yeux, tête-à-tête. Début de maquillage. C'était quand, exactement, histoire des autres et de notre temps? On parlait déjà du Front populaire au passé, réaction. La guerre n'a pas encore éclaté. Karlak est mort au printemps. Dans son cabinet d'architecture, Gabriel est désormais seul maître à bord, détesté de tous, trouvant toujours un geste, une affection, une pensée en revers et en dernier recours pour se faire aimer, continuer à enthousiasmer son équipe. Ses réalisations, stade de Morilly, cité d'ingénieurs de la raffinerie de Notre-Dame-de-Versillon, Ercqueil ville nouvelle, font toutes l'objet d'analyses et de critiques. Gabriel, souvent, au coucher, me fait une confidence, toujours la même, son doute et sa confiance « mes plus grands ennemis sont ceux qui me respectent le plus... » ou bien « serai toujours en retard d'une avance... » Il oublie de dire je, comme un enfant. Je l'aime pour ces paradoxes et ces violences, pour sa solitude et mon rejet. Il me gifle devant nos trois fils. Je n'en souffre que pour eux. Ils l'ont vu. Témoins. Augustine prend le parti du silence. Je m'occupe de mes quatre hommes, elle s'occupe un peu de moi. Gabriel se penche vers moi, manque de renverser la petite lampe, me pince la joue « reviens, Pipou, dis, parle ce soir... » Champagne, serviette blanche, faire sauter le bouchon discrètement, le sommelier nous observe. Je murmure un « je t'aime Gabriel... » « Tu le dis comme s'il y avait un mais, après... » Je prends sa main et l'embrasse. Je fais semblant de boire. Je trinque. Autres couples, autres tables. Va-et-vient des serveurs. Déplier nos serviettes. L'entrée. « Le spectacle? » « Au dessert seulement. »

Dixième anniversaire de mariage. Une image fixe dans ma tête. Bonne Maman est là « vous n'êtes pas à sa hauteur, ma petite... » « Vous êtes son erreur, je l'avais prévenu... » « Vous... » Où que j'aille, où que je sois, elle est toujours de fait ou en pensée, à s'approcher de moi, au plus près, pour me reprocher de lui avoir ravi son fils. Elle aurait voulu être la grand-mère, la mère, la sœur, la fiancée, l'épouse, la maîtresse, la fille et la petite-fille de son Gabriel, toutes ces femmes à la fois, de front, « écoutez ma petite... » Sa voix aiguë, acidulée, commandée, en écho. Je ne mange pas. Je regarde mon assiette. Violons, guitares et contrebasse, joueurs de tango, cette musique, un air de fête. « Qu'est-ce qui ne va pas Pipou? » Je le regarde « j'ai peur de ta mère, Gabriel... » J'ai parlé.

Il ne répond rien. Combien de fois m'a-t-il expliqué qu'il devait tout à cette femme? Combien de fois aussi a-t-il moqué ma mère, cette vieille, sous prétexte qu'elle n'avait pas eu de regard pour moi, d'attention ou d'affection? Gabriel à mi-voix « tu n'aurais pas dû aller à Mendoza... » Il m'observe, « je t'en prie, mange, c'est délicieux... » Il n'a pas répondu.

Souvenir fixe de ce soir-là. Musique, ballet des serveurs, plats somptueux, trop épicés et le geste absurde du plus jeune des employés qui par quatre fois remplace le cendrier propre par un cendrier propre. Gabriel et moi ne fumons pas. Pour un peu, un regard plus insistant venant de Gabriel, je lui demanderais pardon d'avoir avoué la frayeur que m'inspire sa mère. Mais le pardon n'est pas le langage de notre union. Gabriel m'évite du regard, ou bien se moque gentiment, ridicule de ce restaurant. Il soupe tranquillement, le geste pondéré. Il m'a écoutée. Demain nous prendrons l'avion pour São Paulo. Il doit rencontrer Neimeyer pour la première fois. Sans doute prépare-t-il en pensée l'entrevue? Deux entrées, champagne, vin blanc, vin rouge, plat principal. Je ne bois ni ne mange. Je le scrute. Il m'échappe. Je le rejoins continuellement. Peu avant le dessert, comme sorti d'un rêve, ébloui, il revient à moi et murmure « je voudrais de toi une fille... » Une volonté. Sa décision. Et pour moi, fonction, une émotion, un désir. « C'est oui? » Je réponds « oui » nettement. Une fille contre sa mère.

Fin de musique, coup de cymbales. Un homme en smoking, jabot de dentelle, s'empare d'un micro « y ahora, Señoras y señores... » Il tend le bras vers le grillage et la pelouse, aire circonscrite par la bâtisse, cœur du croissant, et dix, douze projecteurs s'allument d'un coup, illuminent une surface d'herbe drue, douce, moelleuse, comme un green de golf, demicercle au centre duquel se trouve une petite plateforme peinte en rouge vif. L'homme au jabot parle fort, dans le micro. Il donne des explications, il fait rire et applaudir. Il est question de loups dans la mythologie et dans la littérature, Sibérie, Jack London. Puis les lumières plafonnières du restaurant s'éteignent. Ne restent allumées que les petites lampes sur chaque table, intimité, mystère. Roulement de tambour. Deux hommes surgissent de chaque extrémité de la bâtisse, courent entre la baie vitrée et le grillage et se rejoignent devant notre table, « the best place for you two... » avait dit le maître d'hôtel. Les deux hommes tiennent à bout de bras de grands récipients de métal. Une porte s'ouvre dans le grillage, automatiquement, commandée électriquement de l'extérieur. Pour distraire, épater, surprendre, tout est désormais possible, dérisoire, fabriqué. Gabriel et moi échangeons un regard innocent. Nouveau roulement de tambour. Les hommes soulèvent les couvercles des récipients, lessiveuses peintes en doré, et en versent le contenu sur la plate-forme, dizaines de kilos de viande crue, os et viscères. Le souper des loups. Dans le restaurant, un frisson dans l'air, un « oh... » de dégoût roule de table en table. Gabriel et moi nous regardons encore plus innocemment. « Tu veux partir... » Je murmure « aucune importance ». Il me tient la main, sur la table. Le plus jeune des employés remplace le cendrier vide par un autre cendrier vide. Il n'y a devant moi que des verres pleins. Ma serviette tombe par terre. D'une main je serre le châle contre moi. Puis instinctivement,

Gabriel et moi nous regardons, coupables, et l'un, et l'autre, d'être là, pour ça, comme ça, finalement amusés. Les hommes regagnent le pourtour, ferment la porte grillagée. L'homme au jabot recommence « y ahora, señoras y señores... » Violon solo. Vibrato.

L'orée du bois, en léger surplomb. Troncs des arbres, buissons, jeux d'ombres, puis petit à petit, luminescences, comme des lucioles. Les loups sont là, ils approchent, ils attendent. On se prend à compter les paires d'yeux. Quatorze, quinze. Ils sont là, parqués, stoppés par la lumière, humant leur repas. C'est le spectacle. Un repas par jour, sans doute, sans quoi ils ne viendraient pas et les clients n'en auraient pas pour leur argent. Argent. Voyages. Congrès. Rencontres. Politique. Lois. Congés payés. Villes nouvelles. Nos enfants doivent être premiers partout. Singulier. L'histoire n'est pas dans l'histoire, mais autour. Je resterai dans mon verbe. Et tout autour, le pourtour, là où tout féconde encore. Je pense tout cela, à ce moment-là. J'aurais tant voulu que les loups ne jouent pas le jeu de leur faim. A chacun son repas, celui des uns fait le spectacle des autres. Gabriel me verse à boire, instinctivement, sa gêne. La coupe déborde un peu sur la nappe « ça porte bonheur... » Le vibrato du violon est de plus en plus lancinant, coup de marimba, sourd, profond, un loup se détache de la zone d'ombre, puis deux, puis trois. Les voilà tous, en pleine lumière, longeant l'orée, ils hésitent, gueule basse, tournée, vers la plate-forme, regards convergents. Leur démarche est lente. Nulle noblesse. Où sont les seigneurs des textes, contes et légendes? Ils sont là, enfermés, lieu de toute vie, et de toute société. Clowns tristes. Ne pas me réjouir, bêtement, m'interroger. Gabriel fronce les sourcils. Tout nous détache, notre attachement. Les loups se mettent en file, le plus maigre et le plus vieux en tête. Il a le dos pelé, couvert de morsures. Il est le seul à lever les oreilles, à regarder de l'avant. Les autres le suivent docilement. L'homme au jabot explique « el primer en realidad, es una primera, es la loba del grupo, una loba con catorce amantes... » Rires. Quatorze amants, et la louve, en premier. Gabriel pose un coude sur la table, tête dans la main. Je ne le vois plus que de profil. La louve mène le jeu.

Ils tournent lentement, autour de la plate-forme. Ils passent près de nous, le long du grillage, la première fois, puis spirales, cercles concentriques, de tour en tour, kiosque, manège, ils se rapprochent de la plate-forme, toujours en file. Violons, marimbas, contrebasse et guitare, les musiciens se mettent à jouer une valse lente. Rires. Applaudissements. Serviettes blanches à l'avant-bras, adossés au mur, les serveurs attendent, pieds croisés, l'air blasé. C'est leur moment de repos. Je serre le châle contre moi, m'engonce dans le fauteuil. Je me tais. Il n'y a que les murmures pour être entendus et que le quotidien pour modifier le quotidien. Je suis perdue. Gaby n'ose plus me regarder. L'homme au jabot explique que ces loups sont sauvages, qu'ils n'ont jamais été dressés, qu'ils font tout « al natural », naturellement. La louve est toujours en tête. La valse est de plus en plus lente, fond de roulement de tambour. De nouveau, les violons au vibrato. L'angoisse chic. Les quatorze loups et la louve forment un cercle parfait autour de la plate-forme. Ils s'arrêtent, se terrent. Fin de valse. Le tambour seul. « C'est le cirque partout » m'a dit Stéphane en m'offrant un dessin d'enfant représentant un lion prenant d'assaut un château fort. Image furtive. « y ahora señoras y señores... » Silence. Les loups guettent la louve. La louve tend la gueule vers la plate-forme et le tas de viande. Secondes. Longues secondes. Elle hume, renifle, tend le cou, puis une patte, recule, recommence. Les quatorze loups, terrés, la gueule entre les pattes, sont prêts à bondir. Débuts de soupirs dans le restaurant. Rires nerveux. Les serveurs nous observent en souriant.

La louve bondit enfin. Signal. Les loups se jettent indifféremment sur elle et sur la nourriture. Ils mordent la louve, se mordent et se battent. La louve sort tout de suite de la mêlée et fuit avec un morceau de viande dans la gueule. L'homme au jabot explique que c'est pour les « lobeznos... » ses louveteaux. Les quatorze loups, eux, restent, c'est le festin, les crocs, la curée. Applaudissements. Tango. La louve disparaît dans le bois. On coupe les projecteurs. C'est la nuit de nouveau sur la pelouse. Lumière plafonnière. Le service reprend. A peine ai-je le temps de croiser le regard de Gabriel qu'on nous apporte, procession, un gâteau avec dix bougies. Les musiciens entourent notre table. Gabriel rougit. Je m'essuie les yeux. Un peu de rimmel sur le mouchoir. La nuit. Mon bois. Mes enfants. Fin du voyage.

Boulevard Lannes, début novembre, Bonne Maman est là. Bonne Maman préside à table. Augustine fait le service. La soupière, la louche, chacun se sert. Nos enfants se tiennent bien à table. Ce silence, je l'avais presque oublié. Bonne Maman prend la cuillère dans sa main droite. C'est elle qui donne le signal. Je n'ose pas regarder Gabriel.

Cet hiver-là, nos premières vacances de neige. Champeix. En Suisse. Emmanuel, Stéphane et Laurent apprennent à skier sans bâtons. Gabriel les entraîne sur les pistes. Je ne peux pas les suivre. Le fait même de chausser des skis me fait tomber, vertige. Je préfère les regarder et attendre. Gabriel, pour m'excuser auprès des enfants leur dit que je vais « bientôt leur donner une petite sœur ».

Les trois premiers, fils du printemps, et, Paulin, fils de juillet, premier à naître dans notre ville d'origine. C'est Augustine qui m'accouche, à la campagne, vacances sans Gabriel. Il est resté à Paris, été brûlant, déclaration de guerre. La sage-femme n'arrive qu'au petit jour. Je me suis délivrée sans son aide. Augustine a accompli les gestes séculaires, avec une extrême douceur et dans sa voix, une joie « un garçon, ce ne pouvait être qu'un garçon ». C'est elle qui choisit le prénom, Paulin, « un souvenir... » dit-elle. J'aurais préféré Lucien. Gabriel n'avait prévu que Mireille. Dans ma chambre, neuf heures du matin, Emmanuel, Stéphane et Laurent viennent voir leur petit frère. Ils plaisantent « ce qu'il est moche... » « il est tout fripé... » « c'est un faux frère, on attendait une fille, avec des nattes, pour tirer dessus. Lui, on lui pétera la gueule... » Franc-parler, mes gosses, leurs jeux, lance-pierres, cabanes, pièges à lapins, randonnées extraordinaires, pieds de nez dans le dos de Bonne Maman, singeries devant ma mère, fluide glacial dans le bénitier de la cathédrale, ils ont volé du tabac à chiquer au bazar et ont essayé de le fumer. Un bel ailleurs, pour eux. Un télégramme de Paris. « Les mousquetaires étaient quatre. Stop. Un architecte de plus. Stop. Mireille c'est toi. Affectueusement. Gaby. » Gaby?

Drôle de guerre. Débâcle. En plein hiver, décision prise dans la journée, Gabriel nous expédie dans le sud, chez nous. Sa campagne est trop isolée. Bonne Maman ne veut pas de nous « à cause du dernier, trop de bruit... » Nous nous installons dans la maison des Promenades. La dame en blanc exige d'être servie par Augustine. Elle se dit désormais dame de compagnie. Les aînés vont au collège

« premiers partout, c'est facile... » Un dernier trimestre leur suffit pour se faire détester, respecter, jalouser. Je leur offre des bicyclettes à jantes de bois. Les fins de semaine, ils disparaissent des journées entières. Stéphane me dit « ici, c'est plus grand que partout ». Gabriel reste à Paris. Je lui écris chaque jour. Il ne répond jamais. Ou bien il téléphone chez Bonne Maman, laisse un message « il m'a dit de vous embrasser. Vous devriez être avec lui ma petite... » « Mais... » « Il n'y a pas de mais! » Paulin a des cheveux blonds, longs, comme une fille. Pourquoi vouloir tout expliquer, montrer, démontrer, tout savoir. Ma compagnie suffit. Gabriel l'a compris. Depuis Paulin, il l'oublie. Les Stop du télégramme. Mission accomplie. Je n'ai de fonction que celle de l'oubli. Je suis belle, ces années-là, de guerre. Bonne Maman me le reproche quand nous lui rendons visite. Elle exige de moi des robes moins légères et des gants blancs, pour ses petits-enfants. Quand on met des gants, tout devient obscène. Dans un poème de Supervielle dédié à Jouhandeau je lis,

« *Boulevard Lannes que fais-tu au milieu du ciel*
Avec tes immeubles de pierre que viennent flairer les [années
Si à l'écart du soleil de Paris et de sa lune... »

Que sont devenues les lettres envoyées à Gabriel? Il nous rend visite, parfois, sans jamais prévenir. Il surgit. Il parle à ses fils, si peu à moi-même. Paulin court vers lui bras tendus. Il oublie de le prendre dans ses bras. Paulin se cogne aux genoux de son père « il faut lui faire couper les cheveux, ridicule... » Paulin ne sait plus vers qui se tourner. Gabriel insiste en me regardant « à qui veux-tu faire plaisir? »

Paulin a six ans. Libération. Nous allons rentrer à Paris. Un matin, très tôt, une odeur de cramé et de cheveux brûlés se répand dans la maison. Augustine est morte, arrêt du cœur, en préparant le petit déjeuner pour tout son monde. Elle s'est effondrée sur la cuisinière, plaque chauffante, toute une moitié du visage. Dernière image de la maison des Promenades. Cimetière. Une tombe dans le quartier du haut, près de mon père. Tendre couple. Je leur dois tout. Dans le kiosque, on a parqué des femmes tondues. La ville entière, réunie, les montre du doigt. Oradour n'est pas loin. On se venge. Stéphane a trouvé ça « marrant... » Emmanuel lui dit de se taire. Laurent me conseille d'emmener Paulin chez le coiffeur « sinon papa ne sera pas content ».

Je tiens Paulin par la main. Près du Mille Colonnes, le trottoir est étroit. Madame Certain. Je prends Paulin dans mes bras « pourquoi Man? » Bouton-sur-le-nez n'y voit plus très bien. « Ni court, ni long? » Il n'y a pas d'histoire. Pas de durée. Pas de temps. Le désespoir est un bonheur. Paulin, cheveux courts, me regarde « pourquoi Man? » Demain, nous rentrons à Paris. Sans Augustine. Autre vie. Autre versant. Une dernière visite à Bonne Maman. Ma mère nous a demandé de ne pas la réveiller. Gabriel nous attendra à la gare. Il a réinscrit les enfants au lycée. Paulin entrera en dixième. Paulin veut jouer du piano. Laissez-moi mon souvenir. Je vous en prie, qui êtes-vous?

36

PAUME de la main vers le ciel, elle se laisse faire. Martine lui ligature l'avant-bras gauche sur la tubulure. Sangles de caoutchouc. Une manière comme une autre d'empêcher Madame de bouger pendant l'intraveineuse. Cette piqûre, exceptionnelle, pour la fête, pour que Madame soit plus éveillée, alerte « comme présente » a promis le docteur devant Monsieur, en rédigeant l'ordonnance. Monsieur! Madame! « A faire deux heures avant le repas d'anniversaire, double dose. » Martine se tient droite, curieux garde-à-vous, dans le bureau de Monsieur. Fernande surveille. Monsieur paye, le docteur dit en sortant « et encore tous mes vœux pour... »

Martine apporte deux chaises qu'elle place près du fauteuil. Madame tourne légèrement la tête, regarde son bras, étonnée, puis Martine, vaguement. De sa main libre elle essaie de déboutonner le col de sa robe, ou bien non essaie-t-elle de serrer autour de son cou un vêtement imaginaire? Martine hausse gentiment les épaules. Robert lui a dit « pas d'imagination, il y a toi et moi, c'est tout... » Martine murmure « ce n'est rien Madame, je vais vous libérer... » Martine s'assoit sur une chaise, pose le plateau avec la seringue, l'alcool, la fiole et le coton sur l'autre chaise. Faire attention. Madame a les veines si fines. En contrebas, cris des enfants, appels de leurs mères. Emmanuel demande à Bernard de déplacer la voiture de Paulin pour qu'il puisse sortir la sienne. Il parle de la pièce montée « je suis en retard... » Un peu d'alcool à 90° sur un bout de coton, frotter le creux du coude, resserrer les sangles, les veines gonflent un peu. Fiole. La lime. Remplir la seringue, placer l'aiguille, l'enfoncer. Et elle, elle, pas un clignement des yeux, pas un pincement de lèvres, même pas la petite peur des piqûres. Rien. La tête légèrement tournée, elle regarde le large. La ligne d'horizon. Croire à son étonnement, sa différence, une distance. Cette femme coupée de tous et de tout, attachée à tous et à tout, comment l'aimer et le lui dire? Martine se souvient de son père quand il rentrait tard des réunions syndicales « ils discutent, ils discutent, la France, c'est ça, un tas d'amour, ça réfléchit, ça sait tout et ça ne sait rien, rien qu'un tas. Et ça se reproduit, là-dedans, tant que ça peut... » Son père grommelait. Martine croyait, comme tout le monde dans l'entourage de la famille, que le père était un peu braque, un brin alcoolique. Non. Les années passaient, il avait trouvé son mot de passe « un tas, rien qu'un tas ». Injection. Instinctivement Martine demande à Madame « je vous ai fait mal? » Flagrant délit de silence. Le souvenir du père revient, avec l'idée de France et de tas.

Gabriel s'habille. Dans le placard du couloir, il tire un à un les tiroirs à chemises. Dans celui du bas, sous les plastrons et les cols cassés, trois châles, doux, soyeux, aux couleurs éteintes, pliés avec précaution, oubliés là depuis un si long temps. « Fernande? » Elle n'a pas entendu. Gabriel ouvre la porte du couloir « Fernande, s'il vous plaît? » Fernande apparaît. Gabriel lui tend un des trois châles, celui du soir de la Reserva, ce châle dans lequel Adrienne, retour en ville, se lovait. Gabriel serrait Adrienne dans ses bras. Tact. Douceur de la laine, fantaisie du dessin, dans l'ombre du taxi, promesses et douceurs à peine exprimées « c'est pour Madame, pour ce soir, j'y tiens, qu'elle le porte ». Gabriel regarde Fernande. Fernande prend le châle et murmure « très bien Monsieur, si cela vous fait plaisir... » Plaisir? Le châle, ce messager. En se retournant, Gabriel se cogne la cheville sur le tiroir qu'il a laissé ouvert. Comment ont-ils pu acheter tant et tant de vêtements? Pourquoi tout garder, tout? Il offrira les deux autres châles à Jeanne, pour la naissance de l'enfant. Ou bien peut-être aussi pour la remercier de n'avoir pas été là quand il a essayé de parler. La tendresse est un paradoxe à tous ses extrêmes. Gabriel se frotte la cheville. Douleur.

Martine retire l'aiguille, goutte de sang, petit coton, frotter, frotter jusqu'à plus de trace. Martine défait les sangles, replie l'avant-bras de Madame avec le coton au creux du coude et maintient l'avant-bras replié. Et elle, elle, regarde le ciel. Pour Martine, il faut attendre, une minute ou deux. Double dose. Injection à base de morphine. Tromper. Un émerveillement. La troubler. Rien de dangereux. Un mensonge, c'est tout. Martine voudrait se sentir coupable de cette injection, artifice. Même plus. Elle a l'habitude. Double dose et Madame ne sera plus elle-même. Ces mots prononcés aujourd'hui « Pipou... » « Lucien... » « Va-t-en... », trois mots. Un éveil? Mais avec la piqûre, c'est sûr, plus rien. Madame se perdra encore plus en elle-même. Martine lui demande si « ça va? » Et elle, elle, écoute le vent ou le ciel, le silence, inlassablement. Fernande surgit en haut de l'escalier, mains à plat, châle tendu. Elle dit de loin « c'est pour Madame, ce soir. Monsieur le veut ». « Sur la robe noire? » « Evidemment. »

Pour les enfants, douche obligatoire, chacun son savon et sa serviette à la main, en rang d'oignons. Martin se débat. Jeanne lui dit « comme les autres ». Les belles-sœurs s'amusent. Françoise demande aux enfants de faire moins de bruit « à cause de Papie... » Un jumeau lance « pourquoi pas Mamie? »

Laurent et Paulin sur le chemin du retour. Ils marchent lentement, mains dans les poches. Laurent allume une cigarette « ce n'est tout de même pas la faute de Papa si le stade de Morilly a servi de camp d'internement pendant la guerre et si la cité de Notre-Dame-de-Versillon a été bombardée avec la raffinerie... » Paulin répond « et Ercqueil? Lassangle? Vergues-sur-Doubs? Port-Marinou? t'aurais envie de vivre là-dedans? » Silence. « Réponds? » Bordure de route, Laurent arrache une graminée et la mâchonne. « J'attends! » Laurent crache l'herbe « non, évidemment ». Paulin sourit « alors? » Laurent prend son frère par le bras « alors, tu as tort, j'ai tort, nous avons tous tort. Laisse tomber, va. Vaut mieux laisser les choses se faire et se défaire ». « Beau programme... » « Non, c'est comme ça... » Geste vague. Sourire. Laurent règle son pas sur celui de Paulin, comme autrefois, quand ils rentraient de promenade, toujours les derniers.

Dans la cour de la pâtisserie, Robert aide Emmanuel à charger la pièce montée « heureusement que vous avez un break! » Emmanuel explique qu'avec cinq enfants, plus la « demoiselle ». Robert le trouve grand, sec, con et un peu vieux. Idée, provocation « vous pouvez faire un message à Martine? » « A qui? » « L'infirmière... » Emmanuel ferme le coffre du break violemment « si vous voulez ». « Alors dites-lui que même si elle est en retard, j'attendrai ». Emmanuel se remet au volant, se penche à la portière « la commission sera faite ». La voiture s'éloigne. Robert crache par terre. Autre crachat. Fin de journée. Odeur des pizzerias. Néons des boîtes de nuit en plein air. Le brouhaha du port. Les nouveaux arrivés font tache.

Fernande appelle Isabel et Maria et leur donne des tabliers brodés, amidonnés. Bernard, dans sa chambre enfile sa veste de maître d'hôtel. Sylvie demande à Stéphane où est passé Laurent « il arrive, avec Paulin ». Chacun reste dans sa chambre « et du calme les enfants! » Jeanne et Martin attendent au salon. Martin caresse du doigt le piano, fermé à clef. « J'apprendrai Man? » L'horloge sonne deux fois sept heures. Martine aide Madame à se relever. C'est l'heure de la douche. Lui mettre un bonnet pour protéger la coiffure, l'asseoir sur un tabouret, savonner, frotter, rincer, sécher, draper, prendre soin de la chose, cet être, elle. Il n'y a presque plus rien dans le regard de Madame, ou un peu, si peu. La piqûre fait son effet.

37

Je suis assise sur une chaise, près de la fenêtre, dans notre chambre, boulevard Lannes, côté jardin, la pièce la plus calme et lumineuse de tout l'appartement. C'est le matin. Plein soleil. Gabriel m'a offert un électrophone Voix de son Maître. J'écoute un disque, Mariane Oswald, paroles de Tranchant « *quand je pense aux baisers / que sans trêve j'ai semés / dans le creux des fossés / je ne peux pas croire à ce mauvais rêve / que l'amour est un péché* ». Le ton plus que le texte. Rien de plus unique, impasse, que Gabriel et moi. Si peu un péché, quelle idée. J'écoute la phrase plus que les mots, la mélodie est grave, cri du cœur, besoin de donner. Je raccommode les chaussettes des garçons, il faut que je vérifie les boutons des chemises de Gabriel. Au dernier moment, il en manque toujours un. Obsession. Fernande est la troisième domestique que nous employons en six mois. Elle restera parce qu'elle ne se plaît pas. Elle restera parce qu'elle ne m'aime pas. Elle restera.

Je ne veux pas lire cet article, en bandeau et en première page de ce journal « scandale de la main-d'œuvre turque. L'entrepreneur et l'architecte sont inculpés ». Béton. Coffrages. Nouvelles techniques. Sur ce chantier, des travailleurs turcs, immigrés clandestins. L'entrepreneur est seul responsable. Il a engagé ces hommes parce qu'ils coûtaient moins cher. Or l'un d'eux s'est cassé le bras. Plutôt que l'envoyer à l'hôpital, il n'existe pas officiellement, quelqu'un le pousse dans un coffrage, corps vivant coulé dans le béton, ni vu ni connu. Si, quelqu'un a vu, quelqu'un d'autre. Scandale. L'entrepreneur sera condamné et Gabriel innocenté. « Dis Maman, pourquoi papa est en prison? » Fernande répond « ne posez pas de questions à votre mère ». Sa première intervention. Nous sommes à table. Les enfants me regardent. Fernande me sert « j'ai raison, n'est-ce pas, Madame? »

L'image que Paris me renvoie de moi-même est opaque. Parfois, je vais attendre Paulin, à la sortie du lycée, bêtement, parce que c'est le plus petit, le dernier. Les aînés me moquent « tu le ridiculises, ses copains le cognent à la récré ».

Le scandale du mort vivant est vite oublié. Quatrième République. Mais Gabriel se sent coupable. Je l'accompagne à La Haye, autre congrès, présentations des délégations à la Reine. Je fais la révérence à la manière de mes sœurs. Photo-souvenir. Week-end à Ijmuiden. Discours de Gabriel. Sa voix ne chante plus comme autrefois, ce brin d'accent, il l'a perdu. Son propos est toujours le même, il veut percer, convaincre? Non. Il se répète. Tout reproduit les mêmes inégalités. L'idée même de la lutte ne fait que renforcer le processus de reproduction. Pourtant, moi, je l'écoute. Parfois, intimité, au moment où il s'y attend le moins, je lui saisis la main. Il se dégage vite de mon emprise. Il a peur de me faire une confidence. Il me traîne comme un désir. Inavoué. Il m'entraîne et je...

Dernier été dans notre ville. Ma mère meurt. Elle ne

s'est tout simplement pas réveillée, un matin. Deux jours après l'enterrement je retrouve mes sœurs et Adrien pour le partage des meubles, des actions et des biens. Adrien exige la mise en vente de la maison des Promenades. De son côté, Bonne Maman nous annonce qu'elle vend tout, y compris la campagne, pour monter à Paris. Je... Que m'a-t-on fait? Tout est si beau, rapide, brusquement. Je veux, je voudrais tant...

Vite. J'entends Bonne Maman donner des ordres à Fernande pour le dîner. Elle régente. Je m'efface. Gabriel a peur d'elle. Tous les prétextes sont bons, je sors, je m'évade, je vais dans les musées, dans les églises, visites guidées, Amis du Louvre, magasins, courses, soldes, concerts du samedi matin au Théâtre des Champs-Elysées, être là pour le retour des enfants, oublier la présence de Bonne Maman en me laissant embrasser par eux « ce que tu es belle... » « on t'aime bien... » « pourquoi tu dis jamais rien? » Bonne Maman habite rue Dufrénoy, à cinq minutes à pied. Elle arrive à onze heures du matin et ne repart qu'après le dîner. Quand Gabriel la raccompagne, les enfants sont déjà couchés. Fernande regagne sa chambre et Bernard la sienne. Un jour, en attendant le retour de Gabriel, dix, onze heures du soir, je me mets au piano. Gabriel me surprend, ferme le clavier violemment sur mes doigts. « Tu vas réveiller les enfants. »

Je n'ai pas d'amies. Gabriel n'a pas d'amis. Je n'ai que l'argent que Gabriel me donne lorsque je lui en demande. La scène se déroule toujours devant sa mère. Il ouvre son portefeuille et me dit « tu dépenses trop... » C'est toujours trop. Je ne sais plus. Gabriel va à la chasse. Je ne l'y accompagne que deux fois. Il est toujours devant moi. Il tue. Dès que Bernard a un après-midi de libre, il vient me chercher pour aller dans Paris. Bonne Maman m'appelle du salon « où allez-vous ma petite? » Je ne réponds pas.

Gabriel déplie des plans sur notre lit « c'est un secret, pour l'été prochain, nos vingt ans de mariage, noces de quoi, déjà? » Il a acheté un terrain « là où je t'avais dit... » Il m'embrasse sur le front, l'oreille, puis il me tient par la hanche. « Nous nous retrouverons là, l'été. » Et dans la nuit de notre chambre, je me souviens de la nuit de Toulouse, pareillement, et de la confidence, « pense à toi, je pense à toi ».

Avant que nous nous installions à la Calanque, premier été, les photos de la maison sont largement diffusées dans les revues d'architecture et de décoration. Ce lieu promis de notre intimité est d'abord livré aux regards de tous. De l'héritage de la maison des Promenades, maintenu au garde-meuble, Gabriel n'a sélectionné que l'horloge et le piano. Tout le reste est de métal, de cuir et de verre. Avant-garde. Vitrine de prestige. Une revue titre « un palais autour d'un patio ». Photos des couloirs-dressing, de la cuisine presse-bouton et de notre salle de bains « royaume des miroirs ». Cet été-là, Emmanuel va entrer en préparation à l'Ecole Centrale, Stéphane est reçu à Maths Elém avec mention bien, Laurent obtient son premier bac. Paulin prépare sa classe de septième, toujours premier en composition française, en récitation et en gymnastique. Cet été-là, Fernande exige que la maison soit bénie par un prêtre. Gabriel accepte « s'il faut ça pour qu'elle reste ». Attacher. S'attacher des domestiques. Dépendre d'eux. Bonne Maman repart pour Paris. Elle ne supporte pas le bord de mer et « tout ce fer, dans cette maison ». Les enfants la surnomment la vipère. « Un secret entre toi et nous, hein, Maman? » comme s'ils voulaient me faire plaisir. Quel plaisir? Je leur réponds ce que j'ai déjà entendu dire par la dame en blanc « vous n'avez pas le droit de critiquer vos parents ».

Vite. J'étouffe. Ou bien je respire, si bien, amplement, je me sens, je... Le soleil se couche à l'horizon. Le vent se calme un peu, ou bien me suis-je habituée? Où suis-je? Là, cette petite terrasse, au-dessus de la maison, le patio, que préparent-ils? Et cette femme qui me plie l'avant-bras, ce coton au creux du coude? Je...

Je regarde le ciel. Il n'a pas changé. Il change toujours. Du rêve, encore, pour les générations futures. Ténacité. Gabriel et moi nous sommes étreints au point de ne plus nous voir. Quand donc m'a-t-il appelée « ma vieille » pour la première fois sans méchanceté, gentillesse, autre manière d'affection? Si vite, sa vieille? Il m'a désirée longtemps, au point de me déformer. Nous nous aimons, encore, ainsi.

Vite, vite, ce temps-là, quand l'un, encore, aurait pu surprendre l'autre. Chaque matin, premier geste, au lever du lit, je remonte le mécanisme de la montre. Elle ne doit pas s'arrêter. Elle ne s'arrête jamais. Ce temps brave les ans. Le temps de Gênes, une noce encore. L'idée d'un arrêt des petites aiguilles m'obsède, naïvement liée dans mon esprit à celle de la mort. L'hiver où Emmanuel, Stéphane et Laurent se retrouvent tous trois, ingénieurs diplômés, aux Beaux-Arts, cet hiver-là où Paulin se querelle avec son père pour justifier ses études de philo, et non pas Maths Elém « je me fous de tes équations, de ton béton et de tes ponts... », cet hiver-là, gifles, violences, le directeur de notre banque me convoque. Bonne Maman vient de lui apporter « un trésor de pièces d'or à mettre dans son coffre-fort ». Les pièces d'or sont en chocolat. Je rapporte les friandises boulevard Lannes et je les jette dans la poubelle, bien enveloppées, pour que Fernande ne fouille ni n'interroge. Je tais l'histoire à Gabriel. Il m'en rendrait responsable. Quelques semaines plus tard, Bonne Maman meurt en clinique en criant qu'on la vole. Aux repas de midi désormais je suis seule. Je me remets au piano, mais je...

Cette femme repose mon avant-bras sur la tubulure. Elle me sourit. Le petit coton est tombé par terre. Je n'ai plus de forces. Pourtant je me sens comblée. Pourquoi me sourit-elle tout le temps? Que dit-elle? Cette voix, comme si elle parlait à une enfant? Dans le ciel, ce grand berceau, il y a des barreaux. Je cours vers eux. Je suis heureuse. Une laisse me retient. Alors je tourne, tourne dans le kiosque vide. On a volé mon cartable. Ils vont couper mes cheveux. Cette femme? Ce plateau? Elle revient. Elle emporte les deux chaises. Seule, je suis seule, de nouveau.

Au mariage de Stéphane, Paulin me fait valser. Je me laisse emporter. J'oublie un instant « voyons, Maman, laisse-toi faire » et nous tournons, tournons. Quand la musique s'arrête, vertige, Paulin me retient. Il rit. Gabriel me regarde de loin. Il est jaloux. « Encore une fois, Maman? » Je murmure « non... » Paulin ne saura jamais pourquoi.

C'est bon. J'ai froid, terriblement froid, et c'est bon. C'est beau. J'ai peur, terriblement peur, et c'est beau. C'est le ciel. Je peux le regarder sans vertige. Du rouge, il vire au bleu, au bleuté, au nimbé et à la nuit. C'est bon, et c'est beau. Je laisse les regrets aux chagrins. Moi aussi, j'aurais voulu en savoir plus, et plus encore. J'ai voulu être ce que je suis. Ils n'ont fait que se détacher de moi et se multiplier. Ils se renvoient leurs images. La mienne est là, dans le ciel et la nuit, claire enfin. Laissez-moi. Où m'emmenez-vous? Qui êtes-vous? Vous n'avez pas ramassé le petit coton taché de sang.

Le jour où l'on remet à Gabriel sa cravate de commandeur de la Légion d'honneur, il prononce son dernier discours. Pour tenter encore d'atteindre la conscience des siens, proches ou lointains, présents à la cérémonie, il fait l'apologie de la statue du Commandeur dans Don Juan « il ne menace pas, il nous invite à nous aimer. Face à l'offense, il est offensif. Nulle revanche. Il invite au partage... » Je. Non. Je ne veux plus être nue, assise sous la douche. Pourquoi ce bonnet?

Je suis la faille, la blessure, leur coupure. Vous m'avez coupée en deux, coupée de moi. Vous me laissez à ma cicatrice. Oui, ce jour-là de janvier, dans ce grand magasin, je me suis perdue. Je choisissais, commandais encore des draps pour vous, des serviettes, des nappes, des gants, des torchons, grande exposition de blanc. J'achetais pour mes enfants et mes petits-enfants. J'avais un chéquier à mon nom depuis peu de temps. Des messages sonores, dans le magasin, répétaient « le blanc cette année est de toutes les couleurs ». Je voulais du blanc, rien que du blanc. Ou bien du bleu, uni. Puis je n'ai pas retrouvé la porte de sortie, autre valse dans les bras de Paulin. Il faisait nuit. Je n'ai pas reconnu le boulevard, le kiosque à journaux. Bernard m'attendait, mais où? J'ai voulu traverser une rue. Une voiture m'a heurtée. Je suis tombée. Des gens m'ont ramassée. Le verre de la montre était cassé, plus qu'une aiguille, celle des minutes, plus de tic-tac. « Ça va? Vous êtes sûre que... » J'ai repris mon chemin. Quel chemin? J'ai jeté la montre dans un caniveau. Qui m'a pris mon sac? J'ai marché. Puis je me suis assise sur un banc. Il n'y a pas de ciel sur Paris. Le thé que Bernard m'a fait boire était brûlant. Bernard me pose des questions. Je ne comprends plus que celles de son regard.

Je suis en moi, au tout dedans de moi. Intacte. Faites ce que vous voulez. Coiffez-moi, lavez-moi, habillez-moi, je... Je veux revoir le ciel, il écoute.

38

ELLE a l'air ravi. Quelque chose dans son regard vient de s'effacer ou bien de se fixer. La piqûre fait son effet. Martine l'aide à sortir de la douche. Geste grotesque, Martine retient Madame, elle sortirait presque de la salle de bains toute seule. L'arrêter, lui poser la main sur le rebord du lavabo, retirer le bonnet sans la décoiffer, l'aider à enfiler le peignoir, la frotter encore pour qu'elle ne prenne pas froid, une main, puis l'autre, la tourner, lui montrer son image dans le miroir, au-dessus du lavabo. Martine dit « ils sont tous là vous savez! » comme si brusquement Madame comprenait tout. Elle. Puis le couloir, la chambre, la robe noire, bien à plat, sur le lit, repassée, pas un pli, une robe commandée à Paris, avant les vacances, pour ces noces d'or. Robe de soie, elle aussi boutonnée de l'avant, de haut en bas, avec emmanchures bouffantes, manches longues, poignets à trois boutons. La taille est légèrement froncée, ceinture surpiquée, et autour du cou, un plastron de dentelle, robe sans style, de tous les styles, de tous les temps, de toutes modes. Robe pour cacher, faire au mieux et au plus strict dans la fantaisie. C'est Monsieur qui a tenu à ce que la robe soit noire « c'est incroyable ce que ma femme peut désormais ressembler à sa... » Phrase en suspens. Monsieur a payé à contrecœur. Il lui a fallu du temps pour signer le chèque de sa signature tourmentée, illisible « quand je pense qu'elle ne portera cette robe qu'un soir ». Fernande a dit « mais Monsieur, vous aurez peut-être des visites ». Les peut-être de Fernande.

Petit effort. Paulin a mis un pantalon de flanelle et une chemise blanche, bras de chemise retroussés, pas de foulard et pas de ceinture. Jeanne a oublié la ceinture. Paulin s'est repris alors qu'il allait lui en faire le reproche. Tant et tant de reproches entendus autrefois, répétés, virant au violent, toujours exploités par Vipère, brave Bonne Maman. Paulin a embrassé Jeanne sur le front « pardon, j'ai failli faire comme lui! » « Qui? » « Eux. » Lui ou eux. Jeanne a souri. Paulin, maintenant, se tient face à son père, dans le bureau, debout, mains dans les poches. Gabriel range ses papiers, notes, dossiers, courrier, crayons, stylos, enveloppes. Il met tout dans des tiroirs. La surface du bureau est dégagée, plane, vide, comme si Gabriel venait de renoncer à tout. Le téléphone, c'est tout. Gabriel, assis, sur son fauteuil, pivote, coude gauche sur le bureau, il regarde le jardin. « Henriette a téléphoné. » « Comment va-t-elle? » « Elle donne des cours de bridge. Je ne sais pas comment elle s'est débrouillée, elle jouait si mal. Elle va de tournoi en tournoi. Elle est même classée. » Silence. Voix des enfants au sous-sol. Paulin s'approche de la fenêtre. Eclat de voix de Fernande, dans la cuisine. Paulin se retourne « elle en fait des progrès en espagnol! » Geste de lassitude de Gabriel « ne parle pas d'elle. Je l'ai, c'est terrible. Si je ne l'avais pas, ce serait pire encore ». Avoir? Gabriel respire profondément « Bernard nous quitte à l'automne. Il se retire. Il s'est acheté une maison près de Guéret. J'ai insisté... » Geste de dépit. « Et cette fille qui s'occupe de ta mère, où passe-t-elle ses nuits? » « Quelle importance? » Paulin se frotte les mains, tourne sur lui-même, quelques pas, un regard sur la bibliothèque, revues, encyclopédies, dictionnaires, photos dans des cadres d'argent, Gabriel et Pie XII, Gabriel et Niemeyer, Gabriel Adrienne et la reine de Hollande, Gabriel et le général à l'inauguration du lycée Paul Valéry, Gabriel recevant sa cravate de Commandeur. Paulin murmure « tu as raison, c'est important, très important... » Il se retourne, fait face, regarde son père « c'est très, très important! » « Pas ce soir, Paulin, ne me parle pas comme ça. » Paulin s'approche du bureau, pose ses mains à plat, déplace le téléphone, s'assoit, se penche vers son père, lui caresse le front, la tête, puis la main glisse, Paulin remet en place le foulard de soie dans l'échancrure de la chemise « écoute, papa, le plus beau cadeau que tu puisses me faire c'est d'avoir de meilleurs rapports avec toi-même ». Paulin retire sa main, croise les bras, regard oblique, il hésite. Démagogie? Gabriel murmure « c'est impossible, tu le sais » puis à voix plus basse encore « tout ce que j'ai acquis, je l'ai acquis malgré moi, tout ce que j'ai raté, je l'ai raté terriblement à cause de moi, et je n'aurai jamais bonne conscience à cause d'elle ». Gabriel tend ses mains pour que Paulin les lui saisisse. Paulin se lève « demain, prends maman par la main, et emmène-la faire un tour ». Silence. « Une simple promenade, rien de plus. » Silence. « Ça fait combien de temps que tu ne l'as pas prise par la main? » Gabriel murmure « depuis le premier jour... » Martin entre dans le bureau sans frapper, il court vers le bureau, se met sur la pointe des pieds et dit à Gabriel « viens, on va manger la pièce montée, avant les autres, c'est meilleur! »

Martine pose sa trousse de maquillage sur la coiffeuse. Madame est habillée, assise, elle se frotte les poignets, poignets de soie, petits boutons, une main, puis l'autre alternativement. Une surprise. Martine décide de la maquiller. Les yeux d'abord. Ombre à paupières, un trait d'eye-liner, puis les joues, un peu de fond de teint, un peu de poudre, un peu de tout, ça se voit à peine. Martine hésite enfin entre le transparent à lèvres et le rouge-rouge. Elle opte pour le second. Lèvres de sang. Redessiner le tout, même si ça déborde un peu. Redonner une expression. Bernard entre dans la chambre. « Fernande me charge de vous dire qu'il vaut mieux descendre Madame au dernier moment. Dans... » Il regarde sa montre « trente-cinq minutes, pas avant! » Il sourit « et Monsieur Emmanuel a une commission à vous faire. C'est à minuit, n'est-ce pas? »

Sous-sol, salle de jeux transformée en dortoir, un coin pour les filles, un coin pour les garçons, lits superposés. Les jumeaux arrachent en cachette les dix dernières pages du livre sur les Borgia puis ils vont le remettre en place près du lit de camp de Josyane, l'autre demoiselle « conne comme les Emmanuel, elle ne s'en apercevra même pas ». Ils rient. Catherine les surprend « d'où venez-vous? » « Rien Maman » dit l'un « je t'assure » dit l'autre. « Que s'est-il passé exactement cet après-midi? » Mutisme. Branle-bas de dîner de famille. Françoise fait remarquer à Colette qu'elle est en blue-jean « vous n'avez rien apporté d'autre? » Dans leur chambre qui donne sur le patio, Laurent et Sylvie se taisent, se regardent, se sourient, se frôlent. Ils se préparent. Rien à se dire, tout à se dire. Pourquoi tout vouloir ramener à une thèse? Ce jour, comme un jour, cette famille, comme toute autre famille. Trois guérites en plus, c'est tout. A cette heure-là les gendarmes qui essaient de calmer tout le monde à l'entrée du camping le Calypso, sont brusquement submergés. Les nouveaux arrivés s'attaquent à ceux qui auraient dû partir en début de journée. Le patron du camping téléphone à la gendarmerie pour réclamer du renfort. Trop tard. Coups de barre, des gosses pleurent, des mères crient, une caravane prend feu, puis deux. Sur Radio Monte-Carlo, aux informations de 19 heures 30, on annonce que la circulation sur les autoroutes est redevenue normale. A Cavalaire un enfant a été emporté par le mistral sur son canot pneumatique, vers le large. On ne l'a pas retrouvé. Les recherches se poursuivent. Et maintenant, le jeu du disque-mystère, combien y a-t-il à la cagnotte aujourd'hui ma chère Carole?

De la Calanque, on n'entend rien, on ne sait rien. On est loin de tout. D'où que l'on se tourne, aucune villa vraiment voisine, aucune lumière étrangère. Gabriel a su conserver le terrain dans son entier et bien implanter la maison. Il dit à Paulin « j'ai voulu en faire un paradis pour mes petits-enfants, vous en avez fait un camp de concentration ». Paulin soupire, plus rien à dire. Il quitte le bureau en emmenant Martin. Jeanne les attend dans le salon. Elle porte sa robe de velours côtelé bleu ciel. Robe d'hiver. Martin est né en hiver. Même robe. Une économie. Paulin embrasse Jeanne « vivement la montagne ». « Si on faisait un aller et retour au camping? » « Ne sois pas inquiète, comme ça. »

Dans le patio, table basse drapée, ornée de guirlandes de fleurs, de géraniums et d'ibiscus. Emmanuel et Bernard mettent en place la pièce montée. Emmanuel s'étonne « je me demande comment vous allez découper tout ça ». Bernard sourit « ça ne se découpe pas, ça se pille! » Emmanuel le regarde, surpris. Bernard hausse les épaules, gentiment « c'est mon dernier été ici, vous savez? »

Catherine prête une robe à Colette. Françoise cherche Emmanuel pour lui remettre sa cravate. Laurent enfile un blazer. Laurent choisit une veste piedde-poule. Sylvie lui fait remarquer que c'est « trop sport ». « Si tu insistes, j'y vais à poil » « Tu parles comme Paulin maintenant? » Laurent embrasse Sylvie. Catherine embrasse Stéphane. Françoise fait le nœud de cravate d'Emmanuel « comme lorsque nous étions fiancés ». Martin s'est fait une petite place, sur le sofa entre Jeanne et Paulin. Il prend une main de Jeanne, une main de Paulin et les place sur ses genoux « je me tiendrai bien, promis! » Dans son bureau, Gabriel défait un petit paquet de lettres qu'il est allé chercher derrière des livres, dans la bibliothèque. Les lettres d'Adrienne, pendant la guerre « Cher Gabriel. Plus je t'attends, plus tu es là. Les jours me forgent. Ton absence m'est une curieuse présence. Où es-tu? Lis-tu mes lettres?... » « Cher Gabriel. Je viens de voir Bonne Maman. Elle m'a fait ton message. J'aurais voulu en savoir plus. Je fais tout pour cacher mon désarroi aux enfants. Cette quiétude, ici, m'est une souffrance car tu me manques. Je ne suis plus ton ombre... » « Cher Gabriel, nous sommes allés à la campagne, hier, avec les enfants. Nous avons ouvert la maison pour la journée. Les amandiers sont en fleurs. Nous nous sommes promenés jusqu'au petit bois. J'ai pensé à ce que tu m'as dit autrefois, comme hier, de Venise... » Gabriel remet les lettres en pile, les renoue, se lève et va les replacer dans la bibliothèque. Le paquet-cadeau. La montre. Il est prêt. L'horloge sonne deux fois huit heures. N'aimer que soi, surtout quand on aime les autres. Se perdre et se retrouver. Ouvrir une porte et se livrer. Quelle fête?

Calypso. L'incendie a été circonscrit. Quelques arbres flambés, trois caravanes calcinées. Le photographe de *Var-Matin* est venu faire son travail. Reportage. Incident. Enquête. Deux hommes sont arrêtés. Menottes. Odeur de cramé. Demain les vacances. Quelles vacances? Où et quand, quelle année déjà? « Et la tente qui a brûlé, là, elle était à qui? » Le patron s'éponge le front « un jeune couple, ils doivent revenir ce soir, tard ».

Martine aide Madame à se lever. « Ils vous attendent... » Martine déplie le châle, le place sur les épaules de Madame, le croise et le noue par-devant, joliment. Et elle, elle se sent très bien. Tout est si beau, si bien. Elle ne se souvient plus de rien. Ou si bien de tout. Etre là. Encore. Lèvres rouges. Redessinées. La parade peut commencer.

39

NUIT sans lune, nuit de vent, une lueur encore, au couchant, et les étoiles, une à une, faiblement, ponctuant le ciel. Le grand texte est là, immobile, fuyant, indifférent aux castes et aux chasses, aux lieux et aux milieux. Assis sur le petit muret de la terrasse, Paulin regarde le ciel. Jeannc, assise dans son dos s'appuie contre lui, oreille plaquée. Elle écoute battre le cœur de son ami, époux, lui, l'autre, curiosité du dedans. Martin ramasse quelques fleurs fanées, comme son père, même geste, coup d'ongle « Tiens, Pa, y en avait encore ». Paulin pense qu'il y en a toujours, celles du jour révolu ou bien celles passées inaperçues. Martin met les pétales en petit tas. Un des jumeaux lui dit « tu fais le jardinier maintenant? » Martin lui tire la langue. Le jumeau court vers Colette en montrant Martin du doigt « il m'a! » Colette lui fait signe de se taire. Colette n'aime pas la robe que Catherine lui a prêtée. Les bretelles tombent. Tout le temps. Elle renonce à les remettre en place et les cache dans le bustier. Josyane est allée chercher son livre sur les Borgia et le montre à Emmanuel. Françoise s'approche d'eux. Ils décident de ne rien dire. Pas de drame. Faire comme si. Pages arrachées. Les jumeaux tirent les nattes de leurs sœurs. Ils observent Emmanuel, Françoise et Josyane. Ils se précipitent en courant vers l'escalier du jardin en faisant l'avion. Ils crient. Diversion. Puis le vent. Le bruit du vent. Sylvie et Catherine se tiennent à droite et à gauche de Gabriel. Elles lui donnent le bras. A une question de Stéphane, Gabriel répond distraitement « vous avez peut-être raison ». Mais c'est un mot de trop. Gabriel n'aime pas invoquer la raison. Il sourit. Un vrai sourire. Il respire. Une vraie respiration, profondément. C'était donc ça, la fin de l'histoire. Cinquante ans. Un commencement. Combien de fois a-t-il pensé, dit, écrit, que rien ne s'achevait vraiment, que tout s'inachevait, que l'expérience ne pouvait inspirer que si l'expiration du créateur était celle de l'insatisfaction. Même Fernande est émue. Ou peut-être elle, plus que les autres. Comment affirmer? Le partage est injuste, mystérieux. Gabriel observe Fernande. Elle gouverne. Bonne Maman, aussi, voulait gouverner. Elle n'a pas obtenu le divorce qu'elle souhaitait. Elle en est morte. Tant et tant de désirs pour se heurter « mais Père, vous n'écoutez pas ce qu'on vous dit? » Laurent allume une cigarette et l'éteint du même geste, nerveux. Il sourit à Sylvie. Gabriel debout, se sent fort, robuste, prêt à tout, mais au tout dedans de lui-même, il fléchit quand tant de fois, dans sa vie, il n'a pu et voulu que réfléchir, sérier, classer, édicter. Une évidence, tout et rien, la multiplication est faite, l'action a été menée, ce qui a été construit n'est pas à renier. Après tout, Venise, comme dans la lettre d'Adrienne, ce nom qui a fait qu'il n'a pas voulu aller plus avant, relire, s'émouvoir, après tout Venise est un rêve nécessaire. Et le demeure. A trop vouloir penser les villes, on n'a plus construit que des routes. Tant pis. A trop vouloir réfléchir, on a oublié d'infléchir. Et lui, Gabriel, au tout premier rang, en éclaireur, oubliant tous et tout. Et Adrienne, à distance mais toujours là. « Enfin, Père, vous n'êtes pas avec nous... » Jouir de cet instant, égoïstement, sans plus aucune arrière-pensée.

Se dire que tout commence parce que rien jamais vraiment ne s'achève. Voici Adrienne.

Elle avance lentement. Elle s'agrippe au bras de Martine. Elle ne sait plus très bien marcher dans des chaussures mi-talons. Chaussures noires et neuves. Qui donc a pensé que ce détail la gênerait, l'obligerait à un autre maintien? Objet maquillé, paré, la revenante. Les enfants sautillent autour d'elle. Les petites filles organisent une ronde et les garçons une autre, plus large et concentrique. Tout cela est impromptu, charmant. Martine tient Madame au milieu des deux rondes. Fernande, Bernard, Stéphane, Emmanuel, Josyane, Colette, Jeanne, Paulin, Sylvie, Françoise, Laurent, Catherine, tous applaudissent. Dans l'embrasure de la porte du salon, Maria et Isabel frappent aussi dans leurs mains. Gabriel fait un pas en avant. Il s'arrête, croise les bras. Les enfants se mettent à scander « Ma-mie! Ma-mie! » une ronde dans un sens, et l'autre inversement. C'est Colette qui a eu l'idée de modifier les mouvements. C'est joli. Puis Martin se met à crier « Pi-Pou! Pi-Pou! » et les « Ma-Mie! Ma-Mie! » deviennent des « Pi-Pou! Pi-Pou! » comme un chant, sur tous les tons, toutes voix, un cri. Une clameur. Et elle, elle frémit des lèvres, c'est ridicule n'est-ce pas, ce rouge, ce fard, et pourtant? Jeanne le pense et prend Paulin par le bras. Elle dit « Pi-Pou! » elle aussi, avec les enfants.

Et elle, elle, regarde, étonnée, un regard vague, émerveillé, un regard qui scrute, se dirige, se guide, cherche. Son regard se pose enfin sur Gabriel. Josyane fait signe aux enfants d'arrêter les rondes. Gabriel s'approche d'Adrienne. Martine s'écarte. Gabriel prend Adrienne dans ses bras et l'embrasse sur le front. Un front à la hauteur de ses lèvres. Le tissu du châle, contact connu, vécu déjà. Gabriel murmure-t-il alors un pardon? Non, ce n'est pas son langage. Pourtant ses fils et ses belles-filles ont vu un mot sur les lèvres du père. Un seul mot. Bref. Comme un secret, ou un aveu. Un mot à nu que personne n'a entendu. Silence. Josyane fait signe aux Emmanuel de se regrouper pour le compliment. « Mais c'était pour le dessert... » Françoise leur dit à mi-voix « non, maintenant, c'est mieux ». Gabriel donne le bras à Adrienne. Tous deux, réunis, écoutent. Martin se jette contre le ventre de Jeanne « J'ai faim... » « Chutt... »

A minuit, Martine rejoindra Robert et n'osera pas lui dire qu'elle a mangé de la pièce montée, comme tout le monde, parce que c'était vraiment une fête. A minuit, Bernard ira faire un tour sur le port, après avoir raccompagné Maria et Isabel chez elles. Fernande comptera l'argenterie et la remettra en place dans les boîtiers feutrés. Après tout, Madame reste, c'est normal. Et pour Martine, elle ou une autre, ça durera ce que ça durera. A minuit, Paulin, Jeanne et Martin reprendront la route directement pour la montagne. Constat d'incendie « vous serez remboursés, je ferai le nécessaire » dira le patron. Ne surtout pas revenir à la Calanque. Demain les Emmanuel partiront avec Josyane et leurs enfants pour la première quinzaine, ailleurs. Demain Colette emmènera les enfants sur la plage, leurs parents iront en bateau jusqu'aux îles. Et ainsi de suite les jours. Demain, chacun se dira, ça n'arrive qu'aux autres. Demain, Gabriel écrira une lettre à Henriette pour la remercier du coup de téléphone, puis il hésitera longtemps avant d'aller en haut, autre escalier, autre maison, pour la surprendre, elle, elle, sur son fauteuil, lui tendre le bras et l'inviter à faire un tour de jardin, jusqu'au promontoire pour, au bord du vide, derrière le grillage, face à la calanque, cris des enfants qui jouent en contrebas, sentir comme une crispation de la main d'Adrienne, si douce pulsion des doigts, une peur, un vertige, elle est là, encore, et il lui sourira. Demain comme hier ou aujourd'hui. Ce que dit le ciel. Ce que dit le silence.

Fin de compliment. Tous se dirigent vers le patio. La table en U majuscule. Emmanuel place les enfants. Sylvie glisse à l'oreille de Stéphane « on n'a même pas pris une photo ». Laurent l'entend, en passant « ce n'est pas le genre de la famille ». Fernande, Maria, Isabel et Bernard servent les vingt-sept assiettes garnies de langoustes. L'entrée. Le beau monde de la famille se retrouve placé, assis, dans l'écrin du patio. Gabriel et Adrienne président, chacun de leur côté, étrange table qui se recourbe vers l'un, vers l'autre, comme si ni l'un, ni l'autre n'avait jamais vraiment eu le pouvoir. Du vin pour les parents, de l'eau pour les enfants. Martine resserre un peu le nœud du châle, place la serviette sur les genoux de Madame. Martine se redresse, attend, observe. Silence. Personne ne bouge. Tout le monde attend. Et elle, elle, regarde la pièce montée, le petit temple d'amour et ce couple en sucre, tout en haut. Et dans le socle en nougatine, un cœur de pâte d'amande frappé du chiffre 50. Ils attendent tous d'elle un geste, le signal. Parce qu'elle est là. Parce qu'elle est revenue. Présente. Parce qu'elle a su attendre, donner, se donner, recevoir coups, contrecoups, reproches et silences, parce qu'elle est belle, elle, son regard, il n'y a plus que le regard, il est là. Elle est là. Attachée. Vivante.

Elle se tourne vers Gabriel, lentement. Un vide les sépare. Jeanne veut se pencher pour l'aider à prendre la fourchette et le couteau à poisson. Paulin lui fait signe de ne pas bouger. Et elle, elle, attend de Gabriel un signe. Gabriel lui sourit. Noces. Elle regarde alors son assiette, met bien en place la serviette sur ses genoux, toute seule, puis elle soulève les mains, hésite, tremble un peu comme à l'ordinaire, et seule, toute seule, accomplit le geste de convention, le geste qui l'honore, couteau et fourchette en main, signal donné. Le souper peut commencer. La fête continue.

40

Je me souviens de cet été-là. Eté à venir, ou bien été passé. Qui suis-je? Emmanuel, Stéphane, Laurent, Paulin, Jeanne quand elle s'inquiète, Fernande ou Bernard qui sont restés là, eux aussi, tant et tant de temps? Le destin de qui se résigne tout en s'attachant à sa propre douleur n'est ni de l'un, ni de l'autre, ni de telle personne ou tel personnage. Il se terre et il se tait. La personne derrière le personnage revendique et combat pour tous. Rien de plus offert au partage que la solitude quand elle vire à l'isolement. Je me souviens...

Je me souviens de cet été-là. Il est à venir. Il ne montre ni ne démontre. Il n'excuse ni n'accuse. La haine des familles n'est qu'une invention immorale, morale encore, si peu l'abandon ensuite, poursuite de notre temps. On est toujours dans le ventre d'une mère. Par nous, la multiplication est en train de se faire, ou bien l'une, ou encore l'autre, moi, lui, toi, vous, élague lui-même sa branche et tombe avec. Martin fait la sieste, haut dans l'arbre, là où il se divise en quatre branches porteuses, doigt d'une main incomplète qui voudrait attraper le ciel. Et chaque branche elle-même se divise. Les barreaux des berceaux font d'étranges racines.

Cet été-là, les politiciens parlaient encore de choix de société. Le choix est fait, un autre reste à faire, tendre mirage de leurs désirs maquillant à peine ce goût du pouvoir qui tue tout espoir. L'esprit, à force de se devancer, n'avait plus à se surprendre. Qui inventait encore? Tout involuait, cet été-là. Tout involue.

Suis-je Martin? L'arbre me porte, car nous portons tous en chacun de nous, sage ou morveux, l'enfant que nous aurions pu être si, pour nous former, on ne nous avait pas déformés. Perfectibles nous étions et parfois, dans le secret de nos êtres, le demeurons.

Cet été-là, je me le rappelle. C'est demain. Un été qui persiste à se distraire, à faire comme si. A bâtir en abattant, la mémoire se démolit. Et pour cela, par cela, cet été-là, j'ai écouté une septième sonatine de Diabelli. La punition vire à la mélodie. Et au pays d'Evita, la Reserva est devenue un bowling. On a tué les loups. On a gardé les fusils. Toujours les mêmes, là ou ailleurs.

L'enfant de Cavalaire n'a jamais été retrouvé. Pas même son canot pneumatique. Le vent aussi a ses proies.

Cet été-là, cet été-là, je vais le vivre. Qu'Adrienne me guide. Elle attend que Gabriel vienne la chercher pour la promener. Et moi, tout au-dedans d'elle, j'attends aussi, inquiet, émerveillé. Cet été-là, un pas en arrière, trois pas en avant, tant d'amours se sont brisés. La passion, elle, intacte, appelle.

ŒUVRES D'YVES NAVARRE

ROMANS

Chez Laffont :

LE PETIT GALOPIN DE NOS CORPS
KURWENAL OU LA PART DES ÊTRES

Chez Flammarion :

LADY BLACK
ÉVOLÈNE
LES LOUKOUMS
LE CŒUR QUI COGNE
KILLER

Chez Grasset :

NIAGARAK

THÉÂTRE

Chez Flammarion :

THÉÂTRE I (Il pleut, si on tuait papa-maman, Dialogue de sourdes, Freaks Society, Champagne, Les Valises).
THÉÂTRE II (Histoire d'amour, La Guerre des piscines, Lucienne de Carpentras, Les Dernières Clientes).

POUR ENFANTS

Chez Flammarion :

PLUM PARADE ou 24 heures de la vie d'un mini-cirque

Le Livre de Poche Biblio

Extrait du catalogue

Sherwood ANDERSON
Pauvre Blanc

Guillaume APOLLINAIRE
L'Hérésiarque et Cie

Miguel Angel ASTURIAS
Le Pape vert

James BALDWIN
Harlem Quartet

Adolfo BIOY CASARES
Journal de la guerre au cochon

Karen BLIXEN
Sept contes gothiques

Mikhail BOULGAKOV
La Garde Blanche
Le Maître et Marguerite

André BRETON
Anthologie de l'humour noir

Erskine CALDWELL
Les Braves Gens du Tennessee

Italo CALVINO
Le Vicomte pourfendu

Elias CANETTI
Histoire d'une jeunesse - *La langue sauvée*
Histoire d'une vie - *Le flambeau dans l'oreille*
Les Voix de Marrakech
Le Témoin auriculaire

Blaise CENDRARS
Rhum

Jacques CHARDONNE
Les Destinées sentimentales
L'Amour c'est beaucoup plus que l'amour

Joseph CONRAD et Ford MADOX FORD
L'Aventure

René CREVEL
La Mort difficile

Alfred DÖBLIN
Le Tigre bleu

Iouri DOMBROVSKI
La Faculté de l'inutile

Lawrence DURRELL
Cefalù

Friedrich DURRENMATT
La Panne
La Visite de la vieille dame

Jean GIONO
Mort d'un personnage
Le Serpent d'étoiles

Jean GUÉHENNO
Carnets du vieil écrivain

Lars GUSTAFSSON
La Mort d'un apiculteur

Henry JAMES
Roderick Hudson
La Coupe d'Or
Le Tour d'écrou

Ernst JÜNGER
Jardins et routes *(Journal I, 1939-1940)*
Premier journal parisien *(Journal II, 1941-1943)*
Second journal parisien *(Journal III, 1943-1945)*
La Cabane dans la vigne *(Journal IV, 1945-1948)*
Héliopolis
Abeilles de verre
Orages d'acier

Ismaïl KADARÉ
Avril brisé
Qui a ramené Doruntine ?

Franz KAFKA
Journal

Yasunari KAWABATA
Les Belles Endormies
Pays de neige
La Danseuse d'Izu
Le Lac
Kyôto
Le Grondement de la montagne
Tristesse et Beauté
Le Maître ou le tournoi de go

Andrzeij KUSNIEWICZ
L'État d'apesanteur

Pär LAGERKVIST
Barabbas

D.H. LAWRENCE
L'Amazone fugitive
Le Serpent à plumes

Sinclair LEWIS
Babbitt

Carson McCULLERS
Le Cœur est un chasseur solitaire
Reflets dans un œil d'or
La Ballade du café triste
L'Horloge sans aiguilles

Thomas MANN
Le Docteur Faustus

Henry MILLER
Un diable au paradis
Le Colosse de Maroussi
Max et les phagocytes

Vladimir NABOKOV
Ada ou l'ardeur

Anaïs NIN
Journal 1 - *1931-1934*
Journal 2 - *1934-1939*
Journal 3 - *1939-1944*

Joyce Carol OATES
Le Pays des merveilles

Edna O'BRIEN
Un cœur fanatique
Une rose dans le cœur

Liam O'FLAHERTY
Famine

Mervyn PEAKE
Titus d'Enfer

Augusto ROA BASTOS
Moi, le Suprême

Joseph ROTH
Le Poids de la grâce

Raymond ROUSSEL
Impressions d'Afrique

Arthur SCHNITZLER
Vienne au crépuscule
Une jeunesse viennoise

Isaac Bashevis SINGER
Shosha
Le Blasphémateur
Le Manoir
Le Domaine

Robert Penn WARREN
Les Fous du roi

Virginia WOOLF
Orlando
Les Vagues
Mrs. Dalloway
La Promenade au phare
La Chambre de Jacob
Années
Entre les actes
Flush
Instants de vie

Cahiers de l'Herne

(Extraits du catalogue du Livre de Poche)

Julien Gracq 406

Julien Gracq, le dernier des grands auteurs mythiques de la littérature contemporaine. Par Jünger, Buzzati, Béalu, Juin, Mandiargues, etc. Et un texte de Gracq sur le surréalisme.

Samuel Beckett 4934

Mystères d'un homme et fulgurance d'une œuvre. Des textes de Cioran, Kristeva, Cixous, Bishop, etc.

Louis-Ferdinand Céline 4081

Dans ce Cahier désormais classique, Céline apparaît dans sa somptueuse diversité : le polémiste, l'écrivain, le casseur de langue, l'inventeur de syntaxe, le politique, l'exilé.

Mircea Eliade 4033

Une œuvre monumentale. Un homme d'exception, attaché à l'élucidation passionnée des ressorts secrets de la vie de l'esprit. Par Dumézil, Durand, de Gandillac, Cioran, Masui...

Martin Heidegger 4048

L'œuvre philosophique la plus considérable de XXe siècle. La métaphysique, la pensée de l'Être, la technique, la théologie, l'engagement politique. Des intervenants prestigieux, des commentaires judicieux.

René Char 4092

Engagé dans le surréalisme et chef de maquis durant la seconde guerre mondiale, poète de la dignité dans l'épreuve et chantre de la fraternité des hommes, René Char confère à son écriture, au lyrisme incantatoire, le style d'un acte et les leçons d'un optimisme en alerte. Par Bataille, Heidegger, Reverdy, Eluard, Picon, O. Paz...

Jorge Luis Borges 4101

Enquêtes, fictions, analyses, poésie, chroniques. L'œuvre, dérive dans tous les compartiments de la création. Avec Caillois, Sabato, Ollier, Wahl, Bénichou...

Francis Ponge

La poésie, coïncidence du parti pris des choses et de la nécessité d'expression. Quand le langage suscite un strict analogue du galet, de l'œillet, du morceau de pain, du radiateur parabolique, de la savonnette et du cheval. Avec Gracq, Tardieu, Butor, Etiemble, Bourdieu, Derrida...

A paraître : **Henri Michaux**

IMPRIMÉ EN FRANCE PAR BRODARD ET TAUPIN
Usine de La Flèche (Sarthe).
LIBRAIRIE GÉNÉRALE FRANÇAISE - 6, rue Pierre-Sarrazin - 75006 Paris.
ISBN : 2 - 253 - 05097 - 0 30/6667/7